A bala que errou o alvo

A bala que errou o alvo

Um romance do Clube do Crime das Quintas-Feiras

Richard Osman

Tradução de Jaime Biaggio

The Thursday Murder Club © 2020 by Richard Osman

TÍTULO ORIGINAL
The Bullet That Missed (The Thursday Murder Club 3)

COPIDESQUE
Ilana Goldfeld

REVISÃO
Juliana Souza
Stella Carneiro
Thais Entriel

DIAGRAMAÇÃO
Ilustrarte Design e Produção Editorial

CIP-BRASIL. CATALOGAÇÃO NA PUBLICAÇÃO
SINDICATO NACIONAL DOS EDITORES DE LIVROS, RJ

O91b

    Osman, Richard, 1970-
        A bala que errou o alvo / Richard Osman ; tradução Jaime Biaggio. - 1. ed. - Rio de Janeiro : Intrínseca, 2022.
    (O clube do crime das quintas-feiras ; 3)

    Tradução de: The bullet that missed
    ISBN 978-65-5560-500-6

    1. Ficção inglesa. I. Biaggio, Jaime. II. Título. III. Série.

22-79850   CDD: 823
        CDU: 82-3(410.1)

Meri Gleice Rodrigues de Souza - Bibliotecária - CRB-7/6439

[2022]
Todos os direitos desta edição reservados à
EDITORA INTRÍNSECA LTDA.
Rua Marquês de São Vicente, 99, 6º andar
22451-041 — Gávea
Rio de Janeiro — RJ
Tel./Fax: (21) 3206-7400
www.intrinseca.com.br

Para Ingrid. Eu estava à sua espera.

Bethany Waites entende que já não há mais volta. Chegou o momento de ter coragem e ver o que acontece.

Sente o peso da bala em sua mão.

Na vida, é preciso identificar as oportunidades. Compreender que são muito raras e estar a postos quando surgem.

"Vem me encontrar. Só para conversarmos."

Era isso que o e-mail dizia. Ela repetia a frase na mente desde então. Será que deveria ir?

Havia uma última coisa a fazer antes de decidir: enviar uma mensagem a Mike.

Mike sabe da matéria em que ela está trabalhando. Não os detalhes — afinal, todo repórter tem seus segredos —, mas ele sabe que é arriscada. Está disponível se ela precisar, mas tem coisas que é necessário fazer por conta própria.

Aconteça o que acontecer esta noite, ela ficará muito triste em deixar Mike Waghorn para trás. É um bom amigo. Um homem gentil e divertido. Não é por acaso que os telespectadores o adoram.

Mas Bethany sonha mais alto. E talvez esta seja a sua chance. Uma chance perigosa, mas ainda assim uma chance.

Ela escreve a mensagem e clica em enviar. Ele não vai responder hoje. Está tarde. Melhor assim, talvez. Dá até para ouvir a voz dele:

— Quem manda mensagem às dez da noite? Só millennials e tarados!

Muito bem, então. Hora de Bethany girar a roda da fortuna. Sobreviverá ou morrerá?

Ela se serve de uma bebida e dá uma última olhada na bala. Nem é questão de escolha, na verdade.

Um brinde às oportunidades.

PARTE UM

Um rosto familiar a cada esquina

1

— Não preciso de maquiagem — diz Ron.

Ele está acomodado numa cadeira de costas retas porque Ibrahim lhe disse que não se deve sentar curvado na televisão.

— Não? — pergunta a maquiadora, Pauline Jenkins, retirando pincéis e paletas da bolsa.

Ela colocou um espelho numa mesa da Sala de Quebra-Cabeças. É todo emoldurado por lâmpadas cujo brilho reflete em seus brincos cor de cereja enquanto balançam.

Ron sente o nível de adrenalina subir um pouco. Isso é coisa séria. TV. Mas cadê os outros? Ele lhes disse que poderiam aparecer "se estivessem a fim, sem pressão", então vai ficar arrasado se ninguém vier.

— Eu sou desse jeito, é pegar ou largar — diz Ron. — Este rosto é resultado da minha vida, ele conta uma história.

— Uma história de terror, se me permite o comentário — retruca Pauline, olhando para uma paleta de cores, depois de volta para o rosto de Ron. Ela lhe sopra um beijo.

— Nem todo mundo precisa ser galã.

Os amigos sabem que a entrevista é às quatro. Devem estar para chegar.

— Nisso concordamos, meu bem. Milagre eu não sei fazer. Mas lembro de você nos velhos tempos. Fazia o tipo encrenqueiro bonitão, né?

Ron resmunga e ela continua:

— E faz o *meu* tipo, para ser sincera. É bem o que eu curto. Sempre na defesa dos trabalhadores, não era essa a sua onda, sempre forçando a barra? — Pauline abre um pó compacto. — Continua a acreditar nisso tudo? O poder para o proletariado?

Os ombros de Ron se retraem um pouco, como um touro se preparando para entrar na arena.

— Se eu ainda acredito nisso? Se ainda acredito em igualdade? Se ainda acredito no poder da classe operária? Qual o seu nome?

— Pauline.

— Se ainda acredito na dignidade de um dia de trabalho em troca de um salário justo, Pauline? Mais do que nunca.

Pauline faz um sinal positivo com a cabeça.

— Muito bem. Então fecha essa matraca por uns cinco minutos e me deixa fazer o trabalho pelo qual estou sendo paga, que é lembrar aos espectadores do *Boa Noite, Sudeste* como você era gato.

Ron abre a boca para falar, mas nenhuma palavra sai, o que é incomum para ele. Sem mais delongas, Pauline começa a aplicar a base.

— Dignidade é o cacete. E esses olhos lindos? Quase um Che Guevara estivador.

Pelo reflexo do espelho, Ron vê a porta da Sala de Quebra-Cabeças se abrir. Joyce entra. Ele sabia que ela não o deixaria na mão. Até porque ela está ciente de que Mike Waghorn estará aqui. Tudo isso, verdade seja dita, foi ideia dela. Foi Joyce quem escolheu aquela ficha.

Ron repara que ela está vestindo um cardigã novo. Ela não tem jeito mesmo.

— Você disse que não ia usar maquiagem, Ron — observa Joyce.

— Eles forçam você a usar — diz Ron. — Essa é a Pauline.

— Olá, Pauline. Você vai ter um trabalhão aqui.

— Já lidei com coisa pior. Eu trabalhava na produção do *Casualty*, aquela série médica.

A porta se abre de novo. Entra um operador de câmera seguido por um técnico de som e, logo depois, o brilho de cabelos brancos, o discreto esvoaçar de um terno caro e o cheiro perfeito, masculino porém sutil, de Mike Waghorn. Ron repara que Joyce ficou corada. Ele reviraria os olhos se não estivessem passando corretivo no seu rosto.

— Bem, aqui estamos — diz Mike, cujo sorriso é tão imaculado quanto seus cabelos. — Vocês estão olhando para Mike Waghorn, primeiro e único, não aceitem imitações.

— Ron Ritchie.

— O próprio, sem tirar nem pôr — comenta Mike, pegando a mão de Ron. — Não mudou nadinha, não é? Estou me sentindo num safári, vendo um leão de perto, Sr. Ritchie. Esse homem não é um leão, Pauline?

— Impressionante, sem dúvida — concorda Pauline, passando pó na bochecha de Ron.

Ron observa Mike virar devagar a cabeça na direção de Joyce, despindo o cardigã novo dela com os olhos.

— E a quem devo a honra?
— Joyce Meadowcroft. — Ela quase faz uma reverência.
— Encantado — cumprimenta Mike. — Você e o magnífico Sr. Ritchie então são um casal, Joyce?
— Não, Deus do céu, não, não, de jeito nenhum, nossa, nem pensar. Somos amigos. Sem ofensa, Ron.
— Amigos, entendo — diz Mike. — Ron é um homem de sorte.
— Para de flertar, Mike — intervém Pauline. — Ninguém está interessado.
— Ah, a Joyce está interessada, sim — afirma Ron.
— Estou — confirma Joyce.
Falou para si, mas alto o suficiente para ser ouvida.
A porta se abre mais uma vez e Ibrahim enfia a cabeça pela abertura. Bom garoto! Agora só falta Elizabeth.
— Estou atrasado?
— Chegou bem na hora — garante Joyce.
O técnico de som ajusta o microfone na lapela de Ron, que, por insistência de Joyce, está usando um blazer por cima da camisa do West Ham. É desnecessário, na opinião dele. Chega a ser um sacrilégio. Ibrahim se senta ao lado de Joyce e observa Mike Waghorn.
— O senhor é muito bonito, Sr. Waghorn. Uma beleza clássica.
— Obrigado — diz Mike, com um aceno de cabeça. — Eu jogo squash, passo hidratante e o resto fica por conta da natureza.
— E gasta umas mil libras por semana em maquiagem — acrescenta Pauline, dando os retoques finais em Ron.
— Eu também sou bonito, sempre comentam — diz Ibrahim. — Creio que se minha vida tivesse tomado outro rumo, talvez pudesse ter sido apresentador de telejornal que nem você.
— Eu não sou apresentador de telejornal — rebate Mike. — Sou um jornalista que por acaso apresenta o jornal.
Ibrahim concorda.
— Uma mente afiada. E bom faro para reportagens.
— Bem, por isso estou aqui — afirma Mike. — Assim que li o e-mail, logo senti o potencial para uma boa reportagem. Uma nova forma de viver, comunidades para aposentados e o rosto famoso de Ron Ritchie no meio de tudo. Pensei: "Ah, o público vai adorar."
Tudo esteve tranquilo por algumas semanas, mas Ron está animado que agora a turma voltou à ativa. A entrevista é puro estratagema. Foi induzida

por Joyce no intuito de atrair Mike Waghorn para Coopers Chase. Para ver se ele poderia ajudá-los no caso. Joyce mandou um e-mail para um dos produtores. Mas isso também significava que Ron ia voltar a aparecer na TV, o que o deixava bastante feliz.

— O senhor quer jantar com a gente depois, Sr. Waghorn? — convida Joyce. — Reservamos uma mesa para as cinco e meia. Depois do horário de pico do restaurante.

— Por favor, me chame de Mike. E sinto muito, mas não vou poder. Tento não me misturar com o público. Sabe como é, privacidade, germes, esse tipo de coisa. Tenho certeza de que vocês entendem.

— Ah — diz Joyce.

Ron percebe a decepção da amiga. Ele não conseguia imaginar que houvesse, em Kent ou Sussex, alguém mais fã de Mike Waghorn do que Joyce. Ou, pensando melhor, Ron não queria nem imaginar que tal pessoa existisse.

— Sempre tem álcool de sobra — comenta Ibrahim com Mike. — E suspeito que muitas fãs suas estarão por lá.

Mike parou para pensar.

— E podemos te contar tudo a respeito do Clube do Crime das Quintas-Feiras — acrescenta Joyce.

— O Clube do Crime das Quintas-Feiras? — repete Mike. — Parece algo inventado.

— Tudo é inventado, se pararmos para pensar — observa Ibrahim. — O álcool, por sinal, é subsidiado. Tentaram acabar com isso, mas fizemos uma reunião e eles voltaram atrás. E você estará livre antes das sete e meia.

Mike olha para o relógio e para Pauline.

— Dá pra gente comer rapidinho?

Pauline se dirige a Ron.

— Você vai estar lá?

Ron olha para Joyce, que confirma com um aceno determinado de cabeça.

— Pelo jeito vou.

— Então dá — diz Pauline.

— Ótimo, ótimo — comenta Ibrahim, animado. — Gostaríamos de conversar com você sobre uma questão, Mike.

— E do que se trata?

— Tudo em seu devido tempo — responde Ibrahim. — Não quero desviar o foco do Ron.

Mike se senta numa poltrona em frente a Ron e começa a contar até dez. Ibrahim se aproxima de Joyce e comenta:

— Ele está testando o volume do microfone.

— Eu sei — responde ela, e Ibrahim assente. — Obrigada por conseguir que ele fique para o jantar. Nunca se sabe, não é?

— Nunca se sabe, Joyce, é verdade. Talvez vocês dois se casem antes do fim do ano. E, mesmo que não seja o caso, algo para o qual também devemos nos preparar, com certeza teremos muitas informações a respeito de Bethany Waites.

A porta é aberta mais uma vez e Elizabeth entra. Agora todos estão presentes. Ron finge não estar emocionado. A última vez que reunira um grupo de amigos assim foi quando estavam todos sendo hospitalizados por causa dos escudos do batalhão de choque durante a greve dos tipógrafos de Wapping. Bons tempos.

— Façam de conta que nem estou aqui — diz Elizabeth. — Ron, você parece diferente. O que foi? Parece... saudável.

Ron resmunga, mas nota que Pauline sorriu. E deve admitir que é um baita sorriso. Seria ela muita areia para o seu caminhãozinho? Sessenta e muitos, talvez meio nova para ele? Como anda esse caminhãozinho, aliás? Faz tempo que ele não checa. De qualquer forma, que sorriso.

2

Pode ser difícil comandar uma quadrilha multimilionária de traficantes de dentro de uma cela. Mas, como Connie Johnson vem descobrindo, impossível não é.

A maior parte dos carcereiros está do seu lado. E por que não estaria? Ela molha a mão de bastante gente. Mas ainda há um ou outro guarda que não entra no esquema, e só esta semana ela já teve que engolir dois chips SIM ilegais.

Os diamantes, os assassinatos, a bolsa de cocaína. Tinham armado uma das grandes para cima dela, e seu julgamento seria dali a dois meses, mas, até lá, pretende continuar tocando os negócios. Talvez a considerem culpada, talvez não, mas Connie prefere pecar pelo otimismo em tudo. Foque no sucesso, era o que dizia sua mãe, apesar de ter morrido cedo, atropelada por uma van cujo motorista não tinha seguro.

Além de tudo, é bom se manter ocupada. A rotina é importante na prisão. Outra coisa importante é ter aspirações. No caso de Connie, matar Bogdan. Ele é a razão de ela estar ali e, com ou sem olhos cintilantes como lagos numa montanha, ele já era.

E o velho também. Aquele que o ajudou a armar para cima dela. Ela andou perguntando e descobriu que se chama Ron Ritchie. Ele já era também. Connie vai esperar até o fim do julgamento (o júri não gosta quando alguém mata as testemunhas), mas depois acabará com ambos.

Vasculhando o celular, Connie descobre que um dos homens que trabalham no prédio administrativo da prisão está no Tinder. É careca e posa ao lado de um Volvo na foto, veja só... Mas ela desliza para a direita do mesmo jeito, pois nunca se sabe quando alguém será necessário. E pronto, dão match na mesma hora. *Quelle surprise!*

Connie andou pesquisando sobre Ron Ritchie. Pelo visto, foi famoso nos anos 1970 e 1980. Ela observa a foto dele no celular, um rosto que mais sugere um boxeador malsucedido, gritando no megafone. É evidente que se trata de um homem que gosta dos holofotes.

Que sorte você tem, Ron Ritchie, pensa Connie. *Vai ser famoso de novo quando eu acabar com a sua raça.*

Uma coisa é certa: Connie fará de tudo para passar o mínimo de tempo possível na cadeia. E, quando sair, aí é que o pandemônio vai começar de verdade.

Às vezes, na vida, é preciso apenas ser paciente. Pelas grades da janela, Connie observa o pátio da prisão e as colinas à distância. E liga a máquina de Nespresso.

3

Mike e Pauline foram jantar com eles.

Ibrahim adora quando a turma está toda reunida. Reunida e com uma missão. Joyce fizera questão de que investigassem o caso de Bethany Waites. Ibrahim concordara no ato. Em primeiro lugar, por ser um caso interessante. Um caso jamais solucionado. Mas, em especial, porque se apaixonara por Alan, o novo cachorro de Joyce, e temia que ela limitasse seu acesso ao bicho se fosse contrariada.

— Vinho tinto, Mike? — oferece Ron, com a garrafa erguida.

— Qual é? — pergunta Mike.

— Como assim?

— Que vinho é esse?

Ron dá de ombros.

— É tinto, quem faz eu não sei.

— Tudo bem, vamos viver perigosamente, só desta vez — responde Mike, deixando que o outro lhe sirva.

Queriam muito conversar com Mike Waghorn sobre o assassinato de Bethany Waites. Presume-se que ele tenha informações que não constam nos arquivos oficiais. Mike, é óbvio, ainda não sabe disso. Está apenas degustando vinho de graça com quatro aposentados inofensivos.

Ibrahim terá paciência e, antes de começar a indagar sobre o assassinato, deixará Joyce perguntar várias outras coisas a Mike. Sabe quanto ela está entusiasmada por conhecê-lo. Ela anotou tudo o que queria saber num caderninho e o guardou na bolsa para o caso de esquecer de alguma coisa.

Agora que Mike tem à sua frente uma taça de vinho tinto não identificado, Joyce se sente habilitada a iniciar os trabalhos.

— Quando você apresenta as notícias, está tudo escrito ou permitem que você use suas próprias palavras, Mike?

— É uma ótima pergunta. Perceptiva, vai direto ao cerne da questão. Tudo já vem escrito, mas nem sempre eu me atenho ao roteiro.

— Você conquistou esse direito depois de tantos anos — concede Joyce. Mike concorda.

— Mas, de vez em quando, isso me traz problemas. Já me mandaram fazer um curso de imparcialidade em Thanet.

— Que bom para você — diz Elizabeth.

Ibrahim observa Joyce dar uma rápida espiada no caderninho dentro da bolsa.

— Você usa alguma roupa especial para entrar ao vivo? — pergunta Joyce. — Meias da sorte, algo assim?

— Não.

Joyce assente, um pouco decepcionada, e dá mais uma olhada no caderninho.

— E como faz quando precisa ir ao banheiro no meio do programa?

— Por favor, Joyce — reclama Elizabeth.

— Vou antes de começar — responde Mike.

Por mais divertida que seja a situação, Ibrahim conjectura se já não seria a hora de ele dar início ao tema da noite.

— Então, Mike, nós queríamos...

Joyce pousa a mão no braço do amigo.

— Ibrahim, perdão, só mais algumas questões. Como é a Amber?

— Quem é Amber? — pergunta Ron.

— Ela apresenta o programa com o Mike — explica Joyce. — Ron, francamente, assim você vai acabar passando vergonha.

— Vivo passando — responde Ron.

Ele fala isso encarando Pauline, que, na opinião de Ibrahim, fez questão de se sentar ao lado de Ron. Aquele é, em geral, o lugar dele, Ibrahim. Mas tudo bem.

— Ela só está no programa há três anos, mas já comecei a gostar dela — comenta Joyce.

— É ótima — concorda Mike. — Vai demais à academia, mas é ótima.

— E tem um cabelo lindo — elogia Joyce.

— Joyce, você deve julgar os apresentadores de telejornal por suas habilidades jornalísticas — argumenta Mike. — Não pela aparência. Apresentadoras, em particular, já têm que lidar muito com isso.

Joyce confirma com um aceno de cabeça, bebe meia taça de vinho branco e repete o gesto de concordância.

— Entendo seu ponto, Mike. Só acho que dá para ser muito talentosa e *também* ter um cabelo lindo. Talvez eu seja fútil, mas ambas as coisas têm importância para mim. Claudia Winkleman é um bom exemplo. Você também tem um cabelo lindo.

— Vou querer o filé, por favor — declara Mike ao garçom que chegou para anotar os pedidos. — Ao ponto para mal. Na dúvida, pode fazer mais para mal. Mas, se ficar mais ao ponto, tudo bem, não é o fim do mundo.

— Andei lendo que você é budista, Mike... — Ibrahim passara a manhã pesquisando sobre o convidado.

— Sou. Há uns trinta e tantos anos.

— Ah — reage Ibrahim. — Eu tinha a impressão de que budistas eram vegetarianos. Tinha quase certeza disso.

— Também pertenço à Igreja Anglicana — rebate Mike. — Então escolho com cuidado baseado no que quero. É esse o significado de ser budista.

— Ah, não sabia — responde Ibrahim.

Mike já está na segunda taça de vinho tinto e parece pronto para se ver no centro das atenções. Tudo como planejado.

— Mas então, me contem desse Clube do Crime das Quintas-Feiras — pede ele.

— É algo bem sigiloso — explica Ibrahim. — Mas o principal é que nos encontramos uma vez por semana, os quatro, para examinar antigos arquivos policiais. Para ver se conseguimos solucionar algo que os investigadores deixaram passar.

— Parece um hobby divertido — opina Mike. — Fuxicar antigos assassinatos. Imagino que deixe vocês bem ocupados, que bote a massa cinzenta para funcionar. Ron, vamos pedir mais uma garrafa do tinto?

— Nos últimos tempos, os assassinatos têm sido mais recentes — declara Elizabeth, tornando a isca ainda mais sedutora.

Mike ri. É óbvio que não acha que Elizabeth esteja falando sério. Talvez seja melhor assim. Não querem assustá-lo logo de cara.

— Pelo jeito vocês não se importam em arranjar uma ou outra confusão — diz Mike.

— Eu sempre atraí encrenca — admite Ron.

Pauline enche a taça dele e comenta:

— Bem, tome cuidado, Ron, porque eu sempre fui encrenca *certa*.

Ibrahim repara na reação de Joyce, um sorriso sutil e contido. Decide que antes de tentarem conduzir o foco da conversa lenta e delicadamente para Bethany Waites ele tem sua própria pergunta a fazer. Vira-se para Pauline.

— Você é casada, Pauline?

— Viúva.
— Ah, mas é claro! — diz Joyce.

Ibrahim repara que, esta noite, com a combinação de vinho e a presença de uma celebridade, ela está toda serelepe.

— Está sozinha há quanto tempo? — pergunta Elizabeth.
— Seis meses.
— Seis meses? Isso não é nada — comenta Joyce, apoiando a mão na da convidada. — Com seis meses, eu ainda colocava uma fatia extra de pão na torradeira todos os dias.

Seria aquele o melhor momento? Vamos lá, pensa Ibrahim. Hora de dar uma sutil guinada na conversa e encaminhá-la para Bethany Waites. Um número de dança delicado, do qual ele é o coreógrafo principal. Seu primeiro movimento já está todo planejado.

— Então, Mike, queria saber se você...
— Vou dar uma informação de graça — diz Mike, ignorando Ibrahim, sua taça de vinho fazendo círculos pelo ar. — Se querem um assassinato para resolver, tenho um nome para vocês.
— E qual seria? — pergunta Joyce.
— Bethany Waites — responde Mike.

Ele está no papo. O Clube do Crime das Quintas-Feiras sempre consegue o que quer. Ibrahim repara, e não é a primeira vez, que as pessoas caminham na direção de suas armadilhas de muito bom grado.

Mike lhes narra a história que já conhecem da ficha policial. Todos assentem o tempo inteiro, como se tudo fosse novidade. Bethany Waites, jovem repórter brilhante. A grande reportagem que estava preparando, uma fraude gigantesca referente ao IVA, o Imposto sobre Valor Agregado, e então a morte inexplicável. O carro dela despencando do Shakespeare Cliff na calada da noite. Mas Mike não oferece nada de novo. Ele lhes mostra a última mensagem que Bethany lhe enviou, na noite anterior à sua morte.

Eu não digo isso tanto quanto deveria, mas obrigada.

Tocante, sem dúvida. Mas nada que já não soubessem. Talvez a maior revelação da noite tenha sido a de que Mike Waghorn vai ao banheiro antes de entrar no ar. Ibrahim decide arriscar.

— Mas e as mensagens das semanas anteriores? Tinha algo fora do comum? Algo de que a polícia não saiba?

Mike vasculha suas mensagens e destaca alguns pontos.

— Ela me perguntou se eu estava a fim de sair para beber, se tinha assistido a *Line of Duty*... Tem uma mensagem aqui sobre a reportagem dela, mas é de algumas semanas antes. Interessados?

— Nunca se sabe o que pode ser relevante — diz Elizabeth, servindo a Mike mais uma taça de vinho tinto.

Mike lê da tela de seu celular.

— "Capitão..." era como ela me chamava.

— Entre outras coisas — acrescenta Pauline.

— "Novas infos. Não posso dar detalhes, mas são mais explosivas que dinamite. Tô chegando perto do xis da questão."

Elizabeth faz um sinal positivo com a cabeça.

— E ela contou em algum momento quais eram essas novas informações? — pergunta.

— Nunca contou — responde Mike. — Olha, vou dizer para vocês, esse tinto até que não é tão ruim.

4

A sensação da policial Donna de Freitas é a de que alguém acabou de abrir espaço para alguns raios de sol passarem por entre as nuvens da sua vida.

Sente-se inundada de calor, revitalizada por prazeres ao mesmo tempo inteiramente familiares e completamente novos. A vontade é de chorar de felicidade e rir com a alegria descomplicada da vida. Se alguma vez já se sentiu tão feliz, não lhe vem à mente de imediato quando poderia ter sido. Se os anjos a carregassem naquele exato instante (e, a julgar pela taquicardia, não seria algo impossível), ela se deixaria ser levada e ainda agradeceria aos céus por uma vida bem vivida.

— Como foi pra você? — pergunta Bogdan, acariciando o cabelo dela.
— Foi bom — responde ela. — Para uma primeira vez.
Bogdan assente.
— Acho que posso fazer melhor.
Donna afunda o rosto no peito de Bogdan.
— Você tá chorando? — pergunta ele.
Donna balança a cabeça sem erguê-la. Qual será a pegadinha ali? Será que vai ser coisa de uma noite só? E se esse for o estilo do Bogdan? Ele é um cara mais na dele, não é? E se não estiver emocionalmente disponível? E se amanhã à noite já houver outra mulher nesta cama? Uma loira qualquer de vinte e poucos anos?

No que ele está pensando? Ela sabia que aquela era a única pergunta que não deveria ser feita a um homem. Quase sempre não estão pensando em nada, são pegos de surpresa e levados a inventar algo. Ainda assim, ela gostaria de saber. O que se passaria por trás daqueles olhos azuis? Olhos capazes de pregá-la a uma parede. O puro azul de... peraí, *ele* está chorando?

Donna se senta, preocupada.
— Você tá chorando?
Bogdan faz que sim.
— Por quê? O que aconteceu?

Bogdan a encara entre lágrimas e responde:
— Estou tão feliz que você está aqui.
Donna dá um beijo numa das lágrimas em seu rosto.
— Alguém já viu você chorar antes?
— O dentista uma vez. E minha mãe. A gente pode sair de novo?
— Ah, acho que sim, e você?
— Acho que sim.

Donna repousa a cabeça no peito dele de novo e acomoda-se sobre uma tatuagem de uma faca envolvida em arame farpado.

— Quem sabe na próxima vez a gente não faz um programa diferente? — sugere Donna. — Algo que não seja comer no Nando's e jogar laser tag?
— Combinado. Quem sabe na próxima vez eu escolho?
— É, acho melhor. Não sou muito boa nisso. Mas você se divertiu?
— Aham, eu gostei do laser tag.
— Gostou mesmo, né? Pegou as crianças daquela festa de aniversário totalmente desprevenidas.
— Foi uma boa lição pra elas — explica Bogdan. — Quando o negócio é lutar, aprender a se esconder é uma da partes mais importantes. É bom saber isso desde cedo.

Donna olha para a mesa de cabeceira de Bogdan. Há um flexor de punho ajustável, uma lata de Lilt e a medalha dourada de plástico que ele ganhou no laser tag. O que ela teria encontrado ali? Um companheiro de viagem?

— Você de vez em quando se sente diferente das outras pessoas, Bogdan? Como se observasse tudo de fora?
— Bom, inglês não é minha língua materna. E eu não entendo nada de críquete. Você se sente diferente?
— Eu me sinto. As pessoas fazem eu me sentir diferente, acho.
— Mas às vezes você gosta de se sentir diferente? Isso pode ser bom?
— Sim, às vezes. Eu gostaria de poder escolher que vezes são essas. Na maioria dos dias, eu só queria poder ser mais uma na multidão, mas isso não é possível em Fairhaven.
— Todo mundo quer se sentir especial, mas ninguém quer se sentir diferente — comenta Bogdan.

Olha só esses ombros. Duas perguntas ocorrem a Donna de uma vez: será que os casamentos na Polônia são como os na Inglaterra? E tudo bem se eu me virar e tirar um cochilo?

— Posso perguntar uma coisa pra você, Donna?

Bogdan soa bastante sério de repente.

Ih, lá vem.

— Lógico. Qualquer coisa. — Qualquer coisa sensata.

— Se você tivesse que assassinar alguém, como faria?

— Hipoteticamente? — pergunta ela.

— Não, de verdade. A gente não é criança. Você é da polícia. Como faria? Pra não ser pega?

Hum. Seria esse o lado ruim de Bogdan? Seria ele um *serial killer*? Ficaria difícil relevar algo assim. Se bem que, com esses ombros, impossível não seria.

— Mas por que isso agora? — pergunta Donna. — Por que você me perguntou isso?

— Dever de casa que a Elizabeth me passou. Ela quis saber a minha opinião.

Tudo bem, isso faz sentido. Que alívio. Bogdan não é um maníaco homicida, Elizabeth que é.

— Acho que eu usaria veneno — responde Donna. — Enfim, algo que não pudesse ser detectado.

— É, fazer parecer uma coisa natural. Fazer com que não pareça um assassinato.

— Talvez atropelaria a pessoa tarde da noite — sugere Donna. — Qualquer coisa que não demande encostar no corpo, porque é aí que a perícia pega você. Ou uma arma, tranquilo, simples, papum!, resolve o problema rápido, tudo longe de câmeras de segurança. Também é fundamental planejar a rota de fuga. Sem perícia, sem testemunhas, sem corpo para enterrar. É como eu faria. E deixaria o celular desligado, ou largaria num táxi, para que estivesse a quilômetros de distância quando eu cometesse o crime. Subornaria uma enfermeira pra talvez conseguir uns frascos de sangue de estranhos e deixar no corpo. Ou...

Bogdan a encara. Será que ela falou demais? Talvez fosse melhor mudar de assunto.

— O que Elizabeth anda aprontando? — pergunta Donna.

— Ela disse que uma pessoa foi assassinada.

— Pra variar.

— Mas assassinada num carro que foi jogado de um penhasco. Eu não mataria alguém assim.

— Um carro jogado de um penhasco? Ok, isso eu consigo imaginar — comenta Donna. — E por que a Elizabeth está investigando?

Bogdan dá de ombros.

— Acho que é porque a Joyce queria conhecer alguém que aparece na TV. Não sei se entendi direito.

Donna concorda. Parece bem o estilo das duas.

— Havia marcas no corpo? Como se a pessoa tivesse sido morta antes de o carro despencar do penhasco?

— Não tem corpo, só umas roupas e um pouco de sangue. O corpo foi atirado pra fora do carro.

— Conveniente para o assassino — comenta Donna.

Ela não estava habituada a esse tipo de conversa pós-sexo. O comum era ter que ouvir algo sobre a moto do sujeito ou sobre a ex que ele acabara de se dar conta de que ainda amava. Ou então precisar tranquilizá-lo, dizer que não tinha problema.

— Mas espetacular isso — continua ela. — Caso o assassino queira mandar um recado para alguém. Difícil de ignorar.

— Achei complicado demais. Para um assassinato. Carro, penhasco... ah, fala sério, né.

— E você agora é expert em assassinatos?

— Eu leio muito.

— Qual é o seu livro preferido da vida?

— *O coelhinho de veludo* — responde Bogdan. — Ou a autobiografia do Andre Agassi.

Será que Bogdan mataria Carl, seu ex? Donna já fantasiou a morte dele algumas vezes. Talvez Bogdan pudesse jogar do penhasco aquela merda daquele Mazda do Carl. Mas, no mesmo instante em que o pensamento lhe ocorre e ela se estica — como um gato à procura de um lugar para pegar sol —, ela percebe que já não se importa mais com Carl. *Não seja mesquinha, Donna. Deixe Carl viver.*

— Ela podia ter pedido ajuda a mim e ao Chris — comenta Donna. — Poderíamos ter dado uma olhada no caso. Você lembra o nome da vítima?

Bogdan dá de ombros.

— Bethany alguma coisa. Mas eles gostam de fazer tudo sozinhos.

— Gostam mesmo — concorda Donna, atirando o braço sobre aquele peitoral sem fim. Raras vezes se sentira tão maravilhosamente insignificante. — Eu gosto de falar de assassinatos com você, Bogdan.

— Eu também gosto de falar de assassinatos com você, Donna. Mas acho que isso não foi um assassinato. Parece muito conveniente.

Donna ergue o rosto mais uma vez para encarar aqueles olhos.

— Bogdan, você me *promete* que essa não foi a última vez que a gente transou? Porque eu queria muito dar uma dormida agora, mas queria acordar e transar de novo.

— Prometo — diz Bogdan, fazendo carinho no cabelo dela.

É assim que uma pessoa deve cair no sono, pensa Donna. Como ela nunca soube disso antes? Segura, feliz, saciada. E assassinatos e Elizabeth e tatuagens, e ser diferente e ser igual, e carros e penhascos e roupas, e o amanhã e o amanhã e o amanhã.

5

Joyce

Admito que o assassinato de Bethany Waites foi ideia minha.

Estávamos todos fuxicando os arquivos em busca de um novo caso para o Clube do Crime das Quintas-Feiras. Havia, por exemplo, uma solteirona que tinha morrido em Rye no início dos anos 1980, deixando três esqueletos não identificados e uma mala com cinquenta mil libras em sua adega. Era o caso preferido de Elizabeth e concordo que teria sido divertido. Mas bastou eu ver o nome "Bethany Waites" em outro arquivo para me decidir. É raro eu bater o pé, mas, quando isso acontece, não cedo. Elizabeth fez bico, mas os outros sabiam que era melhor não discutir. Não estou aqui só para tomar chá com biscoitos, sabem como é.

Eu me lembrava da Bethany Waites, lógico, e tinha lido uma matéria escrita por Mike Waghorn para o *Kent Messenger* sobre o crime. Pensei cá com meus botões: olha aí, Joyce, a história parece suspeita e, *além disso*, vai que você acaba tendo a oportunidade de conhecer o Mike Waghorn?

Isso é tão errado assim?

Já nem sei mais há quanto tempo assisto a Mike Waghorn apresentar o *Boa Noite, Sudeste*. Se alguém for assassinado ou der uma festa em qualquer canto do sudeste inglês, lá estará Mike com seu sorrisão. Na verdade, quando é assassinato ele não sorri. Faz cara séria, e é muito bom nisso também. Aliás, eu prefiro ele de cara séria, então, em caso de assassinato, ao menos há esse consolo. Ele parece uma versão do Michael Bublé mais perto da minha faixa etária.

Mike já apresenta o *Boa Noite, Sudeste* há trinta e cinco anos, mas sua parceira no jornal muda a cada cinco, mais ou menos. É aí que Bethany Waites entra na história.

Bethany Waites era loira, nasceu no norte e morreu num carro que despencou do Shakespeare Cliff, perto de Dover (é logo na saída da rodovia A20; dei uma pesquisada, pois suspeito que iremos para lá em algum momento). Esse caso foi quase dez anos atrás. Seria de se imaginar ser um suicídio qualquer. Penhascos, carros, essa coisa toda. Mas houve um monte de outras questões. Alguém fora visto no carro com ela imediatamente antes, havia mensagens ambíguas no celular de Bethany, a situação estava esquisita. A polícia, portanto, declarou o caso um assassinato e, após examinar os arquivos, estávamos dispostos a concordar.

A notícia causara comoção por aqui na época. A vida em Kent não é lá muito agitada, então já dá para imaginar o impacto de tudo aquilo. O programa teve uma edição especial em homenagem a ela. Lembro de Mike ter chorado e de Fiona Clemence ter lhe dado um abraço solidário em plena transmissão. Fiona era a apresentadora da vez.

Hoje em dia, Fiona Clemence é tão famosa que pouca gente se lembra que ela começou no *Boa Noite, Sudeste*. Perguntei ao Mike se ele assiste ao *De Olho no Relógio*, o game show que ela apresenta, mas ele disse que não. Deve ser a única pessoa no país que não assiste. Pauline (é a maquiadora; já, já falo dela de novo) nos contou que isso é pura inveja dele, mas Mike declarou não assistir a TV.

Vou ser sincera com vocês. Eu esperava conseguir flertar com Mike hoje à noite. Imaginei que ele me diria como havia adorado meu colar, eu ficaria corada, riria de forma acanhada e Elizabeth reviraria os olhos.

Mas sinto dizer que não houve nada disso.

Nas palavras de Ron, foi "muito discurso e pouca ação". Mike me deu um beijinho na bochecha e, em dado momento, encostou a mão na minha. Senti uma onda de choque, mas acho que foi a combinação do carpete felpudo da saída do restaurante com o meu cardigã novo.

Ele entrevistou o Ron hoje de tarde: estão fazendo uma reportagem sobre estilos de vida de aposentados para o *Boa Noite, Sudeste*. Tudo sugestão de Elizabeth, foi ela quem me orientou a mandar e-mail para um dos produtores. Quando quiserem atrair alguém, recorram a Elizabeth.

Devo reconhecer que Ron se saiu muito bem. Ele sabe ser cativante. Falou de solidão, amizade, segurança. Senti muito orgulho dele por se abrir tanto. Dá para ver a influência do Ibrahim ali. Em dado momento, ele perdeu o fio da meada e começou a falar do West Ham, mas Mike soube retomar o assunto.

Mas o que de fato queríamos com isso tudo eram informações sobre Bethany Waites. E Mike conversou feliz da vida com a gente. Estava pra lá de Bagdá e nos contou um monte de coisas que já sabíamos pela ficha policial. Mas ele estava com a corda toda. O resumo dos fatos é: Bethany estava investigando uma fraude gigantesca referente ao IVA. Tinha a ver com importação e exportação de celulares. O esquema havia rendido milhões.

Uma mulher chamada Heather Garbutt estava por trás de tudo. Trabalhava para um homem chamado Jack Mason, um patife local. Todos acreditavam que ela gerenciava a operação em nome dele. Heather acabou presa por fraude, mas Jack Mason não. Sortudo esse Jack Mason.

Certa noite de março, Bethany enviara uma mensagem a Mike, que esperava vê-la linda e faceira na manhã seguinte. Mas a manhã seguinte nunca chegou para Bethany.

Naquela noite, ela fora vista saindo do prédio onde morava por volta das dez, e ninguém sabe onde ela passou as horas seguintes. Foi reaparecer na gravação de uma câmera de segurança quase três da manhã, perto do Shakespeare Cliff. Havia um passageiro não identificado com ela no carro.

O carro só voltou a ser avistado já aos pés do Shakespeare Cliff, todo destroçado, com o sangue e as roupas dela, mas sem o corpo. Isso me deixa desconfiada, mas, pelo visto, é comum por causa da maré da região. Depois de um ano, sem sinal algum de Bethany nem qualquer movimentação em suas contas bancárias, foi declarada a sua morte presumida. Procedimento padrão, devo frisar mais uma vez. Ainda assim, fica a dúvida: e o corpo, cadê? Não falei isso com todas as letras para o Mike pois dá para perceber que Bethany Waites é importante para ele.

Mike acabou nos fornecendo uma informação nova. Uma mensagem que Bethany lhe enviara. Ela havia encontrado novas evidências, algo importante. Mas Mike nunca descobriu do que se tratava.

Era evidente que Heather Garbutt era a principal suspeita, com todas as evidências que Bethany coletara a respeito dela, mas não se conseguiu estabelecer qualquer conexão entre Heather e a morte. Por mais que tenham tentado, também não conseguiram associar Jack Mason ao ocorrido. Pouco depois, Heather Garbutt foi presa por fraude e todo mundo deixou o assunto pra lá.

Mas Mike nunca deixou pra lá. As perguntas-chave, na visão dele, são:

Quais eram as novas evidências sobre as quais Bethany falara na mensagem? Não aparecia nada disso nos documentos judiciais, mas será que ela as havia registrado em algum lugar? Será que essas provas associariam Jack Mason ao crime? Ele está em liberdade até hoje. E podre de rico também.

Por que Bethany saiu do apartamento às dez naquela noite? Teria ido encontrar alguém? Confrontar alguém? E por que levara mais de quatro horas para chegar até Shakespeare Cliff? Deve ter parado em algum lugar, mas onde? Teria encontrado alguém nesse meio-tempo?

E, por fim, é óbvio: quem era a outra pessoa no carro?

Já temos informações suficientes para começarmos a investigar. Dava para perceber que, no fim das contas, até Elizabeth já estava se interessando.

Depois de tudo, bebemos mais um pouco. Pauline e Ron dividiram uma sobremesa, o que talvez pareça algo normal, mas nunca vi Ron compartilhar comida de bom grado com ninguém, muito menos uma banoffee. Fiquem ligados para mais informações.

Quando vi, já eram quase oito da noite! Alan estava fora de si quando cheguei em casa. Com "fora de si" quero dizer: todo encolhido no sofá, limitou-se a erguer uma sobrancelha com cara de "isso lá são horas de aparecer com o meu jantar, sua velha boêmia?". Cachorro, sabe como é. Mas eu havia trazido filé e ele logo ficou pianinho. Engoliu tudo sem nem olhar para o lado. Alan pode ser muita coisa, mas certamente não é budista.

Estou procurando Heather Garbutt no Google e escutando a BBC. É uma busca difícil porque existe uma jogadora australiana de hóquei com o mesmo nome. Acabei até achando a moça interessante e passei a segui-la no Instagram. Tem três filhos lindos.

Heather Garbutt continua presa (não a que joga hóquei, vocês entenderam). Por sinal, está na prisão de Darwell, o que pode acabar sendo muito conveniente para todos os envolvidos. Porque nós já conhecemos alguém lá. Mandei uma mensagem para Ibrahim com uma ideia de que ele vai gostar muito.

Agora estão falando de criptomoedas na BBC. Vou procurar me informar sobre isso também. Bitcoin está dando o que falar. Parece muito interessante e é a última moda segundo esse programa que estou ouvindo, mas também muito arriscado. Acabaram de entrevistar alguém que ganhou um milhão investindo nisso antes de completar dezesseis anos. Ele era muitíssimo a favor.

Gerry e eu tínhamos alguns títulos de capitalização. Em se tratando de investimentos, isso é o máximo com que já mexi. Será que eu deveria curtir mais a vida, fazer alguma coisa diferente, me tornar alguém diferente? Mas diferente do quê? Quem sou eu?

Quem sou eu? Joyce Meadowcroft, e isso já me basta para começar.

A noite é o momento mais propício para perguntas sem respostas, e eu não tenho tempo para isso. Isso é coisa do Ibrahim. Gosto de questionamentos que consiga responder.

Quem matou Bethany Waites? Taí uma pergunta de verdade.

6

O dia já raiou em Coopers Chase. Da janela do apartamento de Elizabeth é possível ver os passeadores de cachorros e alguns moradores atrasados seguindo às pressas para a aula de zumba para octogenários. Cumprimentos amistosos reverberam pelo ar, bem como o canto dos pássaros e o som das vans de entregas da Amazon.

— Por que você fica olhando para o celular? — pergunta Bogdan.

Ele está sentado diante de Stephen, com o tabuleiro de xadrez entre eles, mas foi distraído pelo comportamento de Elizabeth.

— Eu recebo mensagens, querido — explica ela. — Eu tenho amigos.

— Você só recebe mensagens da Joyce. Ou de mim. E nós dois estamos aqui.

Stephen faz sua jogada.

— Sua vez, campeão.

— Bogdan tem razão — observa Joyce, dando um gole na caneca em suas mãos. — Esse chá é Yorkshire?

Elizabeth dá de ombros como quem diz "como é que eu vou saber?" e volta a se concentrar nos documentos espalhados à sua frente. Evidências do julgamento de Heather Garbutt. Totalmente disponíveis a cidadãos que aceitem a espera de três meses ou algo do gênero. Ou totalmente disponíveis em poucas horas se você for Elizabeth. Ela precisa parar de checar o celular. A última mensagem dizia:

Você não pode me ignorar para sempre, Elizabeth. Temos muito a conversar.

Ela começou a receber mensagens ameaçadoras de um número anônimo. A primeira chegou ontem e dizia:

Elizabeth, eu sei o que você fez.

Ora, o remetente bem que podia ter sido um pouco mais específico, pensou ela. Depois recebera outras. Quem devia estar enviando? E, o mais importante, por quê? De qualquer forma, não era hora de se preocupar com isso. Sem dúvida tudo seria explicado em algum momento e, até lá, ela ainda tem o assassinato de Bethany Waites para solucionar.

— Acho que é mesmo Yorkshire. — Joyce de novo. — Tenho quase certeza. Mas você deve saber, não?

Elizabeth continua a vasculhar os documentos. Registros financeiros, densos e impenetráveis. Papelada burocrática mostrando que celulares não existentes deixavam as docas em Dover e retornavam semanas depois: exatamente os mesmos aparelhos. Resmas e mais resmas de cobranças de IVA. Extratos bancários totalizando milhões. O dinheiro que desaparecia em contas offshore. Bethany Waites havia descoberto muita coisa. Era de se tirar o chapéu.

— Deixa pra lá — continua Joyce. — Você está ocupada. Eu dou uma olhada no armário.

Elizabeth concorda com um meneio de cabeça. Aquela papelada era o suficiente para condenar Heather Garbutt por fraude. Mas conteria também alguma pista relativa à morte de Bethany Waites? Em caso positivo, ninguém a descobrira ainda. Elizabeth também não julgava ter muitas chances — aquela não era bem a sua área. O que fazer, então?

Ela tem uma ideia.

— É Yorkshire! — grita Joyce da cozinha. — Sabia!

A amiga insiste em aparecer para visitá-la. E não importa qual posto alguém tenha ocupado no MI5 ou no MI6, não interessa quantas vezes alguém tenha tomado tiros de snipers ou encontrado a rainha, é impossível fazer Joyce mudar de ideia. Elizabeth agira com rapidez.

O quadro de saúde de Stephen tem piorado, Elizabeth sabe disso. No entanto, quanto mais ele parece se afastar, mais ela quer se agarrar a ele. Se estiver de olho nele, não tem como ele desaparecer, certo?

Os melhores momentos do marido são quando Bogdan aparece para jogar xadrez, então Elizabeth o convidou e assumiu o risco com Joyce. Talvez Stephen se comporte bem. Talvez isso baste para manter a farsa de pé por mais algumas semanas. Ela fez a barba dele e lavou seu cabelo. Ele já não estranhava isso. Elizabeth volta sua atenção para o tabuleiro de xadrez.

Bogdan apoia o queixo nas mãos, contemplando a próxima jogada. Há algo diferente nele.

— Você está usando um sabonete líquido diferente, Bogdan? — pergunta Elizabeth.

— Não faz ele se desconcentrar — reclama Stephen. — Estou acabando com o rapaz aqui.

— Usei um sabonete de esfoliação sem cheiro — responde Bogdan. — Coisa nova.

— Hum — diz Elizabeth. — Não é isso, não.

— É muito feminino — opina Joyce. — Não é sem cheiro.

— Estou jogando xadrez — responde Bogdan. — Sem me distrair, por favor.

— Tenho a impressão de que você está escondendo um segredo — comenta Elizabeth. — Stephen, Bogdan está guardando um segredo?

— Minha boca é um túmulo — responde Stephen.

Elizabeth volta aos documentos. Alguma coisa nesta pilha levou ao assassinato de Bethany Waites. Heather Garbutt seria a assassina? Elizabeth duvida muito. O empreendimento de fachada do chefe de Heather, Jack Mason, é um ferro-velho, porém ele é um dos criminosos mais bem relacionados da Costa Sul da Inglaterra. Heather Garbutt tem jeito de soldado, não de general. Seria Jack Mason o general, então? Estaria o nome dele nesta papelada, em algum lugar? Hora de recorrer ao Plano B.

— Joyce, como vai a Joanna? — pergunta Elizabeth.

Joanna é a filha de Joyce.

— Vai pular de paraquedas para ajudar no combate ao câncer — responde Joyce.

— Seria tão bom ter notícias dela — diz Elizabeth.

Joyce saca tudo logo de cara.

— Você quer dizer que seria tão bom ela dar uma olhada nestes documentos porque você não está entendendo nada?

— Mal não faria, não é?

Joanna e seus colegas avaliariam toda aquela papelada rapidinho, Elizabeth tem certeza. Talvez até apontassem um nome ou outro.

— Eu peço a ela. Preciso ganhar pontos com ela porque falei que achava sushi um negócio sem sentido. E, afinal, *por que* você olha tanto para esse celular?

— Deixa de ser chata, Joyce — diz Elizabeth. — Você não é a Miss Marple.

Naquele exato instante, o celular de Elizabeth vibra. Ela não olha. Joyce a fustiga com a sutil erguida de uma sobrancelha e então se vira para Stephen com um olhar bem mais gentil.

— É muito bom ver você, Stephen.

— É sempre bom conhecer as amigas da Elizabeth — diz Stephen, virando-se para ela. — Pode aparecer quando quiser. Rostos novos são sempre bem-vindos.

Joyce não reage, mas Elizabeth sabe o que ela ouviu.

Bogdan faz sua jogada e Stephen o aplaude com delicadeza.

— Ele pode estar com um cheiro diferente, mas está jogando igualzinho — comenta.

— Não estou com um cheiro diferente.

— Está, sim — diz Joyce.

Elizabeth aproveita a oportunidade e dá uma rápida conferida no celular.

Tenho um trabalho pra você.

Elizabeth sente a adrenalina nas veias. Estava tudo muito quieto nos últimos tempos. Um optometrista aposentado tinha batido numa árvore com sua scooter de mobilidade reduzida, acontecera uma briga por causa de garrafas de leite, mas, em termos de movimento, nada além disso. Esse negócio de vidinha simples é muito bom, mas, naquele momento, com um assassinato por investigar e mensagens ameaçadoras chegando todos os dias, Elizabeth percebe que estava sentindo falta de se meter numa encrenca.

7

O inspetor-chefe Chris Hudson caminha na praia em meio a um vento uivante e um frio de congelar. Nas mãos, um copo morno de algo que lembra muito vagamente chá. Acaba de comprá-lo num café à beira-mar que se recusou a lhe dar troco ou deixá-lo usar o banheiro dos funcionários.

Mas nada estragará seu dia. Enfim tudo está indo às mil maravilhas na vida de Chris.

A perita criminal põe a cabeça para fora do micro-ônibus queimado que se imiscui entre algas marinhas e seixos como se fosse um caranguejo horrendo.

— É rapidinho.

Chris faz um gesto sincero de "sem problema".

Por que Chris está tão feliz? A resposta é simples, mas também complicada. Chris está apaixonado por uma pessoa que está apaixonada por ele.

Sem dúvida a coisa toda vai implodir em dado momento, mas até agora isso não aconteceu. Uma embalagem de salgadinhos faz acrobacias no ar e acaba na sua cara. Com o amor não tem discussão.

Quem sabe nada acaba implodindo... Seria possível? Teria sua busca chegado ao fim? Chris e Patrice. Patrice e Chris. Ele evita por pouco pisar numa das várias agulhas espalhadas ao lado do micro-ônibus. Viciados em heroína adoram praia. Será que ele envelhecerá ao lado de Patrice? Assistindo a coleções de DVD e indo à feira orgânica? *One hand, one heart*. Ela tinha acabado de fazê-lo assistir *Amor, Sublime Amor* e, tirando a cantoria e a dança, nem havia sido tão ruim. Olha que coisa.

Chris se vira para a policial Donna de Freitas, quase curvada contra o vento, rosto mal discernível sob o capuz do casaco impermeável. Parceira dele (oficialmente sua "sombra", mas a relação não é bem assim) e filha de Patrice. Ele já deve muito a ela.

Donna também parece muito feliz apesar das condições climáticas. Dá as costas ao vento, tira uma das luvas com os dentes e começa a digitar no celular a resposta a uma mensagem que acabou de chegar. Donna saiu com alguém na noite passada e está na dela quanto ao que rolou. Chris não tem certeza *absoluta* de que o encontro foi bom, mas a flagrou cantarolando "A Whole New World" no carro a caminho dali e, portanto, tem lá suas suspeitas. Quem sabe Patrice não descobre quem é o sujeito misterioso?

O micro-ônibus, que agora não passa de uma carcaça escura carbonizada, retorcida e derretida contra o acinzentado do mar e do céu, havia sido de um orfanato. O cadáver no assento do motorista ainda não fora identificado. Chris jamais se dera conta da beleza do mar. Com o pé, estilhaça o gargalo quebrado de uma garrafa de cerveja. O vento ganha fôlego e sopra agulhas geladas no rosto de Chris. É magnífico quando se presta atenção. Quando a pessoa se deixa ser levada por aquele efeito.

Chris perdera quase dez quilos. Comprou recentemente uma camiseta de tamanho G em vez do habitual GG ou EGG. Passou a comer salmão e brócolis. Sobre este último, ele come tanto que já consegue soletrar a palavra sem ter que checar antes. Quando foi a última vez que comeu um Toblerone? Nem se lembra.

O celular de Chris vibra. Receber mensagens misteriosas não é exclusividade de Donna. Ele vê que é de Ibrahim. Se fosse Elizabeth, seria motivo de preocupação. Sendo Ibrahim, pode ser como pode não ser.

Boa tarde, Chris, aqui é o Ibrahim. Espero não estar mandando mensagem em uma hora inconveniente. Nunca se sabe como está o dia dos outros, muito menos o de quem trabalha em prol da lei e da ordem, cujos horários são irregulares, para dizer o mínimo.

Os pontos logo abaixo indicavam que Ibrahim digitava uma segunda mensagem. Chris pode esperar. Seis meses atrás, aquilo não fazia parte do seu mundo. Não havia Patrice, não havia Donna, não havia o Clube do Crime das Quintas-Feiras. Na verdade, percebe Chris, foi com eles que tudo começou. Traziam uma certa mágica, aqueles quatro. Claro, haviam condenado dois homens à morte no píer de Fairhaven não fazia muito tempo, além de terem roubado um montante inimaginável de dinheiro, mas ainda assim traziam certa mágica.

— Para quem você está mandando mensagem? — grita para Donna em meio ao vento. Não custa tentar.

— Beyoncé — responde ela, sem parar de digitar.

O celular de Chris vibra mais uma vez. Ibrahim de novo.

Estava aqui pensando, e me perdoe se isto ultrapassar o âmbito de nossa amizade, se você poderia examinar dois casos antigos para mim. Acredito que também os julgue interessantes e espero que compreenda que eu não pediria se não fosse necessário devido à situação em que nos encontramos.

Pontos indicam que haverá uma terceira parte.

Chris e Donna recentemente tiveram uma reunião com o chefe de polícia de Kent, um homem chamado Andrew Everton. Bom policial, leal aos seus subalternos, mas impiedoso se alguém pisa na bola. Nas horas vagas, escreve romances sob um pseudônimo. Publica os livros por conta própria, disponíveis apenas no Kindle. Outro policial havia dito a Chris que é assim que se ganha dinheiro hoje em dia, mas o carro de Andrew Everton continua a ser um velho Vauxhall Vectra, então talvez não seja verdade.

Andrew informou aos dois que ambos receberão honrarias na cerimônia de premiação da polícia de Kent. Pela captura de Connie Johnson. É bom receber algum reconhecimento. O escritório do chefe de polícia tem paredes decoradas com retratos de policiais orgulhosos. Todos heróis. Hoje, Chris enxerga este tipo de coisa pela perspectiva de Donna e Patrice: nota que as fotografias são todas de homens, a não ser por uma de uma mulher e outra de um cachorro. O cachorro ganhara uma medalha. Chris repara numa camisinha usada aninhada numa concha. O milagre da vida.

Mais uma mensagem de Ibrahim. Tomara que esta vá direto ao ponto.

Os casos a que me referi na mensagem anterior são a morte de Bethany Waites e a condenação de Heather Garbutt por fraude. Ambos de 2013. Com uma ênfase particular em onde Bethany Waites pode ter estado entre as 22h15 e as 2h47 da madrugada na noite em que morreu. E em quem poderia ter estado no carro com ela. Ficaríamos muito gratos por todas estas informações. Em breve nos falamos, meu caro amigo. Mande lembranças a Patrice. Você de fato encontrou uma mulher formidável. Em relacionamentos, o segredo com frequência é...

Chris para de ler. Lembra de ambos os casos, o de Bethany Waites e o de Heather Garbutt. E se ele vai dar uma olhada? Quem ele quer enganar? Claro que vai. Algum dia ainda vai ser demitido ou quem sabe até assassinado por causa do Clube do Crime das Quintas-Feiras, mas vale o risco. Chris tem a sensação de que alguém reuniu aqueles quatro apenas para ele, para salvá-lo. Foi o Clube do Crime das Quintas-Feiras que trouxe Donna à sua vida. Foi Donna que lhe trouxe Patrice. Foi Patrice que lhe trouxe o *stir fry* de tofu. E, no fim das contas, foi tudo isso que lhe trouxe a felicidade.

Donna olha para ele.

— Por que você está sorrindo?

Chris dá de ombros.

— E *você*, por que está sorrindo?

Donna dá de ombros.

— Recebendo mensagens da minha mãe?

— Essas eu não posso abrir em público. Vão achar que estou desenvolvendo algum tipo de vício.

Donna faz uma careta.

— Ibrahim quer que a gente dê uma olhada num caso.

— Não me diga — diz Donna. — Uma mulher chamada Bethany estava dirigindo e despencou de um penhasco?

— Como é que você...

Donna faz um gesto de "deixa pra lá".

Chris contempla o mar e Donna o acompanha. A cor das nuvens está mudando do cinzento para um preto hostil, e o vento açoita o rosto dos dois com borrifos de água salgada. O cheiro de metal e plástico queimados do micro-ônibus se mistura ao fedor do corpo em decomposição e invade suas narinas. Duas gaivotas barulhentas e furiosas brigam por uma sacola plástica.

— Tão lindo... — observa Chris.

— Esplêndido — concorda Donna.

8

Elizabeth anda pensando nas câmeras de segurança. Como diabo não havia registro do carro de Bethany em Fairhaven? Antes de sua caminhada, ligou para Chris para falar do assunto, e ele lhe atendeu dizendo:

— Ah, eu já estava esperando a sua ligação.

Ela perguntou se ele poderia checar aquilo. Chris respondeu que no momento tinha outro cadáver com que lidar. Elizabeth o parabenizou pela honraria que acabara de receber do chefe de polícia e o lembrou de que o ajudara na captura de Connie Johnson.

Então ele concordou em dar uma olhada.

Elizabeth e Stephen passaram a caminhar todos os dias no mesmo horário. Faça chuva ou faça sol, sempre o mesmo trajeto.

Percorrem o bosque junto ao muro do lado oeste do cemitério, onde nem faz tanto tempo assim que Elizabeth andou cavando, até alcançarem o campo aberto atrás dos novos edifícios, que já começam a surgir no alto da colina. Lá descansam, bebem do cantil e conversam com as vacas.

Stephen deu nomes a todas elas e dotou-as de personalidades. Todos os dias oferece a Elizabeth comentários em primeira mão sobre tudo o que há de novo na vida dos animais. Hoje, Stephen lhe conta que Daisy está chifrando Brian com Edward, um touro mais jovem e mais bonito de um campo próximo, e que Daisy e Brian passaram a fazer terapia de casal bovino. Elizabeth toma um gole de uísque e diz que Daisy é um nome pouco criativo para se dar a uma vaca.

— Estou plenamente de acordo com você. A culpa é toda da mãe dela. Que também se chamava Daisy.

— É mesmo? — diz Elizabeth. — E qual era o nome do pai?

— Ninguém sabe, e é aí que mora o problema. Houve um tremendo escândalo na época. A Daisy mãe havia passado férias na Espanha, houve boatos de um caso.

— Aham.

— Na verdade, se você prestar atenção, vai perceber que Daisy tem um tantinho de sotaque espanhol.

Daisy muge, como se tivesse sido combinado, e os dois riem.

Hora de voltar para casa pelo bosque, pelo caminho que Elizabeth abrira, um caminho silencioso, particular, exclusivo deles. Para manter Stephen afastado dos olhares curiosos. Afastado de perguntas inconvenientes sobre seu estado mental.

O casal permanece de mãos dadas enquanto avança, os braços balançando de leve, corações batendo como um só. Não demorou muito para essa rotina virar o momento preferido do dia de Elizabeth. Seu marido, lindo e feliz. Ela pode fingir por mais algum tempo que está tudo bem. Que a mão dele sempre estará segurando a sua.

— Belo dia para uma caminhada — diz Stephen, o rosto iluminado pelo sol. — A gente devia fazer isso mais vezes.

Deus lhe ouça, pensa Elizabeth. Faço quantas caminhadas puder com você.

O corpo de Bethany jamais foi encontrado. E isso preocupa Elizabeth. Ela já leu romances policiais o bastante para saber que não se deve acreditar em assassinatos sem cadáver. Justiça seja feita, ela mesma forjara várias mortes ao longo dos anos.

Com a cabeça em outro lugar, Elizabeth só enxerga o homem por uma fração de segundo. Porém, no mesmo instante, percebe que cometeu um erro.

Acontece. Não é comum, mas acontece.

É evidente, essa rotina feliz, essas caminhadas familiares na companhia de Stephen, esse prazer familiar, foi esse o grande erro de Elizabeth. Como o amor costuma ser.

A rotina é o grande inimigo do espião. Jamais pegue o mesmo caminho dois dias seguidos. Não saia do trabalho sempre na mesma hora. Não jante todas as sextas-feiras no mesmo restaurante. A rotina proporciona ao inimigo uma oportunidade.

Uma oportunidade para fazer planos com antecedência, uma oportunidade para se esconder, uma oportunidade para atacar.

A fração de segundo já passou. Seu último pensamento é: "Por favor, por favor, não bata no Stephen." Ela nem sequer sente o golpe que sabe que está prestes a ser desferido.

9

— E depois, no fim dos anos 1970, comecei a sair com um integrante da banda UB40, mas acho que todo mundo na época saía com algum deles — diz Pauline.

— Qual? — pergunta Ron, tentando tomar sua sopa com um mínimo de decoro.

Pauline dá de ombros.

— Eram tantos. Acho que também dormi com alguém do Madness. Ou ao menos um cara que dizia ser da banda.

Ron telefonara para o filho, Jason, perguntando onde seria um bom lugar para almoçar, um restaurante com classe mas onde ninguém julgasse caso ele não soubesse qual faca usar. Onde servissem algo que ele reconhecesse como comida, porém que houvesse guardanapos de pano e banheiros decentes. Um estabelecimento no qual não houvesse a necessidade de usar gravata mas onde ele pudesse usar uma se quisesse. Uma questão hipotética, mas que o filho lembrasse que ele é aposentado, não está nadando em dinheiro, sabe, mas que até que tem lá uns caraminguás guardados, então não precisava se preocupar com isso.

Jason o escutara com a maior educação e então perguntara "E qual é o nome dela?", ao que Ron respondera "Nome de quem?", e Jason replicara "Essa com quem você vai sair", e Ron treplicara "O que faz você pensar...", mas Jason logo o interrompera, dizendo "Le Pont Noir, pai, ela vai adorar", ao que Ron informara "Pauline" e Jason lhe desejara boa-sorte. Conversaram então um pouco sobre o West Ham até Ron perguntar se Jason não poderia fazer a reserva para ele, pois não se entendia bem com sites e ficava sem graça de pedir a Ibrahim.

— Seu amigo vai mesmo hoje à prisão de Darwell? — pergunta Pauline.

— Nós temos o hábito de interferir — explica Ron. — E você, o que acha dessa história da Bethany Waites? Já trabalhava lá na época?

Le Pont Noir é o que chamam de gastropub. Ron tivera de olhar o menu inteiro duas vezes até encontrar uma opção com filé. Ainda assim, o prato era descrito como um "bavette" de filé, mas vinha com fritas, então ele esperava que desse certo.

— Ela era osso duro de roer, com certeza — diz Pauline. — No bom sentido. Mike ficou muito abalado quando ela morreu. Eles protegiam um ao outro. É raro nesse meio.

— Bonitona, também. Para quem gosta de loiras. O que não é o meu caso. Não é o meu tipo, não que eu tenha um tipo. Não sou exigente. Quer dizer, sou, mas...

Pauline leva um dedo aos lábios de Ron para ajudá-lo a escapar do beco sem saída em que se metera. Ele faz um aceno positivo com a cabeça, agradecido.

— Ela tinha começado a sair com um cara novo — continua Pauline. — Um operador de câmera, como sempre. Na televisão, todas as mulheres saem com os câmeras e todos os homens, com as maquiadoras.

— É mesmo? — diz Ron, de sobrancelha erguida. — Então... você e o Mike Waghorn já...

Pauline ri.

— Você não tem nada com o que se preocupar nesse departamento, querido. Mike também sai com os câmeras.

— Lá se vão as chances da Joyce! — exclama Ron, cujo "bavette" de filé acabou de chegar. Ele se sente tremendamente aliviado ao ver que se trata somente de um filé normal que alguém já cortou para ele. — Você acha que ela morreu por causa da reportagem?

Pauline finge se entusiasmar com o prato de couve-flor cozida que acabou de ser colocado à sua frente.

— Talvez. Vamos mudar de assunto? O Mike já fala bastante disso.

Ron tenta identificar com quem Pauline se parece. Elizabeth Taylor, talvez? Será que a nova jurada da *Dança dos Famosos*? É muita areia para o seu caminhãozinho, a essa conclusão ele já chegou. E, apesar disso, ali está ela.

— A couve-flor está boa?

— Adivinha.

Ron sorri.

— Gostou de ontem à noite, então? — pergunta Pauline.

Ron passara a noite no apartamento dela pela primeira vez. Se é possível alguém comer couve-flor de forma sugestiva, é isso o que ela está fazendo.

Ron sente o rosto corar.

— Eu, olha, é... Já faz um tempo, então talvez eu não seja o que você está habituada. Faz muito tempo. Foi ótimo só ficar acordado, batendo papo. Espero que tenha sido bom para você.

— Bonitão, faz tempo pra mim também. Foi perfeito. Você é um lorde. E um lorde bonito e divertido, ainda por cima. Vamos no nosso ritmo, está bem assim?

Ron concorda e come mais do filé. Não deixaram ketchup na mesa, mas, fora isso, não tem nada a reclamar do Le Pont Noir. Valeu, Jase.

— Quer dar uma andada na praia depois daqui? — convida Pauline. — Enquanto ainda está sol? Tomar sorvete no píer?

Ron pensa nos seus joelhos. Em quanto doem quando ele não usa a maldita bengala que Jason lhe deu de presente. No quanto fazem ele se sentir velho. Cada passo dói, mais ainda por tentar esconder a dor de Pauline. Amanhã vai passar o dia todo na cama.

— Adoraria. Adoraria. — Talvez não precise esconder nada de Pauline...

— E eu sei que o seu joelho dói. Vamos comprar uma bengala pra você, pelo amor de Deus. Não dá para tentar ser um cara durão e me atrasar a vida. Só quero um sorvete e um beijo de Ron Ritchie no píer.

Ron sorri de novo. Continuará sem usar a bengala — tem lá os seus princípios —, mas é bom escutar aquilo.

Pauline aponta para sua bolsa.

— Tenho uns baseados aqui também. Vão ajudar.

10

Por quanto tempo Elizabeth ficou inconsciente? Impossível precisar.

O que ela sabe, então?

Encontra-se no chão frio de metal de um veículo em disparada. As mãos estão algemadas às costas, os pés, atados. Uma venda cobre seus olhos e um par de fones lhe foi colocado nos ouvidos reproduzindo ruído branco em um volume de estourar os tímpanos. Uma técnica familiar de tortura.

Pelo lado bom, não está morta. O que lhe dá algumas opções.

Por ora, tudo o que pode controlar é a respiração, e é o que ela faz. Respira de forma lenta, profunda e constante. O pânico não vai trazer nada de bom. Ela suspeita de que vai precisar de toda a sua energia quando enfim descobrir para onde está sendo levada.

Teriam golpeado Stephen também? Ou não teriam visto necessidade para tanto? Estaria ele ali com ela?

Elizabeth se contorce pelo chão do veículo — que agora deduziu ser uma van —, arrastando-se mais para trás até esbarrar com outro corpo. Estão de costas um para o outro. Pela eletricidade vinda dele, já sabe se tratar de Stephen.

Com as mãos atadas às costas, ela sente as dele, que faz o mesmo. Suas mãos se unem como as de amantes sonolentos ao acordar. Ela aperta as de Stephen, mas se preocupa com a chance de isso parecer meio condescendente. Talvez devesse ser ele a apertar a mão dela? Sob aquelas circunstâncias, provavelmente não há nada de errado em ser ela a presença tranquilizadora. Stephen jamais se viu numa situação do tipo antes.

Elizabeth põe o dedo no punho do marido, num sinal que poderia muito bem ser de afeição, mas na verdade ela está checando o pulso dele. Quer ver se *ele* está em pânico.

A pulsação dele é estável: 65 batidas por minuto. Evidente. Stephen também estaria controlando a respiração, confiante na capacidade da esposa de tirá-los daquela enrascada.

Mas será que ela consegue? Bem, depende muito do que aquilo se mostrar ser, é o que pondera Elizabeth. É óbvio que o responsável é o homem que estava lhe enviando mensagens, colocando em prática suas ameaças. Mas quem seria? E que trabalho é esse que ele teria para ela?

A van começa a diminuir a velocidade, como se tivesse saído da estrada principal e entrado numa secundária. Elizabeth faz questão de se lembrar disso.

Perceberão a ausência dela em Coopers Chase, o que é bom. Joyce vai reparar que sua luz não estará acesa esta noite. Será? Ou estará ocupada pesquisando sobre Heather Garbutt? E Ibrahim, estará pensando em Connie Johnson? E estará Ron ocupado com... bom, nem precisa completar. Será que sequer notarão sua falta? E chamarão a cavalaria?

Elizabeth sabe que já está muito longe de casa àquela altura. Não haverá cavalaria para salvá-la dessa vez. Foi ela quem se meteu nessa confusão e ela mesma precisará dar um jeito de sair dessa.

A van diminui ainda mais a velocidade e para por completo. Elizabeth espera e respira. Sente uma mão no seu ombro a puxando para fora bruscamente.

Mas a mão é de quem?

11

— Você não é do *Sunday Times*, então? — pergunta Connie Johnson.

Um questionamento que Ibrahim acha bastante razoável.

Ela está mascando chiclete, mas Ibrahim não se incomoda. Contanto que seja sem açúcar, é até bom para a saúde dental.

— Não, eu menti — explica ele, cruzando as pernas e ajeitando a bainha da calça. — Achei que seria mais provável você aceitar falar comigo se achasse que eu era jornalista.

Estão numa sala para visitas na prisão de Darwell. As mesas são bem afastadas umas das outras, mas próximas o suficiente para que seja possível ouvir os demais chorarem suas pitangas, caso se preste atenção na conversa alheia. Ibrahim está ligado em todas elas enquanto conduz a sua com Connie. É um hábito.

— Quem é você, então? — pergunta Connie em seu uniforme de presidiária, surpreendentemente bem maquiada para alguém que, na teoria, não tem acesso a cosméticos de primeira linha.

— Meu nome é Ibrahim Arif. Sou psiquiatra.

— Olha só, que legal — diz Connie, que parece falar sério. — Quem mandou você aqui? A promotoria? Pra ver se eu sou louca de pedra?

— Já sei que você não é louca de pedra, Connie. Você é uma mulher bastante controlada, inteligente e motivada.

Connie concorda.

— Pois é, sou focada em alcançar metas. Tirei nota noventa e seis num quiz sobre isso no Facebook. Que terno bacana. Alguém é cheio da grana.

— Você estabelece metas, Connie, e em seguida as atinge. Estou certo?

— Exato — diz Connie, aproveitando para olhar ao redor. — Mas estou na cadeia, não é, Ibrahim Arif? Ou seja, não sou infalível.

— E quem de nós é? É saudável admitirmos isso para nós mesmos. Eu estava pensando que você talvez gostasse de ser incumbida de uma tarefa, Connie...

— Uma tarefa? Está querendo cocaína? Você não parece o tipo que usa. Quer encomendar a morte de alguém? Você parece alguém que pode pagar por esse tipo de serviço.

— Não é nada ilegal.

Ibrahim ama conversar com criminosos, não tem como negar. Mesma coisa com pessoas famosas. Adorou conversar com Mike Waghorn.

— É bem o oposto disso, aliás — continua ele.

— O oposto de ilegal, ok. E o que eu ganho com isso?

— Você não ganha absolutamente nada. É só algo em que suspeito que você seria muito boa. E que, por isso, poderia gostar bastante.

— Olha, eu ando muito ocupada — diz Connie, sorrindo.

— Dá pra notar — concorda Ibrahim, sorrindo de volta.

O sorriso dela parece genuíno, por isso o dele também é.

— Tudo bem, qual é a tarefa? Fui com a sua cara, gostei do seu terno... Vamos falar de negócios.

Ibrahim se aquieta um pouco, mantendo o tom de voz neutro no intuito de não chamar a atenção de ninguém.

— Há uma detenta aqui chamada Heather Garbutt. Você a conhece?

— É a Estranguladora de Pevensey?

— Acredito que não.

— Tem uma Heather na Ala D. É mais velha, parece inteligente. Tipo uma professora que roubou um banco?

— Por ora, digamos que seja ela. Acha que poderia se aproximar dela? Quem sabe descobrir algo para mim?

— Me parece o tipo de coisa que eu conseguiria fazer.

Ibrahim percebe a mente dela já em ação.

— O que você precisa saber? — pergunta Connie.

— Preciso descobrir se, em 2013, ela assassinou uma repórter de TV chamada Bethany Waites. Se teria jogado o carro dela do penhasco.

— Maneiro. — Um leve sorriso começa a se insinuar pelo rosto de Connie. — Eu vou lá e falo pra ela: Esse chá tá tão bom... E o tempo, hein? Ameno pra essa época do ano, né? Aliás, você assassinou alguém?

— Bem, como abordar a questão, isso eu deixo por sua conta. É a sua área de expertise, não a minha. E talvez nem tenha sido ela, essa informação seria útil também.

— Aposto que foi ela, sim. Nunca empurrei um carro de um penhasco. Sempre tive vontade.

— Ainda dá tempo, com certeza.

— E eu não ganho mesmo nada com isso? Não dá pra contrabandear um chip pra mim, alguma coisa assim?

— Não creio que seja possível. Eu poderia até pesquisar no Google como fazer isso e tentar.

— Não precisa se estressar com isso. Já tenho vários. E você não vai mesmo querer saber de que forma eles entram aqui.

Ibrahim crê que vai pesquisar no Google mesmo assim. Está curtindo à beça aquela experiência. Não sai muito de casa desde o assalto, mas aos poucos vem recuperando a confiança e aos poucos se sente voltar ao que era antes. O roubo deixou suas marcas, lógico, porém ao menos o pior já passou. E é bacana se lembrar de que é bom nesse tipo de coisa. Em decifrar as pessoas. Em identificar onde há problemas não resolvidos e como redirecioná-los. Gosta de Connie, e ela gosta dele. Embora seja importante tomar cuidado: afinal, é uma assassina impiedosa e, bom, sem julgamentos, mas isso é bem ruim. Ele terá boas notícias a repassar à turma mais tarde.

Ibrahim reflete por um instante sobre aqueles chips — são muito pequenos, disso ele sabe, então começa a pensar como alguém... Ele se dá conta de que Connie acabou de dizer algo e ele deixou passar. Não é do seu feitio. Nem um pouco. Hora de ficar esperto.

— Perdão — diz ele. — Não entendi.

— Você estava no mundo da lua, Ibrahim. Vou perguntar de novo: na sua opinião enquanto psiquiatra, o que você acha que me motiva?

Essa é moleza para Ibrahim. Somos todos diferentes, lógico, todos nós floquinhos de neve únicos, cada um com sua vida, mas, no fundo, somos todos iguais.

— O ímpeto, eu diria. Um desejo de movimento e mudança. — Ibrahim junta as mãos, apenas a ponta dos dedos se tocando. — Há pessoas que precisam que tudo continue sempre igual. Eu sou um pouco assim. Se mudassem a música de abertura do *Shipping Forecast*, por exemplo, eu começaria a ter um troço. Porém, outras pessoas precisam que tudo mude. Você precisa que tudo mude. É nesse caos que você consegue se esconder.

— Hum. Quanta sabedoria, Sr. Ibrahim Arif. Mas acha que honestidade importa para mim?

Aonde ela quer chegar? Ibrahim começa a sentir certo receio.

— Imagino que sim. Na sua área de atuação, a honestidade é ironicamente fundamental.

— Seria de se esperar, não é? Onde ficou sabendo sobre mim, amigo? Como ouviu falar de Connie Johnson? Quem mandou você aqui?

— Um cliente.

Ele mente mal e tenta evitar. Mas é algo que tem feito com uma frequência cada vez maior desde que conheceu Elizabeth, Joyce e Ron.

— É que eu já ouvi seu nome antes. Ibrahim Arif. Sabe onde foi que eu ouvi esse nome?

Ibrahim estava com o estoque de mentiras zerado.

Connie se inclina em sua direção.

— Do seu amigo Ron Ritchie. — E sussurra em seu ouvido: — No dia em que eu fui presa.

Ela volta a se acomodar na cadeira.

Sua vez, Ibrahim.

— Foi ele quem falou pra você vir aqui, não foi? Você trabalha pra ele?

— Não, trabalho para Elizabeth Best, do MI5. Ou MI6. Um deles.

Connie reflete sobre aquela resposta.

— Então o MI5 ou 6 quer que eu converse com Heather Garbutt?

— De maneira indireta, sim.

— E isso vai me ajudar no tribunal? Uma gangue de homens usando balaclavas vai aparecer e me tirar de lá?

— Não, sinto muito, mas não será o caso — responde Ibrahim, ainda que lhe ocorra que não seria impossível. Elizabeth saberia como providenciar esse tipo de coisa. Porém melhor não prometer nada.

— Ibrahim. Não gosto que mintam pra mim.

— Não. Peço desculpas.

— E... — continua ela — ... é importante que você saiba que, assim que eu colocar os pés fora da cadeia, vou matar seu amigo Ron Ritchie por ter me botado aqui dentro.

— Registrado.

Connie pensa por um instante.

— E você conhece o Bogdan?

— Conheço — admite Ibrahim.

— É mais um que eu vou matar. Pode dar meu recado para os dois?

— Eu passo a mensagem adiante, pode deixar.

— Sabe se o Bogdan está saindo com alguém?

— Creio que não — diz Ibrahim.

Connie assente. Um carcereiro se aproxima da mesa.

— Acabou o tempo, Johnson. Já foram vinte minutos.
Connie se vira para ele.
— Mais cinco minutos.
— Não é você quem manda aqui — retruca o carcereiro. — Isso é com a gente.
— Mais cinco minutos e eu consigo um iPhone pro seu filho — argumenta Connie.
O carcereiro pensa por um instante.
— Dez minutos, e ele quer um iPad.
— Obrigada, policial — diz Connie, e se dirige de novo a Ibrahim. — Estou bem entediada aqui. Vamos nessa, então. Me passa tudo o que você tiver sobre essa Heather Garbutt. Vou matar seus amigos de qualquer maneira, mas até lá a gente se entende e se diverte um pouco.
Ibrahim faz um aceno positivo com a cabeça.
— Você sabe que pode muito bem escolher não matar os meus amigos, não é, Connie?
— Como assim? — pergunta ela, genuinamente confusa.
— Tudo o que aconteceu foi eles terem sido mais espertos que você. Isso é tão ruim assim? Eles se aproveitaram da sua ganância. Sua autoestima é tão frágil que não consegue lidar com alguém sendo mais esperto do que você de vez em quando?
Connie ri.
— Mas esse é o meu trabalho, Ibrahim. É como eu ganho dinheiro. Você é um homem inteligente e com certeza entende isso.
— Obrigado. Fiz um teste de QI certa vez e deu...
— Digamos que eu não mate o Ron e o Bogdan — interrompe-o Connie. — Vamos seguir com essa hipótese. Todo e qualquer oportunista em Fairhaven vai pensar que pode passar a perna em mim. Você sabe qual é o slogan da minha empresa?
— Nem sequer sabia que havia um.
— Retaliação imediata e brutal.
— Faz sentido. Não existem traficantes de drogas éticos?
— Em Brighton, tem um traficante de cocaína que pratica o comércio justo. Tem até um selo especial para os pacotes dele. A cocaína vem de fazendas em que a administração é familiar e sem uso de nenhum tipo de pesticida.
— Já é um começo — opina Ibrahim.

— Ainda assim, o traficante atirou alguém do último andar de um edifício-garagem quando a pessoa roubou dinheiro dele.

— Um passo de cada vez. Quem sabe eu não trago o Ron aqui? Talvez depois de conhecê-lo melhor você nem queira matá-lo tanto assim.

Ibrahim reflete por um instante. A verdade é que Ron costuma ter o efeito contrário nas pessoas.

Connie pensa a respeito.

— Você é um cara interessante. Quer um trabalho?

— Já tenho um. Sou psiquiatra.

— Quero dizer um trabalho de verdade — propõe Connie.

— Não, obrigado.

Apesar de que seria interessante trabalhar para uma organização criminosa. Todo o planejamento, as salas enfumaçadas, homens usando óculos escuros em ambientes fechados.

— Quer ser o meu psiquiatra, então?

Ibrahim pondera por um instante. Até que seria bem divertido. E intrigante.

— O que você espera de um psiquiatra, Connie? Do que acha que precisa?

Connie pensa por um momento.

— Acho que aprender a explorar as fraquezas dos meus inimigos. Manipular júris, detectar um policial infiltrado.

— Hummm.

— Por que eu sempre escolho me envolver com os homens errados?

— Aí já é mais o meu departamento — diz Ibrahim. — Se alguém pede minha ajuda, sempre começo com uma pergunta. Você está feliz?

Connie reflete.

— Bem, eu estou presa.

— Fora isso.

— Sei lá... Poderia estar mais, talvez. Uns cinco por cento. Estou ok.

— Nisso eu posso ajudar. Cinco, dez, cinquenta, seja qual for a porcentagem. Esse é o meu trabalho. Não tenho como consertar você, mas tenho como ajudá-la a processar melhor as coisas.

— Não existe conserto?

— Seres humanos não podem ser *consertados* — defende Ibrahim. — Nós não somos cortadores de grama. Seria até bom se fôssemos.

— Poderia ser divertido, né? Botar pra fora todos os meus segredos. Quanto você cobra pra conseguir comprar ternos que nem esse?

— Sessenta libras a hora. Ou menos, para quem não pode pagar.
— Eu te pago duzentos a hora — diz Connie.
— Não, é só sessenta.
— Se você cobra menos de quem não pode pagar, cobre mais de quem pode. Você é um homem de negócios. Com que frequência podemos nos encontrar?
— É melhor começar com uma vez por semana. E minha agenda é bem flexível.
— Está bem, eu dou meu jeito aqui. Eles engolem direitinho essas coisas, isso de saúde mental. E dou uma checada na Heather Garbutt nesse meio-tempo. Vou lá bater um papo entre garotas, perguntar o signo dela, se já jogou um carro de um penhasco...
— Obrigado. Não vejo a hora de conversarmos de novo. E de ver se consigo convencer você a não assassinar o Ron.
— Ótimo. Pode ser às quintas-feiras?
— Pensando aqui... — diz Ibrahim. — Pode ser às quartas? Quinta é o único dia da semana em que eu de fato tenho alguma coisa.

12

A última vez que Elizabeth esteve com um saco na cabeça e uma venda havia sido em 1978. Na ocasião, encontrava-se sob a iluminação desagradável do prédio administrativo de um abatedouro húngaro. Estava prestes a ser interrogada e torturada por um general do Exército russo com o peito recoberto de medalhas manchadas de sangue. As coisas acabaram tomando outro rumo. Não houve tortura, pois o general havia esquecido no carro sua maleta de instrumentos especiais, já era noite e o motorista havia partido. No fim das contas, ela se safou com hematomas leves e uma história para contar em jantares.

O que o general queria? Elizabeth nem lembra. Sem dúvida, algo que na época era tremendamente importante. Ela conhecera gente que foi morta por esquemas de maquinário agrícola. Pouquíssimas coisas são importantes a ponto de você arriscar a própria vida por elas, mas todo tipo de coisa é importante o bastante para arriscar a vida de alguma outra pessoa.

Quando lhe retiram a venda desta vez, não há o brilho das lâmpadas, nem o sorrisinho de um general, nem armários para arquivos manchados de sangue. Elizabeth está numa biblioteca, sentada numa poltrona macia de couro. O ambiente é iluminado por velas, do tipo que Joyce compra. O homem que retirou sua venda e a soltou saiu em silêncio do recinto e não está em seu campo de visão.

Elizabeth se concentra em Stephen.

— Bem, isso, sim, é um rebuliço.

— Não é? Você está bem?

— Pronto para outra, meu amor. Só fique esperta. Estou fora da minha zona de conforto aqui. Me deram uma pancada ou outra na cabeça, mas não houve danos. É provável até que tenha me dado mais juízo.

— Tudo bem com as suas costas?

— Nada que um paracetamol não resolva. Alguma ideia do que está acontecendo aqui? Posso fazer algo para ajudar?

Elizabeth balança a cabeça.

— Acho que essa é comigo — responde.

Stephen assente.

— Eu cuido de não nos deixar desanimar e sigo suas ordens. Mas imagino que não teriam nos acomodado em cadeiras tão confortáveis se pretendessem nos matar, não acha? Você entende mais dessas coisas do que eu.

— Suspeito que queiram falar comigo sobre alguma coisa, sabe-se lá o quê.

— E vão decidir se nos matam ou não com base no que você disser?

— É possível.

Ambos ficam em silêncio por um minuto.

— Eu amo você, Elizabeth.

— Não seja tão sentimental, Stephen.

— Bem, de uma forma ou de outra, de tédio a gente não morre — declara ele.

A porta da biblioteca é aberta e um homem muito alto de barba abaixa-se para passar pela soleira.

— É um viking? — sussurra Stephen para Elizabeth.

O homem se acomoda na poltrona diante das deles. Sua silhueta é bem maior que o móvel, como se fosse um professor sentado numa das carteiras dos alunos.

— Você que é Elizabeth Best? — pergunta ele.

— Depende muito de quem você seja — responde ela. — Já fomos apresentados?

O homem tira algo do bolso. Um cigarro eletrônico.

— Tudo bem se eu fumar?

Elizabeth mostra a palma das mãos num gesto de "como quiser".

— Isso faz muito mal — comenta Stephen. — Já li a respeito.

O homem faz que sim com a cabeça, dá uma tragada e se vira para Stephen.

— E você, imagino que seja o Stephen. Sinto muito por ter que envolvê-lo nessa situação.

— Não esquenta. Com essa aqui, é sempre assim. Desculpe, não ouvi seu nome.

O homem ignora a observação de Stephen e se volta para Elizabeth.

— Para uma mulher idosa, até que você anda bem ocupada.

Que sotaque é esse? Sueco?

Elizabeth repara nos olhos de Stephen vasculhando as prateleiras da biblioteca, arregalando-se maravilhados de tempos em tempos.

— Pois bem, Elizabeth — continua o Viking. — Vamos direto ao ponto. Creio que você roubou alguns diamantes.

— Entendo — diz Elizabeth. Ao menos ela sabe do que se trata. Não é história antiga, mas sim a última pequena aventura deles. Achava que havia cuidado dos mínimos detalhes, mas pelo visto o tiro saíra pela culatra. — Devo concluir que então eles pertenciam a você e não a Martin Lomax?

— Não, não. Você os roubou de um homem chamado Viktor Illyich.

— Viktor Illyich? — repete ela.

Elizabeth muda de ideia. É cem por cento história antiga. Ele era chamado de "o homem mais perigoso da União Soviética". Mas ela tinha de tirar o chapéu para si mesma. Não importava a descarga de eletricidade que lhe tivesse percorrido à menção do nome "Viktor Illyich", ninguém que a observasse teria desconfiado de que ela já o ouvira antes.

— E você trabalha para este Viktor Illyich?

O Viking ri.

— Eu? Não. Sou do tipo que não trabalha para ninguém.

— Todos trabalhamos para alguém, meu amigo — diz Stephen, os olhos ainda percorrendo os livros. Alguma coisa ele está tramando.

— Eu, não. Sou o chefe.

Ele completa aquela declaração com uma tragada desconfortavelmente longa. Paciente, Elizabeth o espera terminar.

— Então por que eu estou aqui? — pergunta Elizabeth. — Os diamantes não são seus, os diamantes não são do seu chefe, você não tem nada com isso.

— Estou me lixando para os tais diamantes. Você acha que vou me importar com vinte milhões? Isso não é nada.

O Viking se inclina para a frente na cadeira e encara Elizabeth.

— Você está aqui porque há algum tempo eu venho contemplando a possibilidade de matar Viktor Illyich.

— Entendo — diz Elizabeth.

— E não é algo fácil — completa o Viking.

— Com certeza — concorda Elizabeth. — Se matar fosse fácil, a taxa de mortalidade no Natal seria altíssima.

— Sendo assim, quero que você mate Viktor Illyich para mim.

O Viking se recosta. Elizabeth pensa rápido. Onde foi se meter? Hoje de manhã estava pensando em câmeras de segurança e cadáveres desaparecidos. Agora estava sendo ameaçada por um Viking. Ou recebendo uma proposta de um. No seu ramo profissional, costuma dar no mesmo.

Ao menos tudo indica que desta vez ela e Stephen escapam ilesos. Que este novo jogo comece, então. Ela se recosta na poltrona e une as mãos.

— Lamento informar que eu não mato pessoas.

O Viking se acomoda melhor na poltrona e sorri.

— Nós dois sabemos que isso não é verdade, Elizabeth Best.

Elizabeth admite que ele está certo.

— Mas eis o problema: eu só matei pessoas que queriam me matar.

O Viking se estica para pegar um laptop numa mesinha e abre um sorriso ainda maior.

— Então estamos com sorte. Porque vou mandar já, já um e-mail para Viktor Illyich, com duas fotografias em anexo. Uma sua na estação de trem de Fairhaven abrindo um guarda-volumes, outra também sua no píer de Fairhaven no dia do tiroteio, situações essas que causaram muitos aborrecimentos a Viktor Illyich.

— Flagrada com a boca na botija, meu amor — comenta Stephen.

Elizabeth não sabia que Viktor estava envolvido com Martin Lomax e com toda a questão dos diamantes. Mas fazia sentido. Viktor andava agindo por conta própria nos últimos tempos.

— Ou seja — diz o Viking —, depois de receber essas fotografias, Viktor Illyich vai querer matar você. Vai ser tomado pelo desejo de vingança. É um plano certeiro. E tudo o que você precisa fazer é matar ele antes.

— Mate ele você mesmo, meu amigo — declara Stephen. — Olha só o seu tamanho.

— Fica bem mais fácil para mim se for outra pessoa — responde o Viking. — E quem melhor do que uma ex-espiã, uma senhorinha mirrada, uma mulher que sabe como matar e que acabou de executar um dos maiores roubos do século? Quem melhor, Stephen?

— Que covardia — rebate Stephen. — Nunca pensei que os suecos fossem covardes.

Elizabeth pondera. Ou ao menos finge ponderar. Na verdade está arrumando as cartas na ordem certa antes de fazer sua primeira jogada. Não está com uma mão muito boa, embora tenha um trunfo. Precisará agir com cautela.

— Sinto muito, mas continuo não sendo a melhor pessoa — diz Elizabeth ao Viking. — Se eu recusar, o pior que pode acontecer é você me matar, o que lhe traria muita dor de cabeça. Fora que, para ser sincera, já vivi bem e bastante. E morrer nesta sala não seria nada mal. É aconchegante.

O Viking sorri.

— Pode ser que seu marido discorde. Talvez ele prefira você viva.

Stephen dá de ombros.

— Todos temos a nossa hora, meu amigo Viking. Preferiria que ela não morresse pelas mãos de um sueco covarde, mas melhor sair de cena fazendo algo decente. Com certeza eu sentiria a falta dela, mas logo apareceria outra. Está cheio de espiã bonita por aí. Dá em árvore.

Elizabeth sorri. Mas e se morresse de fato? O que aconteceria? Como Stephen ficaria? Seu coração se parte, mas o rosto permanece indiferente. Pois sabe de algo que o Viking não sabe.

— Se você não se incomodar, acho vou levar meu marido para casa e esquecer que essa conversa aconteceu. Pode colocar os sacos de volta na nossa cabeça. Não preciso saber onde eu estou, nem tenho qualquer interesse em descobrir quem você é. Entendo a sua posição, entendo por que eu seria a mulher perfeita para matar Viktor Illyich, mas não vou fazer isso. Portanto, você tem duas opções. Ou me mata, o que iria sujar tudo, dar uma trabalheira depois e ainda complicar sua situação com o MI6 quando eles percebessem que eu desapareci, ou pode apenas nos deixar ir embora e fica tudo por isso mesmo.

— Mas Viktor Illyich vai matar você — argumenta o Viking. — Vai descobrir onde você mora. Eu descobri sem a menor dificuldade.

— Aceito correr esse risco — diz Elizabeth.

Viktor Illyich não vai matar Elizabeth. Ela tem certeza. Esse é o seu trunfo. Nessa, o Viking deu azar. Elizabeth e Stephen voltarão para casa antes do amanhecer e ali estarão seguros. Isso, claro, dependendo de onde estejam.

— Então pode me matar ou me deixar ir embora. As opções são essas. Qual você prefere?

— Acho que prefiro a opção três — responde o Viking. — Mandar as fotos na íntegra para Viktor Illyich.

— As fotos na íntegra?

— Isso mesmo. As fotos com a sua amiga Joyce Meadowcroft ao seu lado. As duas fotos, os dois nomes.

— Isso é jogar meio sujo — comenta Stephen.

Elizabeth continua a se sentir segura. Viktor também não irá ao encalço de Joyce. Não se estiverem juntas na foto. Uma amiga de Elizabeth é uma amiga de Viktor.

— Viktor talvez não tenha coragem de matar Joyce — diz o Viking. — Ela me parece uma mera civil. Eis minha proposta, então. Se Viktor Illyich não estiver morto em duas semanas, eu vou matar sua amiga Joyce.

13

O segundo encontro, para falar a verdade, foi ainda melhor que o primeiro. Acabaram de voltar de Brighton, onde assistiram a um filme polonês. Donna nem sabia que filmes poloneses existiam, embora fosse até óbvio. Num país daquele tamanho, de vez em quando alguém vai fazer um filme.

Era um cinema de arte. Claro que era. Era em Brighton. E isso significava que eles não vendiam balas e doces a quilo. Nada de chicletes de melancia nem jujubas, nada de nada. Só lanchinhos saudáveis.

Ao menos permitiam que se entrasse na sala com vinho. Donna julgou que já compensava ter que se virar só com castanhas sem sal para comer. Fora que, durante o filme, ficava todo mundo calado, algo com que não estava nem um pouco acostumada.

Pegaram o trem em Fairhaven. Donna bebeu um mojito em lata e Bogdan, um energético grande no qual misturou um sachê de suplemento proteico.

Foram andando da estação ao cinema, o braço dela enroscado no dele. Em dado momento, passaram em frente a uma casa na Trafalgar Street que Bogdan informou ser um antro de viciados em crack e depois por uma velha oficina metalúrgica na London Road onde um lituano fora enterrado. Bogdan seria um ótimo guia da região para um tipo bem específico de turista.

Havia outras pessoas negras em Brighton, o que foi agradável de ver. Ainda assim, tão poucas que, quando se cruzavam, sutilmente se cumprimentavam de longe. Donna gostou de Brighton: conseguia enxergar-se invadindo alguns antros de viciados por ali antes de encerrar a carreira.

Conversaram um pouco sobre Bethany Waites e Heather Garbutt. Donna está montando um mapa de todas as câmeras de segurança de Fairhaven para Chris. Não era uma tarefa agradável.

E, por sinal, o povo da Polônia não só faz filmes, como é muito bom nisso. Donna estava apreensiva, achando que poderia ser um retrato intenso sobre amor e perda ao longo de gerações de uma família isolada de fazendeiros, e que teria de ficar o tempo todo se virando para Bogdan e fingindo estar entendendo e gostando de tudo. Mas nada disso. Havia assassinatos, brigas, um policial de camisa rasgada... nada mau. De poucos em poucos minutos, Bogdan se inclinava em sua direção e ela se preparava para um beijo, mas ele se limitava a apontar ocasionais equívocos nas legendas. Ela ficou segurando a mão dele, o vinho tinto desceu suave, a mocinha terminou com o mocinho e alguém derrubou um helicóptero a tiros. Nota oito, ela recomendaria.

Voltaram juntos para a casa dele, sem questionamentos. Onde eles se separariam? E por que fariam isso?

Bogdan está no banheiro neste momento e Donna se reidrata freneticamente enquanto tenta lembrar se alguma vez na vida já esteve tão feliz.

Haviam conversado um pouco mais sobre Bethany Waites. Donna dera uma espiada no arquivo de Jack Mason, o empresário. Era longo como uma fila em uma agência dos correios. Era um homem charmoso, mas perigoso.

Por falar nisso, Bogdan volta ao quarto e sobe na cama. Ela o envolve com o braço, sonolenta e segura.

Os dois riem. Caramba, que sensação boa. Tudo é natural, genuíno, nada forçado. Parece aquelas coisas que se leem por aí sobre relacionamentos e não parecem verdade.

O celular de Bogdan toca na mesinha de cabeceira. Os dois se viram para o aparelho. São duas da manhã.

Ai, ai, já vi tudo, pensa Donna, seu devaneio interrompido na mesma hora. Não é para acreditar mesmo no que se lê. Existe outra mulher na jogada. Óbvio. De novo, Donna, valeu a tentativa. *Sempre* tem alguma coisa. De repente, ela perdeu o sono e a segurança.

Bogdan olha para o número e então para Donna.

— Tenho que atender. Desculpa.

Donna dá de ombros. Planejava ficar até de manhã, mas já começa a catar suas roupas.

14

Elizabeth e Stephen foram deixados no acostamento de uma estradinha em uma grande área arborizada. A lua está cheia e alta no céu e sua luz pálida serpenteia por entre os galhos, sem folhas graças ao inverno.

— Você deu a maior bandeira quando ele falou do Viktor Illyich — diz Stephen.

— Dei? Achei que tinha disfarçado bem. Nada te escapa, né?

— É gentil da sua parte fingir que sou tão perspicaz. Amigo antigo, esse Viktor?

— Inimigo antigo, na verdade. Chefiava a KGB em Leningrado nos anos 1980 — explica Elizabeth, a fumaça de sua respiração visível no ar. — E foi subindo desde então.

Numa das fotos na pasta que o Viking lhe entregara, Viktor estava no apogeu. Ou talvez não no apogeu propriamente dito: já começava a perder cabelo, e os óculos com lentes grossas e redondas eram grandes demais para o rosto. Porém era jovem, ao menos. A foto mais recente trazia o choque da idade. Velho, enrugado, com fios de cabelo grisalho agarrando-se à beira do precipício. Óculos ainda grandes demais, mas bastava lançar um olhar atento ao que estava por trás das lentes e lá estava ele. Viktor. A malícia e a inteligência em seus olhos. O rival que se tornara seu amigo. O inimigo que se tornara... seu amante? Teriam sido mesmo amantes? Elizabeth não se lembra, porém não descartaria a possibilidade.

Viktor verá a foto dela da mesma forma, sem dúvida. *Quem é essa senhora?*

Como Elizabeth está sem bateria e Stephen, sem celular, eles caminham.

— Sem querer me intrometer — diz Stephen —, mas sua expressão indica que você não está muito disposta a matar o sujeito.

— Não, não estou.

— E acha que ele tentaria matar você?

— Mas de jeito nenhum. Vai dar uma olhada na foto e começar a rir adoidado.

Eles ouvem um pouco a conversa das corujas e seguem abraçados para se aquecerem ao longo do percurso. Quantas vezes na vida se anda por uma nova estrada com um velho amor? Elizabeth observa a lua e o marido e pensa consigo: que momento estranho para estar feliz.

— Mas se você não matar esse Viktor, nosso amigo Viking vai matar a Joyce?

— É nesse ponto que estamos. — A lembrança prejudica um pouco seu estado de espírito.

— Ô escolha complicada. E ainda não temos ideia de quem esse Viking seja?

— Ainda não — admite Elizabeth, avistando uma cabine telefônica logo à frente, no acostamento. — Mas vamos por partes. Primeiro, tenho que levar você para casa. Tem algum dinheiro aí, por acaso?

Stephen remexe nos bolsos e lhe entrega uma moeda.

— É madrugada, meu amor, não esqueça. Vai estar todo mundo dormindo.

Elizabeth disca o número que sabe de cor. Os importantes ela sempre decora. Já devem ser duas da manhã, mas é atendida antes do fim do primeiro toque.

— Oi, Bogdan.

— Oi, Elizabeth. Do que você está precisando?

— Uma ajudinha. Nesse minuto, se possível.

— Tudo bem, está em casa?

— Bogdan, estou ouvindo um ruído no fundo. Tem alguém aí?

— É a TV.

— Não é, não, mas não vamos discutir sobre isso agora. Estou numa cabine telefônica que não faço ideia de onde fica, mas o número é 01785-547541. Se você puder descobrir a localização e vir me pegar, agradeceria muito.

Ela ouve o som de um laptop sendo aberto.

— Cadê o Stephen? Quer que eu vá vê-lo?

— Ele está comigo, querido. — Elizabeth entrega o bocal a Stephen.

— Olá, meu velho amigo — cumprimenta Stephen. — Desculpe incomodar. Eis aqui uma bela dupla de desabrigados para você resgatar.

— Sem problema. Coloca a Elizabeth de novo na linha.

Elizabeth volta.

— Certo, vocês estão em Staffordshire — informa Bogdan. — Já ouviu falar de Staffordshire?

— Claro que já — diz Elizabeth. — Alguma chance de você vir? Está bem frio.

— Já estou me vestindo.

— Obrigada. Alguma ideia de quanto tempo vai levar?

Bogdan fica em silêncio por um instante.

— O Google diz que leva três horas e quarenta e cinco minutos. Chego aí em duas e trinta e oito minutos.

— Tenho quase certeza de que estou ouvindo outra pessoa aí no fundo, Bogdan.

— É a navegação por satélite. Aguenta firme que chego aí assim que puder. Precisa que eu leve alguma coisa?

Elizabeth pondera. Viktor Illyich, o Viking, Joyce. Estaria ela bolando um plano? Talvez esteja, sim.

— Preciso, por favor, meu querido. Pode me trazer uma garrafa de chá e uma arma?

15

Mike Waghorn está sentado em uma cadeira giratória de couro na sala de edição escura. Segura uma caneta como se fosse o cigarro que adoraria estar fumando. Agora que todo mundo tem aparelhos de televisão HD, não dá mais para fumar. Envelhece demais.

Há uma fileira de monitores diante dele. À frente destes, um painel de controle que se encaixaria perfeitamente na cabine de um Airbus 380. Mike pilotou um recentemente num simulador, durante um evento da Delta Airlines que ele apresentou, no aeroporto de Gatwick. Tentando se exibir, fez o avião cair no mar Adriático.

O rosto de Bethany Waites preenche as telas à sua frente. Mike está assistindo ao programa em tributo a ela que apresentou com Fiona Clemence. Fiona e seus game shows, suas propagandas, suas capas de revista. Até lançou recentemente um livro de dietas. E olhem os dois juntos na tela, em 2013. Mike Waghorn, na época a celebridade. Fiona Clemence, a produtora promovida de repente a apresentadora. Mike não achou que ela fosse durar.

Fiona não era fã de Bethany, disso não havia dúvida. E vice-versa, verdade seja dita. Brigavam que nem gato e rato, as duas. Mike pensou nisso algumas vezes ao longo dos anos. Seria possível que Fiona tivesse matado Bethany? Soa absurdo, mas a morte de Bethany dera a Fiona sua grande chance. Vai saber... Até nos seus bons momentos, o meio televisivo é implacável. Depois do jantar de alguns dias atrás, Mike dera uma nova olhada nas mensagens de texto mais antigas. Bethany vinha recebendo bilhetes anônimos no trabalho. *Vá embora. Ninguém quer você aqui. Todo mundo ri de você.* Coisa de quarta série. Ou será que não? Teriam vindo de Fiona? E, se não fossem dela, de quem teriam partido?

Há imagens de arquivo de Bethany no *Boa Noite, Sudeste*. Em geral, cenas dinâmicas, o tipo de coisa que fica bem em montagens. Bethany Waites na maior montanha-russa de Kent, Tom Jones flertando com Bethany Waites na coxia do Brighton Centre, Bethany Waites no alto de um arranha-céu em Dubai, entrevistando uma mulher de Faversham que fizera fortuna no ramo da cirurgia plástica, Bethany Waites sendo empurrada numa piscina por um grupo de estudantes em Deal.

Mas as lembranças importantes nunca são as que entram nos clipes de melhores momentos. As lembranças importantes eram de tardes tranquilas nas quais ele observava Bethany trabalhar. Sua habilidade para descobrir e contar histórias. As piadas discretas, os olhares íntimos, eles apertando a mão um do outro todas as noites ao ouvirem "Cinco segundos para entrar no ar". Todos os dias: "Quer alguma coisa da cantina, Mike?" "Não, obrigado, Beth, meu corpo é um templo." Ela sempre voltava com um Twix para ele.

O que transforma a afinidade em amizade não são montanhas-russas nem arranha-céus, mas sim a soma de pequenos momentos.

Mike tem dificuldade para chorar, pois começou a fazer tratamentos com botox antes de pegarem o jeito desse tipo de procedimento e seus canais lacrimais ficaram bloqueados. Porém ele sabe que as lágrimas estão lá, e são bem-vindas. Só existem porque Bethany existiu.

Será que ele pode realmente confiar nesse "Clube do Crime das Quintas-Feiras"? Mike tem a sensação estranha de estar sendo manipulado, mas de forma tão agradável que talvez se deixe levar por ora. Vejamos do que eles são capazes.

Ele congela a imagem à sua frente. O rosto de Bethany. Não é um sorriso nem uma risada. Ele parou o vídeo num olhar de calma determinação, os olhos dela encontrando em cheio os dele. Checa o código na tela e percebe que a gravação é da semana anterior à da morte de Bethany.

Quando se avalia as coisas sabendo do resultado, tudo parece inevitável. Ao contemplar o rosto dela, Mike sabe que dali a uma semana Bethany estaria morta. Ele se aproxima do monitor e encara aqueles olhos. Já sabiam? Poderia jurar agora que sabiam. Com que porcaria ela tinha se metido?

A porta da sala se abre.

— Imaginei que você estaria aqui — diz Pauline, entrando com duas canecas de chá.

— Só queria me lembrar. Que Bethany era uma pessoa de verdade e não só um tema de reportagem.

Pauline faz um sinal em concordância.

— Eu sei que você a amava.

— Ela poderia ter chegado aonde quisesse, você não acha? Tão cheia de ambição, tão cheia de ideias...

— Teria nos deixado para trás, não é? — replica Pauline.

— Muito provavelmente. Lembra daqueles bilhetes que ela vinha recebendo? "Ninguém quer você aqui." Encontrava na mesa, no para-brisa do carro... aquela coisa toda?

Pauline balança a cabeça.

— Preparei um pouco de chá para você.

— Obrigado. O que você acha que houve? Quer dizer, o que você acha que aconteceu de verdade?

Pauline pousa a mão sobre a dele.

— Mike, você sabe que talvez nunca descubra, não sabe? Tem que se preparar para essa possibilidade.

Mike fita mais uma vez o rosto de Bethany na tela. Aqueles olhos. Ah, vai descobrir, sim.

Pauline abre sua bolsa.

— Vamos assistir mais um pouco juntos? — oferece.

Mike aceita.

Pauline tira um Twix da bolsa e o coloca ao lado da caneca de chá dele.

16

Prisioneiros à espera de julgamento em Darwell costumam ser mantidos nas celas por até vinte e três horas por dia. Connie Johnson reflete sobre quanto isso é desumano e improdutivo conforme passeia diante das portas trancadas das companheiras em seu passeio noturno.

Um dos carcereiros tira o boné em deferência ao vê-la percorrer a passarela de aço até a cela de Heather Garbutt. O som de seus mocassins Prada tocando o chão a cada passo ecoa pelo prédio cavernoso.

Connie bate na entrada da cela e a abre sem esperar por resposta. Heather é igualzinha ao que imaginou. Cabelo escuro ficando grisalho, pele flácida e pálida, mas nada em que um botox não dê jeito. Connie conhece alguém que pode ir até lá e dar uma olhada nela, se for necessário.

Sentada numa cadeira de plástico junto a uma mesa de metal, Heather Garbutt observa Connie com um olhar infeliz. Sem qualquer choque ou surpresa. Connie sabe que a vida de uma prisioneira é cheia de visitas inesperadas e interrupções indesejadas. A de uma prisioneira normal, pelo menos. Connie tem uma campainha em sua cela.

— Não tenho dinheiro nenhum — diz Heather. — Não tenho cigarro. Acho que não tenho nada de que você precise.

Connie se senta na cama de baixo do beliche.

— Você quer dinheiro? Quer cigarros? Eu consigo arranjar.

Heather está tentando decifrá-la. Connie sabe que esta não é uma tarefa fácil. À primeira vista, as pessoas sempre a consideram afável. Até divertida. Mas Heather está na prisão há tempo suficiente para sentir na outra o cheiro do perigo também. Por isso, está desconfiada, e Connie não a culpa nem um pouco. No lugar dela, estaria apavorada.

— Não preciso de nada, obrigada. Só de um pouco de paz e sossego.

— Não vou tomar muito do seu tempo. O que você estava escrevendo? — pergunta Connie, indicando a mesa.

— Nada.

— Meu nome é Connie Johnson. — Ela vai para trás de Heather e começa a massagear os ombros da outra. — Sou uma boa amiga, uma inimiga terrível, mas você está com sorte, porque nós duas seremos amigas. Aliás, você tá muito tensa.

— Por favor, eu não tenho nada. — Se fosse possível encolher ainda mais em sua cadeira, Heather desapareceria por completo.

Connie interrompe a massagem e volta para o meio da cela.

— Todo mundo tem alguma coisa, Heather. Você foi presa por fraude, não foi? Pegou dez anos. Deve ter sido uma senhora fraude.

— Foi mesmo.

— Forçaram você a devolver o dinheiro também? — pergunta Connie. — Abateram alguns anos da pena? Teve que devolver a quantia roubada?

— Me pediram para fazer isso, sim. Mas eu não tinha nada para devolver.

— Claro — diz Connie, rindo. — Mas você sai daqui em breve?

Heather faz que sim.

— Deve estar feliz, então.

— Fico feliz é quando trancam a porta da minha cela à noite — replica Heather.

Connie contempla o ambiente. Não há fotos de família na parede. Na mesa, alguns livros da biblioteca da prisão. Um se chama *Small Pleasures* e tem laranjas na capa. Connie pensa na TV de tela plana da própria cela. E no minibar.

— Mas quanta animação! — diz Connie. — Eu posso dar uma levantada no seu astral. Você gosta de quê? Chocolate? Homem? Bebidas? Consigo o que for.

— Connie, eu só quero ficar na minha. Consegue me dar isso?

— Consigo, sem a menor dúvida. Saio do seu pé num piscar de olhos. Preciso só que me responda uma coisa.

— Onde eu escondi o dinheiro?

— Não, não é onde você escondeu o dinheiro — respondeu Connie. — Mas onde foi?

— Não tem dinheiro. É por isso que eu ainda estou aqui.

Connie assente.

— Continua repetindo essa versão, gata, bom pra você. Não, a pergunta que eu tenho pra você é a outra, Heather.

Heather olha para o chão.

— Não.

— Se anima aí, vai, estamos nessa juntas. Olha pra mim.

Heather a encara.

— Heather, foi você quem matou Bethany Waites?

— Não posso conversar com você sobre isso.

— Isso significa que foi ou que não foi?

— Significa que não posso conversar sobre isso. E você devia se envergonhar de perguntar.

Connie observa Heather Garbutt, os olhos fixos no chão, os ombros curvados. Por que não consegue manipulá-la? Se há algo que enfurece Connie, é alguém que não cede aos seus encantos. Isso ela não permitirá jamais. Connie começa a chorar, e isso faz Heather erguer o olhar.

— Por favor, não chora aqui dentro. Já vi lágrimas demais.

— Desculpa — diz Connie, tentando enxugar as lágrimas. — É que você me lembra muito a minha mãe. Ela morreu no ano passado.

Heather olha para ela, balança a cabeça levemente e dá de ombros.

— Não minta sobre esse tipo de coisa, Connie.

Na mesma hora, Connie para de chorar e suspira.

— Tá bem, então, não precisamos ser amigas, mas fui incumbida de uma tarefa e quero cumpri-la. É só me responder que deixo você em paz. Bethany Waites era jornalista, tinha descoberto o seu esquema, que era ganhar milhões num escritoriozinho bonitinho sem fazer nada. Ela ia revelar tudo quando de repente alguém empurrou o carro dela do penhasco. O que você acha disso?

Heather dá de ombros de forma quase imperceptível.

— Na boa — diz Connie. — Foi você que matou ela...

— Não.

— Então você sabe quem foi?

Connie repara que Heather não nega.

— Você sabe quem matou a Bethany? Tá protegendo alguém?

— Por favor — diz Heather em voz baixa. — Não é seguro.

— Comigo você tá segura, princesa. Por que você protegeria alguém? A pessoa sabe alguma história sua? Posso matar quem quer que seja, sabe?

Heather fica em silêncio por um tempo. Então se levanta, caminha até a porta da cela e a abre.

— Sr. Edwards, tem uma pessoa na minha cela! — grita na direção do carcereiro. — Eu estou sendo ameaçada.

Connie ouve alguém subindo a escada de metal e Heather volta devagar para os fundos da cela, onde se senta de novo.

— Desculpa. Vou ter que pedir para você ir embora.

Os passos no corredor chegam à porta e um carcereiro aparece.

— Está bem, hora de levar você de volta pra... ah, Connie, é você.

— Oi, Jonathon. Só visitando minha amiga Heather.

— Claro, claro — diz Jonathon. — Vou trancar a porta pra vocês terem um pouco de paz.

Ele sai, a porta é fechada e Connie volta a encarar Heather.

— Olha, valeu a tentativa. Me conta de uma vez, Heather. Está parecendo que foi você. Mas você não tem muito jeito de assassina. E não havia provas. Então, qual é a história? Foi seu chefe? Jack Mason? Estive com ele uma vez. Estavam tentando esfaqueá-lo no estacionamento.

Heather passa um bom tempo pensando.

— Heather, estamos só nós duas aqui — argumenta Connie, colocando uma das mãos no ombro dela. — Ninguém vai saber. Quem você tá protegendo? Jack Mason? Tem medo dele?

— Você disse que recebeu uma incumbência?

Connie indica que sim.

— De quem?

— Ninguém com quem você precise se preocupar.

— Não é você que decide com quem preciso me preocupar.

Connie gosta da resposta. Heather enfim demonstra presença de espírito.

— Justo. Está certa. Escuta, Heather, eu sou uma pessoa bem difícil.

Heather assente.

— E vou voltar aqui todos os dias até o final da sua pena até você me contar. Quem matou Bethany Waites?

— A resposta vai ser a mesma todas as vezes.

— Eu sou paciente. E da próxima vez trago alguma coisa. Um KitKat? Uma Coca Zero? Uma arma?

Pela primeira vez, Heather sorri de leve. Agora, sim, pensa Connie. Até que enfim.

— Eu gosto de fazer tricô — diz Heather. — Tenho um afilhado que acabou de ter filho. Queria tricotar alguma coisa pra dar de presente, mas...

— Mas o pessoal daqui não confia em você com agulhas? Não posso culpar. É menino ou menina?

— Menino — responde Heather. — Mason. Logo esse nome.

— Te trago logo um estoque, lã azul e tudo o mais. E vemos em que pé estaremos amanhã.

— Obrigada — diz Heather. — Eu não sou de confiar fácil nas pessoas. Leva tempo.

— Bem, em mim você não deve confiar nunca, mas se tem uma coisa que nós duas temos de sobra é tempo. Vou voltar sempre. Gosto de completar minhas missões.

Connie se levanta para ir embora. Estende a mão, Heather a aceita e as duas trocam um cumprimento.

— Vou adorar ver você de novo, Connie. Mas, mesmo assim, não vou te contar o que quer saber.

— É o que veremos, bonitona — diz Connie, com uma piscadela de despedida.

17

Quinta-feira. Sala de Quebra-Cabeças.

— Mas a sua luz ficou apagada a noite inteira — diz Joyce.

— Não faz drama — insiste Elizabeth.

Contará à amiga do sequestro assim que tiver definido seu plano de ação para lidar com o Viking. Enquanto isso, ainda bem que há o assassinato de Bethany Waites para distraí-la.

— Não é drama — retruca Joyce. — Só não é comum. Tudo bem com o Stephen?

— Tivemos uma noite romântica em casa. Luz de velas no banheiro. E fomos cedo para a cama.

Joyce não engole a lorota, mas Elizabeth conclui que é o bastante para acalmá-la por ora. Terá de lhe contar em algum momento. Voltando ao que interessa:

— Então, Sr. Waghorn, o que tem para nós?

Mike Waghorn e Pauline foram encontrá-los na Sala de Quebra-Cabeças. Pauline enche a taça de Mike.

— Só uma coisa de que me lembrei — começa Mike. — Alguém estava enviando bilhetes para a Bethany. Provocações bem infantis, na verdade, talvez não fossem relevantes.

— Bullying.

— Não suporto esse tipo de coisa — opina Ron.

— E você descobriu quem enviou os bilhetes? — pergunta Ibrahim.

— Não. Bethany não os levava a sério — diz Mike. — Chegou a me enviar algumas mensagens sobre o assunto, mas nunca investigamos a fundo.

— Você ainda tem essas mensagens? — pergunta Elizabeth.

— Claro. Nunca vou deletar o que ela me mandou.

— Faz sentido — comenta Joyce. — Gerry uma vez teve uma carta publicada no *Radio Times* e eu guardo até hoje.

Mike procura no seu celular.

— Era sobre *Cagney & Lacey* — retoma Joyce. — O que não fazia o estilo dele.

Mike encontra as mensagens de Bethany.

— "Mais um bilhete hoje, capitão. Botaram na minha bolsa. 'Ou você sai, ou eu te faço sair.'" Era sempre esse tipo de coisa. "Vai embora." "Todo mundo te odeia." Coisa de quarta série, mas nunca se sabe. E foi algo que na época nem pensei em contar à polícia.

— Pode ter sido Fiona Clemence? — pergunta Joyce. — Espero sinceramente que não.

— Pauline, alguma ideia? — diz Elizabeth.

— Nem me lembro desses bilhetes — responde Pauline.

Joyce apoia a mão no braço de Mike.

— Mais vinho, Mike? — oferece.

— Sim, por favor.

Joyce lhe serve mais uma taça.

— Vai apresentar o noticiário ainda hoje, Mikey, meu rapaz? — pergunta Ron.

— É preciso mais do que três taças de vinho para impedir o Mike de apresentar o noticiário — observa Pauline. — Mostra como se faz, Mike.

Mike ajeita a postura e encara Ron.

— Enquanto isso, manobras militares continuam em curso na Bósnia-Herzegovina, onde o porta-voz dos separatistas sérvios deu início às intervenções com intermediários interessados.

Ron ergue sua taça.

— O rapaz não é peso-pena.

— Obrigado, Ronald — concorda Mike.

— Eu treinei ele bem — acrescenta Pauline.

— É, somos mesmo todos incríveis — diz Elizabeth. — Mas agora, se pudermos continuar... Vamos repassar direitinho o que sabemos.

A Sala de Quebra-Cabeças foi repintada recentemente. Ou, pelo menos, uma das paredes. É chamada de "parede de destaque", e é de um tom um pouco menos vivo e chamativo que um azul-turquesa. Ideia de Joyce, que vira alguém fazer isso na televisão e levara a ideia ao Comitê de Lazer e Recreação. Houvera objeções, tanto em termos de custo quanto de visual, mas Elizabeth bem poderia ter-lhes dito para pouparem o fôlego. Se Joyce quer que haja uma parede de destaque, vai haver uma parede de destaque.

A parede, que acabou ficando muito bonita, encontra-se coberta de fotografias e documentos. Há fotos de Bethany Waites e dos destroços de um carro no fundo do Shakespeare Cliff. Impressões granuladas de câmeras de segurança. E, ao redor dessas imagens, registros financeiros e linhas do tempo construídas de maneira meticulosa, impressas e plastificadas por Ibrahim. Costumavam espalhar esse tipo de coisa pela própria mesa de quebra-cabeças, mas Joyce recentemente arrumou uns ganchos adesivos que podem ser removidos da parede sem deixar marcas. Elizabeth acha muito melhor assim. Faz lembrá-la de uma sala de ocorrências graves, o tipo de local onde passara muitas horas felizes.

— Por razões que só ela sabe — diz Elizabeth —, ou seu assassino, Bethany decide sair de seu apartamento. Ela aparece nas gravações das câmeras do lobby do prédio dela às dez e quinze da noite e, minutos mais tarde, é possível ver seu carro passar em frente ao prédio.

— O carro, em seguida, parece sumir do mapa — contribui Ibrahim. — Paradeiro desconhecido por muitas horas até ser avistado de novo às duas e quarenta e sete da manhã, a cerca de um quilômetro e meio do Shakespeare Cliff.

— Ou seja, ela levou mais de quatro horas para completar uma viagem que demora mais ou menos quarenta e cinco minutos de carro — completou Elizabeth.

— O que indica que deve ter parado em algum lugar no caminho — comenta Ibrahim. — Para encontrar alguém, fazer alguma coisa, quem sabe para morrer. E, quando o carro volta a aparecer nas câmeras, próximo ao penhasco, parece haver duas silhuetas dentro dele, não uma.

— Mas convenhamos — diz Pauline. — A imagem está bem borrada.

— Na manhã seguinte — continua Elizabeth, enquanto registra mentalmente a interrupção de Pauline —, o carro de Bethany é encontrado ao sopé do penhasco. O corpo não está lá dentro, o que não chega a ser surpreendente. Uma vez tive que empurrar um jipe com um cadáver no banco do motorista para dentro de uma pedreira e o corpo foi projetado para fora do veículo quase que de imediato.

— Por que você teve que empurrar um... — começa Mike.

— Estamos sem tempo para isso, Sr. Waghorn, me desculpe — replica Elizabeth. — A turma da aula de Conversação em Francês vai dar um chilique se atrasarmos a entrega da sala um minuto que seja. Vestígios do sangue de Bethany Waites e fragmentos das roupas que ela usava quando foi vista pela última vez foram achados nos destroços do carro. Um casaco *pied de poule* e uma calça amarela.

— Bom, ainda tem isso — comenta Pauline. — Quem é que usa casaco *pied de poule* com calça amarela?

Elizabeth olha de relance para a visitante. Já são duas interrupções.

— O corpo dela nunca foi encontrado — diz Ibrahim. — Em geral ele acabaria em algum lugar da praia, mas nem sempre é o caso. Os cartões de débito e as contas bancárias nunca foram usados desde então, tampouco houve qualquer atividade relevante nas contas antes do incidente. E ela também não estava tirando grandes quantias de dinheiro do banco, então não devia estar se preparando para desaparecer.

— O segredo talvez esteja nos registros financeiros de Heather Garbutt — sugere Elizabeth. — Vamos saber mais assim que falarmos com nossa consultora.

— Nossa consultora é a minha filha — informa Joyce.

— E isso é basicamente tudo o que temos — conclui Elizabeth.

— Notícias da Connie Johnson? — pergunta Ron a Ibrahim.

— Por ora, nada de útil. Ela falou alguma coisa sobre tricô, mas o wi-fi dela vive caindo. Ela já até reclamou com o Ministério do Interior.

Ouve-se uma batida na porta. A turma da aula de Conversação em Francês, que usa a Sala de Quebra-Cabeças depois deles, resolveu chegar mais cedo. Elizabeth decide lhes dizer umas boas verdades.

18

Chris e Donna examinam um mapa de Fairhaven na parede de sua sala de ocorrências.

Há um alfinete no mapa indicando o apartamento de Bethany e outros com as localizações das câmeras cujas gravações foram examinadas. Seu carro não aparecera em nenhuma delas até chegar ao Shakespeare Cliff. Eles tentam estabelecer sua rota de saída de Fairhaven para entender onde poderia ter parado. Depois de sair da cidade, era fácil não passar por nenhum lugar com câmeras — bastava ir pelas ruazinhas menores. Mas dentro da cidade mesmo? Aí ficava bem mais complicado.

Onde diabo ela havia se metido naquele espaço de algumas horas? E com quem esteve?

— É impossível — diz Chris. — Temos um monte de câmeras em Fairhaven, e os únicos caminhos possíveis são pegando a Rotherfield Road ou a Churchill Road. Nenhuma outra saída da cidade leva ao Shakespeare Cliff.

Era para estarem investigando a morte do homem no micro-ônibus queimado. Porém, como ainda aguardam o relatório da perícia, permitem-se passar a manhã debruçados sobre o caso de Bethany Waites. E, além do mais, Elizabeth lhes pedira para dar uma olhada. Elizabeth tem acesso a muita coisa, mas não à posição exata de cada câmera em Fairhaven.

Donna começa a traçar um caminho a partir do apartamento de Bethany, um que evitasse as câmeras. A cada esquina se depara com uma. É como um labirinto, e sem saída.

— E estavam todas funcionando?

— Estavam, pela primeira vez na vida — diz Chris.

— Bom — Donna arrasta o dedo pelo mapa —, também não consigo passar da Foster Road. Ela deve ter pegado essa rua, mas depois dela não consigo dobrar à direita nem à esquerda sem dar de cara com uma câmera. Como é que ela conseguiu?

Chris vai até o computador e abre o Google Street View da Foster Road.

— Vamos ver se existe algum atalho que o mapa não mostre.

Vasculham a Foster Road de cabo a rabo. É uma rua majoritariamente residencial: há alguns grandes condomínios, algumas casas geminadas vitorianas e umas poucas lojas. Nenhum atalho perceptível.

— Espera! — diz Donna.

Ela assume o controle do mouse e gira a imagem na tela. Surge um grande e moderno prédio residencial chamado Juniper Court. E, do lado esquerdo, uma rampa leva à cancela de um estacionamento subterrâneo.

— Vale a pena checar se tem uma saída do outro lado do prédio — sugere Donna.

Ela navega com a seta pela Foster Road, subindo a Rotherfield, passando pela câmera e indo cair na Darwell Road, que fica nos fundos do Juniper Court.

— Você é bem rápida nisso.

— Passo tempo demais em sites de imobiliárias — diz Donna. — Vendo casas que não tenho como pagar.

E pronto. A saída dos fundos do Juniper Court. Uma segunda rampa que leva ao subsolo, esta com uma placa de ENTRADA PROIBIDA. A saída do estacionamento subterrâneo.

— Se ela tiver passado pelo estacionamento, pode ter virado à direita na Rotherfield Road e não passado pelas câmeras — reflete Chris. — Só assim mesmo.

— Então temos duas possibilidades. Ou ela estava tentando evitar as câmeras de propósito, o que é improvável, porque não teria como saber a posição de cada uma delas...

— Ou... — incentiva Chris.

— Ou... a pessoa que Bethany Waites foi encontrar naquela noite morava no Juniper Court.

— E talvez seja a assassina — acrescenta Chris.

— Então, Bethany sai de casa às dez e quinze, leva cinco minutos pra chegar à Foster Road e entrar no estacionamento subterrâneo do Juniper Court. Várias horas depois...

— Agora com outra pessoa junto dela no carro...

— ... ela sai pela Darwell Road, pega a Rotherfield Road e segue rumo ao Shakespeare Cliff.

— Somos uns gênios — parabeniza-se Chris. — Vamos dar um pulinho no Juniper Court e checar quem mora lá.

— Concor...

A porta se abre e o inspetor Terry Hallet entra segurando uma folha de papel.

— Achei que o senhor se interessaria por isso, chefe. Levando em conta seus questionamentos no outro dia.

Terry mostra a Chris o que está escrito no papel. Por ora, o Juniper Court vai ter que esperar. Chris olha para Donna.

— Mudança de planos. Vamos encontrar uns velhos amigos nossos.

19

— Olha que surpresa boa! — diz Joyce, puxando Chris e Donna para a Sala de Quebra-Cabeças. — Vocês estão ótimos, hein?
— Olá a todos — cumprimenta Chris.
— Temos vinho e biscoitos — informa Joyce. — Tem tinto, para combinar com os recheadinhos de chocolate, e branco para quem quiser os com cobertura.
— Eu pedi recheado de geleia, mas não compraram — comenta Ron.
— Alan, agora não! — exclama Donna.
O cachorro tem um apreço especial por ela.
Chris puxa uma cadeira e Donna faz o mesmo.
— Que cara é essa, inspetor-chefe? — pergunta Ibrahim. — Parece preocupado.
— Precisamos ter uma conversa muito séria — declara Chris. — Espera aí, você é o Mike Waghorn!
— Pego no flagra — diz Mike Waghorn, oferecendo-lhe os pulsos zombeteiramente, como se fosse ser algemado.
— Como você conhece esse pess... — começa Chris. — Esquece, deixa pra lá, lógico que você conhece.
Ron pega um biscoito com cobertura de chocolate, relutante.
— Já trabalhou na TV, Chris? — pergunta Mike. — Seu rosto tem uma estrutura óssea perfeita para isso.
— Ééé... não... não, nunca trabalhei — responde Chris.
— Deixa comigo — garante Mike.
— Ééé... tá bom — diz Chris, tirando o casaco e pendurando-o nas costas de sua cadeira. — É sério isso?
Mike faz um sinal afirmativo com a cabeça e acrescenta:
— Você tem um cabelo maravilhoso.
Chris foca em voltar ao assunto pendente.
— Precisamos ter uma conversa séria.

— Uma conversa séria sobre o quê, Chris? — pergunta Elizabeth. — Temos sete minutos e meio.

— Vocês estão investigando a morte de Bethany Waites — diz Donna.

— Sim, estamos começando — concorda Elizabeth. — Com a ajuda de vocês.

Chris percorre a sala com os olhos, fixando-se em cada um dos ali presentes.

— Andam também fazendo perguntas sobre Heather Garbutt, não é?

— Não exatamente — declara Ibrahim. — Apenas sondando. Você sabe que ela está presa.

— Não têm mais nada a me contar? — pergunta Chris.

— Mais nada — garante Ibrahim.

— Chris, pelo amor de Deus — reclama Elizabeth. — Por que sinto que estamos levando uma bronca? Já estou quase ouvindo o pessoal de Conversação em Francês na escada, e garanto a você que não vai querer fazer eles esperarem.

Chris para por um momento e se recompõe.

— Hoje, às seis horas da manhã, Heather Garbutt foi encontrada morta na cela — informa ele.

A turma compartilha olhares chocados. Pauline apoia a mão no braço de Mike.

— Havia um bilhete — continua Chris. — Numa das gavetas da mesa dela.

— De suicídio? — pergunta Joyce. — Por que ela se...

Donna baixa os olhos para seu bloco de anotações.

— Dizia o seguinte — anuncia ela. — ELES VÃO ME MATAR. SÓ CONNIE JOHNSON PODE ME AJUDAR AGORA.

PARTE DOIS

Um brinde a novos amigos

20

— Sinto muito, mas, de acordo com o nosso sistema, não há problema algum na área do senhor. Não há muito que eu possa fazer.

Viktor Illyich assente.

— Eu entendo, eu entendo, mas ainda assim a televisão não está funcionando. Então você consegue imaginar a minha situação.

O rapaz do outro lado da linha começa a soar exasperado, e é óbvio que está de saco cheio daquele embate intelectual.

— Eu estou tentando lhe dizer, Sr. Ill... Sr. Ill...

— Illyich.

— É, isso — responde a voz. — Estou tentando lhe dizer que, até onde o nosso sistema consegue verificar, está funcionando. Sendo assim, eu não teria como mandar um técnico visitar o senhor hoje.

— Não dá pra ser hoje, então? — questiona Viktor. — Vou ficar sem TV hoje?

Mas esta noite tem *Bake Off*. E é a semifinal.

Pelas janelas que vão do chão ao teto, Viktor examina o horizonte londrino. Ele consegue ver tudo de dentro, mas de fora ninguém consegue ver sua casa, o que sempre é uma alegria para um velho espião.

— Não, senhor, hoje, não. Se o senhor fizer login no nosso aplicativo...

— Não tenho o aplicativo. Eu não trabalho pra vocês, sabe? Pago vocês para trabalharem.

— Entendi, entendi. Dá para fazer on-line também. É só o senhor fazer login na sua conta, encontrar a página que diz "Marcar visita técnica" e escolher o primeiro horário disponível que seja conveniente para o senhor.

— Está bem: o primeiro horário disponível conveniente pra mim é hoje — declara Viktor.

Ele observa o pátio. De sua cobertura, é possível avistar a piscina suspensa entre dois prédios. Foi um alvoroço quando a inauguraram. Uma piscina flutuando no céu? Viktor não a usa muito. Neste momento, a única pessoa na água é uma princesa saudita. Está tirando uma selfie. Nadar ali, ninguém nada, é frio demais.

— Como já conversamos, senhor, hoje é impossível.

— Impossível é uma palavra forte — argumenta Viktor, esticando as pernas sobre o sofá e se acomodando.

Quando trabalhava na KGB, haviam lhe dado um apelido. "A Bala." Sempre que queriam interrogar alguém, o protocolo padrão era enviar dois agentes. "O policial bonzinho e o policial malvado" era o nome que davam ao método na Grã-Bretanha. Em geral, conseguiam o que queriam. Às vezes recorria-se à tortura, embora Viktor não aprovasse aquilo. Tortura não levava a lugar nenhum. Óbvio, as pessoas abriam o bico, mas não havia como saber se o que diziam era verdade. Muita gente falava qualquer coisa para manter os dentes, as unhas dos dedos, evitar os eletrodos.

— Sim, senhor, eu entendo que...

Mas às vezes uma pessoa não falava, não cedia, não importava qual tratamento recebesse. Ou quais as formas de tentar fazê-la ceder. Nessas ocasiões, alguém ligava para Moscou. Requisitava a Bala. Viktor tinha a manha. Tinha um jeitinho.

— Eu sou idoso. Moro sozinho. — Viktor se serve de uma dose de brandy.

— Entendo perfeitamente, senhor, mas não...

— E esse negócio de computador, eu não entendo direito.

Viktor foi o primeiro na Rússia a conseguir hackear a unidade central de processamento dos computadores IBM do Pentágono.

— O sistema é simples: posso guiar o senhor se estiver com o computador à mão.

A técnica de Viktor era sempre a mesma. Entrar na sala, sentar, conversar. Criar uma conexão, talvez limpar um pouco de sangue, acender um cigarro, chegar a um consenso.

— Você me lembra meu filho Aleksandar.

Ele nunca se casou e jamais teve filhos, embora ambos fossem encorajados pela KGB. Eles gostavam que agentes tivessem família, algo que pudesse ser ameaçado, algo a mantê-los na Rússia caso fossem tentados a desertar. Muitas mulheres foram colocadas em seu caminho. Mulheres divertidas, valentes, lindas. Mas a vida de Viktor era feita de mentiras e o amor não floresce em meio a mentiras. E, se não fosse acabar em amor, Viktor não estava interessado. Agora que não está mais na ativa, também, seu tempo já passou.

— Você tem o quê, vinte e um anos? Vinte e dois? Qual é o seu nome? — pergunta Viktor.

— Hum... Dale. Vinte e dois anos. O senhor gostaria que eu o guiasse pelo processo?

— Terminou a faculdade, Dale? Ou nem cursou, talvez?

Viktor gosta de gente e quer o melhor para as pessoas. Hoje em dia isso é encarado como uma fraqueza, mas, ao longo dos anos, tem sido seu principal trunfo.

— Eu... eu entrei, mas larguei.

— Solidão? — sugere Viktor. Dá para captá-la na voz do rapaz. — Foi difícil fazer amigos, talvez?

— Ahn, preciso encerrar essa ligação em menos de cinco minutos ou vão registrar uma reclamação — diz Dale.

— Sempre tem reclamação. Já escrevi muitas. Ninguém nem olha. Você não tinha amigos na faculdade, então? Eu também era muito tímido quando tinha vinte e dois.

— É, acho que sim — responde Dale. — Eu não sabia bem por onde começar. E aquilo me abalou. O senhor está no site?

Às vezes entrava-se numa sala e via-se um rapaz curvado na cadeira, com a camisa ensanguentada, os olhos fechados pelo inchaço. Era necessário criar uma conexão. Qualquer interrogatório é uma conversa, e ela só existe se houver duas pessoas. Quem quer conseguir algo não pode arrancar isso do outro, tem que deixá-lo lhe dar.

— Aconteceu a mesma coisa comigo, mas tem muitos anos já — diz Viktor, olhando pela janela.

A princesa saudita não está mais na piscina. Agora, um rapaz contempla a água. Viktor o reconhece: tem um programa de rádio e uma vez o ajudou com as malas. Viktor gosta dele e tentou escutar o programa uma vez. Não fazia seu estilo, mas não podia culpá-lo pelo entusiasmo. Deram mil libras a alguém que ligara para a estação e sabia a capital da França. E havia três opções.

— Você acha que todos ao seu redor sabem algum segredo sobre como levar a vida. Que em algum momento você perdeu alguma lição.

— Sim — concorda Dale. — O senhor está no site? Eu posso ajudar...

— Eu sinto isso até hoje, Dale. Essa gente que sabe viver. Que sabe dançar, que sabe qual roupa usar, o corte de cabelo certo. Eu não sou que nem eles. Você é?

— Não.

— Mas isso passa — diz Viktor. — Passa e você se encontra. Você era um menino e agora tem que ser um homem, o que não é fácil.

— Verdade. Meu pai nos abandonou e, bem, eu sempre me senti solitário depois disso. A gente fazia tudo juntos.

— Você nada sozinho, Dale, que nem todos nós. E tem que continuar nadando até alcançar a praia lá longe, do outro lado. Não dá pra dar meia-volta.

— Queria poder fazer isso.

— Não é uma opção. Você não quer ficar no telefone com velhos como eu, Dale. Não é verdade?

— É. Sem ofensas.

Viktor ri, uma risada alta e esganiçada.

— Não ofendeu. O que você quer fazer?

— Não sei.

— Sabe, sim.

— Trabalhar com animais, de repente.

— Então é isso. Você vai trabalhar com animais. Mas talvez precise esperar um pouco. Talvez tenha que continuar neste emprego por algum tempo. Esperar até que as suas várias pecinhas se juntem e se encaixem.

— Acha mesmo? — pergunta Dale. — Eu acho que já ferrei com tudo.

— Você é jovem. E dá pra perceber que é inteligente e gentil. Com o passar dos anos, vai descobrir que as pessoas precisam de alguém inteligente e gentil mais do que precisam de alguém que saiba dançar e tenha o corte de cabelo certo.

— Então eu só... — tenta Dale.

— É só ser paciente e tratar a si próprio com a mesma gentileza que você dirige aos outros. É difícil e leva tempo, mas você pode praticar até ficar craque... Mas e aí, vamos a esse processo, então, para ver quando eu consigo uma visita técnica?

Do outro lado da linha, há uma pausa encorajadora.

— Olha... — diz Dale. — Eu não deveria fazer isso, mas posso marcar o seu pedido como urgente e ele vai para a frente da fila.

— Ah, não quero causar problemas.

Este ano há uma mulher de Kiev no *Bake Off*, Vera, o que deixa Viktor ainda mais interessado do que o normal.

— A gente só deve fazer isso se a pessoa for clinicamente vulnerável ou famosa. O senhor é algum dos dois?

— À minha própria maneira, sou os dois.

— Está bem — diz Dale, e Viktor o escuta digitar no teclado. — Alguém vai aparecer na residência do senhor nos próximos noventa minutos.

— Obrigado, Dale.

— Não, obrigado ao senhor. Obrigado por me ouvir.

No fim das contas, este era o cerne de tudo. As pessoas sempre querem contar algo a alguém, e tudo o que você precisa é fazer deixar que falem.

— O prazer foi meu — diz Viktor. — E boa sorte. Está tudo aí para você, bem à sua frente.

Viktor larga o celular e flagra o próprio reflexo no espelho. Aquela careca numa cabeça grande demais para os ombros que a sustentam. Aqueles óculos com as lentes grossas, grandes demais para o seu rosto. Um rosto de que ele aprendera a gostar. Se o seu rosto o decepciona, em algum momento isso fica literalmente na cara.

Um alerta de novo e-mail soa no computador. Viktor vai na direção do som.

Ele tem um sistema elaborado de alertas. Um para e-mails do dia a dia, evidente, newsletters de programas de TV, ofertas do supermercado, essas coisas. Em seguida, sons diferentes para clientes diferentes. Para diferentes níveis de urgência. Há endereços de e-mail para se comunicar *apenas* com, digamos, um cliente colombiano importante ou um kosovar impaciente. Ao todo, eram mais de cento e vinte contas de e-mail, todas mudando o tempo todo. Mas o alerta de som para cada cliente não mudava jamais.

Há ainda um alerta para um endereço de e-mail que nunca dera a ninguém. Uma camada de segurança, oculta nas profundezas da deep web. Um sistema de aviso prévio, na verdade. Se alguém descobrisse aquele e-mail, ele saberia que sua segurança havia sido comprometida. E, se fosse esse o caso, saberia estar em apuros.

O alerta do e-mail secreto é o barulho do disparo de um tiro. Piadinha interna. Um tiro para a Bala.

O alerta que ressoa neste instante pelo apartamento de Viktor Illyich é o barulho de um tiro. Viktor ajeita os óculos, posicionando-os mais no alto do nariz.

Ele vasculha o horizonte. Algo? Alguém? Na piscina, o DJ da rádio agora tira uma selfie.

Viktor acende um cigarro. Seria preciso olhar por um longo tempo e com muita atenção para detectar o tremor discretíssimo em sua mão.

Ele abre o e-mail. Há duas fotografias em anexo.

21

Joyce

Heather Garbutt foi assassinada.

A fraudadora, não a jogadora de hóquei.

Seu corpo foi encontrado na cela, e foi morta de maneira bem desagradável. Chris não quis entrar em detalhes, mas envolvia agulhas de tricô.

Havia um bilhete numa das gavetas.

ELES VÃO ME MATAR. SÓ CONNIE JOHNSON PODE ME AJUDAR AGORA.

O bilhete parece nos indicar duas coisas:

Heather foi assassinada. Mas por quem, e por quê? Seria uma coincidência que tenha ocorrido logo depois de começarmos nossa investigação?

Connie Johnson sabe de alguma coisa. Mas do quê?

Elizabeth sugeriu que Ibrahim talvez se interessasse em voltar à prisão de Darwell e "ser um pouco mais meticuloso desta vez". Ele reagiu tão bem quanto era de se esperar.

Há outra pergunta a ser feita aqui, óbvio. Seria o assassino de Bethany Waites o mesmo de Heather Garbutt?

Ron levantou a hipótese: "E se tiver sido a própria Connie Johnson que a matou?" Todos concordamos que ela com certeza poderia ter feito isso. Mas por qual motivo?

Muita coisa a considerar, portanto. Bem do jeito que a gente gosta.

Chris ficou entusiasmado por conhecer Mike Waghorn e, quando estava de saída, disse: "Você não vai se lembrar disso, mas uma vez eu fiz o teste do bafômetro em você. O resultado veio limpinho." Mike agradeceu a ele pelo serviço prestado à comunidade.

Amanhã vamos falar por Zoom com Joanna para ver se ela conseguiu descobrir algo nos registros financeiros de Heather Garbutt, mas acho que deveríamos também examinar os bilhetes que Bethany recebeu. Sei que não parecem lá tão graves, mas é assim mesmo que o bullying começa. Começa com "ninguém gosta de você", aí depois empurram a pessoa de um penhasco. Posso estar sendo melodramática, mas entendem o que eu quero dizer? A coisa vai ficando mais séria.

Quem mandou os bilhetes? Uma namorada enciumada? Alguém da redação? Fiona Clemence?

Sinceramente, isso não seria bem mais divertido que uma fraude envolvendo o IVA? Vou pedir a Elizabeth para me deixar investigar. Aposto que Pauline se lembra de algumas histórias da época, e interrogá-la seria uma boa maneira de conhecê-la um pouco melhor. Não digo que ela esteja aqui para ficar, mas Ron havia passado creme hidratante hoje. Deu pra ver um restinho atrás da orelha. Primeiro a torta banoffee, agora hidratante? Não falo mais nada.

Alan acabou de me interromper com a língua pra fora e a cauda batendo no umbral da porta. Eu sei que às vezes a gente acha que nossos cachorros são praticamente gênios, mas, de verdade, tenho certeza de que ele sabe que aconteceu um assassinato.

22

— Mãe, você está no mudo — diz Joanna.
— Ela está dizendo que estamos no mudo — repete Joyce para Elizabeth.
— Eu sei, eu ouvi — replica Elizabeth. — *Ela* não está no mudo.
— Aperta o botão do microfone, mãe.
Elizabeth nota que Joanna se esforça para não revirar os olhos. Joanna tem pouca paciência com a mãe. Tem horas que Elizabeth a entende.
— Não consigo entender — comenta Joyce, à procura do tal botão do microfone. — Com o Ibrahim sempre funciona.
— Às vezes funciona — corrige ele. — Você está sempre virada de lado, por exemplo.
— Deixa eu dar uma olhada — pede Ron.
Ron olha para a tela por quatro, talvez cinco segundos e volta a se sentar.
— Não, não entendo nada disso — conclui.
— É a figurinha do microfone, Joyce — explica Ibrahim, aproximando-se e mexendo no mouse.
— Nossa, nunca tinha visto isso antes. Está ouvindo a gente? — pergunta Joyce.
— Agora estamos ouvindo, mãe. Aleluia. Oi pra todo mundo.
Todos a cumprimentam. Elizabeth reconhece a sala de reuniões do escritório de Joanna, com a mesa feita da asa de um avião e aquela arte abstrata que era um horror (além de um horror de tão cara). Reconhece ainda Cornelius, o colega americano de Joanna, com uma enorme pilha de papéis à sua frente. São os registros financeiros do julgamento.
— E oi, Cornelius — diz Joyce. — Joanna me contou que você vai se casar, não é?
— Não, minha esposa me largou. Mas dá quase no mesmo.
— Aah, sinto muito — lamenta Joyce. — Sabia que era algo do gênero.
— Mãe, temos quinze minutos para falar com vocês. Podemos começar?
— Claro — diz Joyce. — Quer dar um oi para o Alan?

A boca de Joanna começa a formar os contornos de um "não", mas Elizabeth repara no indício de um sorriso.

— Está bem, mas precisa ser rápido.

Joyce dá dois tapinhas na mesa da sala e Alan ergue as patas, entusiasmado com o que quer que esteja acontecendo. Joanna e Cornelius acenam. Alan lambe Ron.

— Para com isso, Al — manda ele, embora Elizabeth repare que ele não o afasta.

— Eu começo — diz Cornelius, posicionando a palma das mãos dos dois lados da pilha de papéis. — Resumindo: este esquema rendeu mais de dez milhões de libras em três anos, de maneira muito rápida, tudo sem declarar nada. O dinheiro entrava numa única conta, no nome de Heather Garbutt, depois ia para tudo quanto era canto. Jersey, Ilhas Cayman, Ilhas Virgens Britânicas, Panamá.

— Tudo isso ainda no nome de Heather Garbutt? — pergunta Joyce.

— *Nada* disso no nome de Heather Garbutt — diz Cornelius. — Nada no nome de ninguém, aliás.

— Bem, a não ser por... — acrescenta Joanna.

— É, a não ser por... — concorda Cornelius. — A gente chega lá.

— É basicamente lavagem de dinheiro — explica Joanna. — O dinheiro vai para todos os cantos do mundo, cai em contas diferentes, sempre em lugares onde o sigilo bancário é absoluto. Empresas fantasmas, diretores anônimos. Vocês não vão se deparar com o nome do assassino aqui. Só dá pra buscar pistas.

Cornelius mexe em alguns papéis.

— Alguns exemplos para vocês, todos de um único mês em 2014: oitenta e cinco mil pagos à Ramsgate Cement & Aggregates, sessenta mil pagos à Masterson Financial Holdings, em Aruba, cento e quinze mil à Absolute Construction, do Panamá, setenta mil à Darwin Securities, nas Ilhas Cayman.

— E procurando essas empresas, o que a gente acha? — pergunta Elizabeth, já sabendo a resposta.

— Nada — responde Cornelius. — Apenas o registro de um escritório e nenhuma conta disponível para acesso. A menos que você seja o maior expert do mundo em lavagem de dinheiro, coisa que eu não sou.

— Não seja modesto — diz Joyce.

— É aí que as pistas esfriam — encerra Cornelius.

Elizabeth assume o comando.

— Então há muita coisa que não sabemos, e foi bom vocês terem começado por aí, mas essa pilha de papéis é enorme. Espero que exista alguma informação útil aí no meio.

— Certa como sempre, Elizabeth — elogia Joanna, e Elizabeth sabe que aquilo é só para provocar sua querida mãe. — Sabemos algumas coisas. A movimentação bancária de Heather Garbutt foi divulgada durante o julgamento e, até onde vimos, ela não encostou em uma libra sequer dos dez milhões. Não há transferências suspeitas, tampouco compras grandes. Ela continuava morando na mesma casa, o carro continuava o mesmo, a hipoteca continuava igual. Se Heather Garbutt era quem estava de fato lavando o dinheiro, ela não gastou um centavo.

— E o que mais? — pergunta Elizabeth. Ela é distraída pelo celular.

Enviei as fotos para o Viktor Illyich. O relógio está correndo. Duas semanas. Você mata o Viktor ou eu mato a Joyce. Tique-taque. Tique-taque.

Uma coisa de cada vez, pensa Elizabeth. Pelo amor de Deus, estou resolvendo um assassinato aqui.

Cornelius volta a falar:

— De forma geral, é uma operação muito bem montada. Os advogados não conseguiram desvendá-la no tribunal e eu também não. Mas, conforme vamos recuando mais para o começo dela, as coisas são menos sofisticadas. Costuma ser assim mesmo. Quanto mais tempo dura um esquema, melhores os golpistas se tornam em esconder o dinheiro. Aí, se você vasculhar mais para o início das transações, as chances de se deparar com um erro são maiores.

— Que tipo de erro? — pergunta Ibrahim.

— O mais comum é o seguinte — explica Cornelius. — Obviamente, você precisa inventar nomes para todas essas empresas imaginárias. O erro de principiante é escolher um nome que tem algum significado para a pessoa, mesmo que de maneira indireta. E os primeiros pagamentos, bem no início do esquema, foram para uma série de contas secretas em Jersey com os nomes Trident Capital, Trident Investments e Trident Infrastructure International.

— Nós fomos mais a fundo — acrescenta Joanna — e encontramos outra empresa registrada em Jersey, chamada Trident Construction.

— Essa empresa, por outro lado, é cem por cento legítima — informa Cornelius. — Tem todas as informações abertas ao público.

— E a Trident Construction só tinha um diretor — declara Joanna. — Adivinhem quem?

— Heather Garbutt! — exclama Joyce, se levantando da cadeira.

— Não, mãe — diz Joanna, e Joyce murcha.

— Jack Mason — sugere Ibrahim.

— Jack Mason — confirma Joanna.

— Então o dinheiro saía da conta de Heather Garbutt direto para uma conta administrada pelo chefe dela — diz Ron.

— Provavelmente administrada pelo chefe dela — corrige-o Joanna.

— E dali desaparecia por completo — completa Cornelius. — Também vale ressaltar que, quando a casa de Heather Garbutt foi vendida, quem comprou foi uma das empresas de Jack Mason.

— Jack Mason comprou a casa de Heather Garbutt? — questiona Elizabeth.

— Há também mais dois escorregões — relata Cornelius. — Bem no começo, houve dois pagamentos para beneficiários individuais. Em ambos os casos, parecem ser identidades falsas, mas, de novo, se eles tiverem sido descuidados, essas identidades falsas podem dar uma pista de alguém envolvido no esquema. Um pagamento de quarenta mil libras foi destinado a um certo "Carron Whitehead" e outro, de cinco mil, a alguém chamado "Robert Brown Msc". São os dois primeiros pagamentos a saírem da conta. Porém, à medida que o esquema ganha fôlego, tudo fica bem amarradinho e deixa de haver pessoas físicas como beneficiários. Heather Garbutt ou Jack Mason devem ter percebido que precisavam caprichar mais nesse processo de esconder o dinheiro.

— Carron Whitehead e Robert Brown — reflete Elizabeth. Ela percebe que Ibrahim já está anotando os dois nomes em seu caderno.

— Que trabalho esplêndido você fez, Cornelius — elogia Joyce.

— Eu também, mãe — diz Joanna. — Eu participei também. Não tenho quinze anos.

— Bom, você eu já sei que é maravilhosa — retruca Joyce.

— Não faria mal dizer de vez em quando — reclama Joanna.

— Eu não teria conseguido nada disso sem ela — garante Cornelius.

— Talvez então precisemos fazer uma visita a Jack Mason — interrompe Elizabeth. — Fazer algumas perguntas sobre Heather Garbutt e Bethany Waites. Talvez até perguntar sobre Carron Whitehead e Robert Brown. Ver como ele reage. E acredito que nossos quinze minutos já se passaram, Joanna, então muito obrigada.

— Ah, obrigada a *vocês* — responde Joanna. — Mamãe sabe que pode contar comigo sempre que houver um assassinato.

— Eu sei — concorda Joyce. — E tenho certeza de que você já, já encontrará outra mulher ótima, Cornelius.

— Ah, nem estou procurando — diz ele. — Mas obrigado.

— Bobagem — rebate Joyce.

— Bobagem — concorda Ibrahim. — Tem que procurar.

Depois de mais um pouco de conversa fiada, conseguem encerrar a chamada e passar para cadeiras mais confortáveis para tomar chá.

— Então — começa Elizabeth. — Jack Mason?

— Deixa ele comigo — diz Ron. — Frequentamos os mesmos círculos.

— Aah! — exclama Joyce. — Entendo.

— Ibrahim e eu vamos analisar Carron Whitehead e Robert Brown — afirma Elizabeth.

— E eu fico com os bilhetes que estavam sendo enviados para a Bethany — incumbe-se Joyce. — Ron, talvez eu fale com a Pauline. Você se importa?

— Não precisa da minha permissão. Não é como se ela fosse a minha namorada.

— Ah, Ron... — solta Elizabeth.

23

— Recebi uma multa de estacionamento ontem — diz Mike Waghorn assim que o chefe de polícia Andrew Everton ocupa a cadeira que lhe fora designada no estúdio.

— Oi, Mike — cumprimenta Andrew, enquanto uma mulher ajusta o microfone em sua lapela.

— Lá no píer de Fairhaven — continua Mike Waghorn. — Estava inaugurando um bazar beneficente. Um bazar beneficente, pra você ver. E aí saio e me deparo com a multa.

— Entendo.

O estúdio do *Boa Noite, Sudeste* é muito menor do que parece na TV. Há três câmeras, duas fixas e uma com uma operadora responsável, que no momento mexe no celular.

— Seu carro estava parado em local proibido? — pergunta Andrew Everton.

— Mal estava.

A diretora de cena lhes avisa que faltam dois minutos para a entrevista.

— Quase nada — continua Mike Waghorn. — E, como eu já disse, era um bazar beneficente, que não é minha obrigação. Uma gentileza da minha... enfim.

Andrew Everton observa a própria imagem no monitor de TV do estúdio. Está com uma aparência boa. Cabelo grisalho, corte rente, leves resquícios do bronzeado das miniférias em Chipre complementados poucas horas antes num salão de bronzeamento em Fairhaven. Tem consciência de que tudo isso é pura vaidade, porém, ao mesmo tempo, já está na casa dos sessenta e decidiu que é hora de recorrer a toda ajuda que puder.

— Um minuto e entramos ao vivo — avisa a diretora de cena.

Andrew Everton faz uma aparição no *Boa Noite, Sudeste* uma vez por mês. Um chefe de polícia deve dar satisfações à comunidade. Um bate-papo ao vivo com Mike é combativo, mas sempre justo. Sem agressividade, só se for extremamente necessário. E às vezes é. Andrew Everton é o rosto amigável da segurança pública nestes tempos em que esta precisa de toda ajuda possível com as pessoas. Ele gosta de Mike, um cara que se faz de bobo mas passa longe disso.

— Algo que possa me contar sobre Heather Garbutt? — pergunta Mike.

— Heather Garbutt? — Andrew Everton devolve a pergunta.

— A que morreu na prisão de Darwell.

— Não estou muito por dentro — responde Andrew Everton. — Por quanto tempo você ficou estacionado, Mike?

— Três horas, no máximo.

— Três horas para a inauguração de um bazar?

— Saí para beber depois.

Agora há um VT sendo exibido no monitor do estúdio. Um sujeito mais velho é entrevistado. Veste blazer por cima de uma camisa do West Ham.

— Só umas cervejas no píer. Volto para o carro e lá está uma multa. Roubo à luz do dia. Outro dia tomei uma por excesso de velocidade. Estava a sessenta onde o limite era cinquenta. Todo mundo faz isso.

Agora o homem com a camisa do West Ham está passeando por alguma espécie de vilarejo, um lugar muito verde mas com edifícios modernos. Ele está na companhia de três amigos, todos riem e fazem brincadeiras enquanto caminham. Devem estar encenando para a câmera, mas de fato parecem felizes. Andrew se pergunta onde seria tal lugar. Parece bonito.

— Você consegue me livrar dessa com alguém, se eu deixar essa multa com você? — indaga Mike, revisando então a lista de perguntas que pretende fazer.

— Prejudicar a minha carreira por causa de uma multa de estacionamento? — retruca Andrew. — Não.

Mike ergue os olhos e sorri.

— Bom garoto. Estava testando você. Para ser sincero, eu de fato dei mole. Cheguei a escrever "Mike Waghorn, *Boa Noite, Sudeste*" em um papel que deixei no para-brisa. Às vezes funciona. Está pronto?

Andrew faz que sim e volta a espiar o monitor. Algo lhe desperta a curiosidade e ele observa com mais atenção. Os quatro amigos que caminham pelo vilarejo. Andrew reconheceu alguém. Não pode ser... Seus olhos continuam grudados na tela.

— Que reportagem é essa, Mike? Onde fica esse lugar?

Mike dá uma conferida no monitor.

— Um retiro para aposentados, Coopers Chase. Aquele é Ron Ritchie, o sindicalista que era famoso antigamente. Reconhece ele?

Andrew Everton balança a cabeça em negativa. Não, não foi aquela pessoa que ele reconheceu.

— Você pode dar uma olhada nessa história da Heather Garbutt para mim? — pergunta Mike. — Como um favor?

Andrew Everton assente. Ele dará uma olhada mesmo, sem dúvida. Os amigos desaparecem da tela e o VT termina com lindas imagens dos campos ingleses. A diretora de cena inicia a contagem regressiva de cinco segundos para a entrevista ao vivo. Andrew se endireita na cadeira, ajeita a gravata e se prepara. No entanto, sua mente está bem longe dali.

— Que lugar maravilhoso — dirige-se Mike à câmera. — Devo admitir que fiquei por lá para tomar uma bebida depois da reportagem! Uma lembrança oportuna de que idade não passa de um número. E, por falar em números, as estatísticas criminais do condado de Kent acabam de ser divulgadas e revelam...

O chefe de polícia Andrew Everton sabe muito bem o que revelam as estatísticas. Revelam como seu trabalho é bom. Claro, não se deve ser complacente, tudo sempre pode dar errado, ele sabe muito bem disso, mas seus feitos são motivo de orgulho para ele. Lança um sorriso para a câmera, mas pensa mesmo é no rosto que acabou de reconhecer. Precisa, e muito, fazer uma visita a esse "Coopers Chase". Pra ontem.

24

Jack Mason é forte e atarracado, mas já apresenta sinais da idade. É como aquela valente última casa que sobrevive em meio aos destroços de uma rua demolida. Ron sabe bem como é.

Cabelo grisalho quase totalmente raspado, olhos castanhos profundos que nunca deixam passar sequer um instante de ação. Seria impossível matar Jack com uma bala, só mesmo com uma escavadeira.

Considerando a situação, Ron não precisou dar muitas voltas para marcar aquele encontro.

Apenas falou com seu filho, Jason, que falou com um dos seus antigos companheiros do boxe, Danny Duff, que enviou uma mensagem a um homem chamado Dave Rápido no Gatilho, por acaso parceiro de copo de um homem que quis permanecer anônimo, que por acaso trabalhava de tempos em tempos para Jack Mason.

Uma mensagem retornara pelo mesmo telefone sem fio (com uma breve pausa ao alcançar Danny Duff, que fora preso por suspeita de tráfico internacional de cocaína e, por algumas horas, ficara sem acesso ao celular) e Jack sugerira se encontrar com Ron para um jogo de sinuca em Ramsgate.

Ibrahim se oferecera para levar Ron, mas no último minuto Pauline insistira em cuidar disso, pois havia uma série de antiquários interessantes em Ramsgate, bem como um estúdio de tatuagem, e ela queria "tirar a manhã para aproveitar". Ela sugeriu que Ibrahim também fosse, mas ele preferiu ficar em casa. Será que Ibrahim está agindo meio estranho perto de Pauline?, se questiona Ron.

Ron pergunta por Jack Mason na recepção do Stevie's Sporting Lounge e o guiam a uma sala privada, onde Jack já arrumara as bolas na mesa.

— Você é Ron Ritchie? — diz Jack, estendendo a mão. — Em carne e osso?

Ron aperta sua mão.

— Obrigado por me receber, Jack. Sei que você não precisava.

— Fiquei intrigado, né? O que um velhaco como você quer com um velhaco como eu?

— Andei ouvindo seu nome por aí — responde Ron.

— Ah, é?

Jack dá a primeira tacada. Ron fica feliz de estarem jogando sinuca. Às vezes pode ser difícil para dois homens terem uma conversa, mas com jogos como aquele, golfe ou dardos tudo sempre ficava mais fácil. Homens não se encontram para tomar café. Ou será que hoje em dia se encontram? Talvez os cafés de Ramsgate estejam cheios de homens falando sobre suas esperanças e seus sonhos, mas Ron duvida. Ele se curva sobre a mesa e dá sua tacada.

— Eu bebia com seu irmão — comenta Ron, e resmunga ao ver uma bola vermelha parar na beira da caçapa. — O Lenny. Fiquei triste ao saber sobre ele.

— Um dia chega a hora para todos nós — diz Jack, encaçapando a vermelha que Ron não havia conseguido. — Eu sei que ele gostava de você, senão eu não teria vindo aqui. Então você andou ouvindo falar de mim assim do nada? Alguma razão específica?

— Heather Garbutt.

Se Jack Mason se abala ao ouvir o nome, não demonstra. Encaçapa uma preta com facilidade e se prepara para a próxima vermelha.

— Ouvi dizer que ela morreu — rebate Jack Mason.

— Ouviu certo. Você sabe alguma coisa sobre o assunto?

— Nada.

— Onde você estava na quinta-feira de manhã?

Jack para de jogar por um momento.

— Onde eu estava quinta-feira de manhã? Ron, estou te fazendo um favor encontrando com você. Espero que entenda isso. Nós dois já passamos por muita coisa nessa vida, né? Por isso não vou desrespeitar você. Mas pensa bem na próxima pergunta ou vamos ter problemas.

Ron sorri. Agora se sente em casa, dois homens, à vontade para discutir. Nada como um pouco de conflito. Ele deixa Jack dar a tacada seguinte. Jack erra.

Ron se apoia na mesa.

— Eis a minha posição, Jack. Heather Garbutt trabalhava para você e nessa ela desviou milhões. Parte desse dinheiro foi parar numa conta que tem toda a pinta de ser sua.

— Qual conta?

— Trident Construction.

Jack faz um aceno positivo com a cabeça, parecendo interessado.

— Você tem provas disso?

— Aham — diz Ron, e erra outra vermelha.

— E essas provas, mais alguém sabe delas?

— Não. Mas foi fácil para a gente estabelecer a conexão com você, e se alguém começar a fuxicar a morte da Heather Garbutt também não vai demorar para descobrir.

— Quem é "a gente"? — pergunta Jack, encaçapando mais uma bola.

— Para ser sincero, levaria um tempão para explicar. E você está me dando uma surra.

— Acho que você está meio nervoso — comenta Jack, encaçapando uma azul e passando giz no taco.

— Achou errado, então. E ainda não acabei. Logo antes de Heather Garbutt ir a julgamento, uma jovem jornalista morreu. Bethany Waites, do noticiário local. Caiu do alto de um penhasco com o carro.

— Que maneira horrível de morrer — comenta Jack Mason, encaçapando mais uma.

— Nunca acharam o assassino. Mas, algumas semanas antes de morrer, Bethany mandou uma mensagem ao chefe porque tinha acabado de desvendar uma história boa. Encontrado uma prova irrefutável.

— E a história era sobre a Heather Garbutt? — pergunta Jack, esquecendo do jogo por um momento.

— Mais que isso. Era sobre algo maior, alguém que tinha conexões com ela. E *você* tinha, Jack. Olha só que coincidência.

— Coincidências não existem.

— Pois é, também achamos isso. Gente mais inteligente que eu afirmava que Heather Garbutt estava roubando dinheiro no seu nome, Bethany Waites desvendou a conexão, talvez da mesma forma que nós, e você mandou matá-la.

Jack faz um aceno com a cabeça.

— Obrigado por chamar minha atenção para isso.

— É, sabe como é, as pessoas podem começar a fazer perguntas — diz Ron.

— Imagino que possam mesmo.

— E eu fiquei pensando, aqui entre nós: o que você acha dessa história toda?

É a vez de Jack sorrir.

— Aqui entre nós? Vou falar isso: olha, eu estava envolvido até o pescoço na história do IVA, óbvio que estava. Sem prova nenhuma, nenhuma mesmo, nada até você mencionar isso da Trident, mas que poderia ser coincidência. Nessa eles não me pegam. Estou mais do que blindado, Ronnie. Nunca vão encontrar o dinheiro. Eu mesmo já não sei mais onde ele está.

Ron assente. Quer muito dar sua próxima tacada, mas Jack não terminou.

— E essa Bethany Waites, não vou fingir que nunca ouvi o nome. Ouvi. Muitas das provas no caso da Heather surgiram por causa dela. Mas essa mensagem que você diz que ela enviou antes de morrer... Como eu ficaria sabendo qualquer coisa sobre isso? Não faz o menor sentido.

— Você nunca se encontrou com Bethany Waites?

— Nunca.

— Nunca nem falou com ela?

— Nunca, juro por Deus — responde Jack.

— E não se ofende por eu ter perguntado? — diz Ron, errando outra tacada numa das vermelhas.

— Não, eu entendo, eu entendo. Mas nem passou pela sua cabeça que isso tudo seria uma coisa meio amadora para mim? Deixar pontas soltas, matar uma jornalista. Fico meio ofendido por você ter achado que esse é o meu estilo.

— Todos nós erramos, Jack. Ainda mais sob pressão. Mas tem razão, eu saquei que não foi você. Talvez ela nem esteja morta, Jackie. Nunca encontraram o corpo.

Jack Mason calcula a próxima tacada. Nem olha para Ron.

— Ah, ela está morta, sim.

— Como é que é? — Ron acha que pode ter escutado mal.

— Eu disse que ela está morta. — Jack encaçapa mais uma e passa giz no taco.

— E você tem certeza absoluta?

— Tenho certeza absoluta — confirma Jack Mason, preparando a tacada seguinte.

— Como você pode ter essa certeza? Sem ter sido o assassino?

— Ron, escuta: eu sei que ela está morta. E não fui eu quem matou. Mas de mim você não vai ouvir mais sobre isso. Vai ter que descobrir por conta própria.

Como pode Jack Mason ter certeza de que Bethany Waites morreu de fato? Só se a tiver matado. Ou se souber direitinho quem matou, pelo menos.

Ron se inclina sobre a mesa e encaçapa sua primeira bola na partida. Assente de maneira casual como se sua habilidade fosse inquestionável. Dois homens e um jogo de sinuca, melhor que isso não fica. Hoje em dia, contudo, há cada vez menos gente com quem jogar. Antes havia aos montes, em Londres, em Kent, onde quer que fosse. Mas, entre mortes, prisões e exílios na Costa del Sol, o pessoal todo daquela época já era. Ron dependia agora de Jason ficar com pena do seu velho para jogar com ele de vez em quando.

Ron encaçapa uma preta. Aí sim.

— Você sabe mesmo quem foi que matou a jornalista, então? — pergunta ele.

Jack sorri.

— Bom, acho que já deu de papo por hoje. Mas estou sempre disposto a uma partida, Ron. Se tiver algum tempo livre.

Ron olha para Jack de novo e vê nele outro velho cujos amigos não param de morrer.

— Eu também, Jack.

Não seria muito de se surpreender se o novo parceiro de sinuca de Ron se revelasse um assassino.

25

O chefe de polícia Andrew Everton contempla o mar de rostos a observá-lo. Bem, alguns estão dormindo e dois senhores lá no fundo conversam um com o outro, mas de resto todos o observam. Ele adora esse tipo de coisa, de verdade. Leituras. Não lhe pedem com muita frequência e, para ser sincero, esta foi ele mesmo quem providenciou, mas ainda assim sente-se entusiasmado. Além disso, localiza quase que de imediato o rosto pelo qual procurava. Que golpe de sorte.

Está de uniforme, é claro, pois a vestimenta traz uma qualidade teatral e lhe confere certa autoridade. Sabe que dará força extra à sua leitura. Não que o texto precise disso, lógico, pois já é bem impactante. Esta plateia é de uma geração que respeita um chefe de polícia. Não é igual à geração atual. Mas a gente colhe o que planta, e confiança é uma via de mão dupla.

A mulher que acabara de apresentá-lo se chamava Marjory. Ficara surpresa com o contato de Andrew se oferecendo para fazer a leitura, porém logo concordara e prometera reunir todo mundo. Assim sendo, ali estavam. A última informação que Marjory lhe passara era de que a palestrante anterior da Sociedade Literária de Coopers Chase havia sido uma mulher que escrevera um livro sobre peixes, e que se saíra muito bem, então que ele não os decepcionasse. Andrew Everton não pretendia desapontá-los. Escolheu para a ocasião seu quarto livro, *O direito de permanecer calado*. Era uma continuação dos anteriores, *Depoimento prestado*, *Prejuízo à defesa* e o primeiro de todos, antes de bolar seu novo e elegante sistema de títulos, *A morte sangrenta de Archibald Devonshire*.

Ele vasculha a sala, à espera do momento oportuno. Sabe que seu silêncio, seu uniforme e seus olhos castanhos profundos criam expectativa. Começa a ler.

— "O cadáver, irreconhecível de tão mutilado..."

Ele ouve vários "aaahs" de assombro e repara que uma mulher na primeira fila com casaco de tweed e colar de pérolas se inclina para a frente, animadíssima.

— "Sangue preto de tão vermelho em poças ao seu redor, braços e pernas estatelados em ângulos grotescos, como uma suástica da morte. Para a chefe de polícia Catherine Howard, era importante manter a cabeça no lugar enquanto, à sua volta, outros perdiam as suas..."

Alguém levanta a mão. Não é algo comum em leituras. Andrew Everton decide responder à pergunta, ainda que ela esteja interrompendo a narrativa. Faz um sinal à interpeladora, uma mulher de seus noventa e tantos anos.

— Perdão, meu querido, mas o senhor disse Catherine Howard? Como a rainha? Esposa de Henrique VIII?

— Sim — respondeu Andrew Everton. — Bem, creio que sim.

— O mesmo nome? — pergunta um homem sentado mais para o fundo da sala. — Ou é a mesma pessoa?

— Só o mesmo nome — explica Andrew Everton. — O livro se passa em 2019.

O assunto é debatido aos murmúrios. Uma porta-voz extraoficial se manifesta. É a mulher de casaco de tweed na primeira fila.

— Duas coisas — diz ela. — A propósito, eu me chamo Elizabeth. Em primeiro lugar, é confuso que ela se chame Catherine Howard.

Os demais concordam.

— Bem, eu... — inicia Andrew Everton.

— Não, é confuso de verdade. E, em segundo — continua Elizabeth —, suspeito que uma série de livros nos quais a verdadeira Catherine Howard fosse detetive teria potencial para se tornar campeã de vendas. Seus livros são best-sellers, chefe de polícia?

— No segmento deles, sim.

— O Google discordaria — rebate Elizabeth. — Mas continue, estamos gostando.

— Têm certeza? — pergunta ele, e a plateia indica que sim, estão mesmo.

— É normal interrompermos muito — explica justamente o homem que Andrew Everton veio encontrar. Ibrahim Arif.

Andrew o reconhecera de imediato no VT do *Boa Noite, Sudeste*.

— É da nossa natureza. Por favor, retorne ao cadáver estatelado — acrescenta Ibrahim.

— Obrigado...

— Apesar de que — interrompe Ibrahim, um novo pensamento tendo lhe ocorrido —, quando você diz que ela mantém a cabeça no lugar, seria uma alusão ao fato de a verdadeira Catherine Howard ter sido decapitada?

— Não. Não tinha me... não.

— Imaginei que poderia ser um recurso literário — comenta Ibrahim. — A gente ouve falar desse tipo de coisa.

— "Ela..."

— Sou o único aqui que nunca ouviu falar de Catherine Howard? — pergunta um homem de camisa do West Ham.

— É, Ron — responde Elizabeth. — Agora, vamos deixar o chefe de polícia continuar.

— "Ela assimilou..."

— O senhor autografa os livros depois? — questiona uma senhora baixinha de cabelo branco, sentada ao lado de Elizabeth. — A mulher dos peixes autografou, não foi?

Os presentes confirmam que a mulher dos peixes de fato autografara livros.

— Sinto muito, mas os meus são e-books, então não dá para assinar, a não ser que a senhora queira que eu estrague seu Kindle.

Essa é uma tirada que Andrew Everton aperfeiçoara nas salas dos fundos de diversos pubs e livrarias de Kent ao longo dos últimos anos. Apesar de agora perceber que ainda não conseguira extrair uma única risada com ela.

— Mas depois da leitura vou dar a todos um QR code para poderem comprar qualquer um dos meus livros com ótimos descontos.

Várias pessoas erguem a mão em resposta. Ibrahim se vira e encara o resto da plateia.

— QR code é um código "Quick Response", algo que um computador lê e direciona você a um site específico. É um tipo de código de barras de matriz de dados, acho que seria a forma mais simples de explicar.

A maioria das mãos se abaixa, porém três ou quatro permanecem no ar. Ibrahim se dirige de novo a Andrew Everton:

— As perguntas restantes vão ser a respeito do tamanho específico do desconto.

— Cinquenta por cento — informa Andrew Everton, e as mãos restantes se abaixam.

— Continue — pede Elizabeth. — Estamos atrasando o senhor.

— Nem um pouco — diz Andrew Everton.

Ele dará um jeito de falar com Ibrahim Arif depois da leitura. Puxar papo. Estabelecer uma conexão e fazer as perguntas que precisam ser feitas. Está aqui, isso é o principal. Ele se concentra nos seus escritos.

— Devo voltar ao início?

— Não, meu querido — responde Elizabeth. — Cadáver mutilado, Catherine Howard mantendo a cabeça no lugar. Acho que isso todos já entendemos.

Andrew Everton assente.

— "Ela assimilou a cena ao seu redor. Howard via policiais experientes com expressão fantasmagórica de tão pálida..."

Da lateral do palco, Marjory, a mulher que o apresentara, decide interrompê-lo.

— Não é meio confuso isso de ela ser mulher mas ter um nome masculino como sobrenome? Eu ficaria pensando: "Quem é esse Howard?"

Algumas pessoas na plateia assentem em concordância.

— É tarde demais para mudar? — pergunta a mulher de um jeito de quem quer ajudar.

— Bem, sim, o livro foi lançado há muitos anos. Ela é a protagonista de todos os meus livros e ninguém se importou com isso até hoje.

Algumas pessoas erguem as sobrancelhas.

— Continue — instrui Elizabeth.

Andrew retorna ao texto. Venderá alguns exemplares, imagina. Depois agradecerá a Ibrahim pelas perguntas e fará algumas ele próprio. Toma um gole do copo de água deixado sobre o atril. E descobre ser vodca com água tônica. Melhor assim, provavelmente.

— "Nenhum dos presentes jamais testemunhara uma cena de crime tão horrível, tão macabra, tão depravada. Ninguém a não ser Catherine Howard. Ela vira esta mesma cena antes. Fazia apenas três noites, aliás. Num sonho."

Mãos novamente no ar.

26

Andrew Everton se acomoda numa velha poltrona carcomida sob um quadro retratando um barco. Ao olhar ao redor, repara em prateleiras com portas de vidro, abarrotadas de caixas de arquivos.

— Hoje foi muito interessante — declara Ibrahim, de volta à sala com o chá de hortelã. — Muito interessante. O senhor tem um talento raro.

— É só escrever uma palavra atrás da outra e rezar para ninguém descobrir — comenta Andrew Everton. Ele ouvira Lee Child dizer algo parecido e gostara. — Quantos arquivos! São do seu trabalho?

Ibrahim se acomoda num sofá.

— Trabalho de uma vida inteira, sim. Bem, de várias vidas. Sou psiquiatra, senhor chefe de polícia.

— Pode me chamar de Andrew — diz Andrew Everton, inteiramente ciente de que Ibrahim é psiquiatra. — Lamento informar que preciso de algo da sua parte, por isso quero passar a impressão menos ameaçadora possível.

Ibrahim ri.

— Boa tática. A leitura foi um ardil? Uma mera desculpa para vir falar comigo?

— Em parte. Eu o vi na televisão — explica Andrew Everton.

Viu-o na TV, pesquisou sobre ele.

— Com seus amigos — continuou. — Reconheci o senhor. Foram dois coelhos com uma cajadada só, na verdade. — Ele sopra o chá. — Queria ter uma conversa informal com o senhor e achei que poderia também vender alguns livros.

— Com certeza vai ser bem-sucedido. A chefe de polícia Catherine Howard é durona. Tem seus fantasmas, mas é dura.

— Eu a descrevo como "dura na queda" em *Depoimento prestado*.

— É bem por aí, Andrew. "Dura na queda." Mas chega de literatura. Você disse que me reconheceu? Estou intrigado.

— Há poucos dias, o senhor fez uma visita à prisão de Darwell, não foi?
— Andrew Everton checa todos os detalhes sobre os visitantes de Connie. E também houve um excelente close-up gravado pelas câmeras de segurança da prisão.
— Ah — diz Ibrahim.
— Ah — repete Andrew Everton. — Informou "jornalista" como profissão, mas não há qualquer indício de que o senhor tenha trabalhado nessa área. Visitou uma prisioneira chamada Connie Johnson. Uma chefe do tráfico extremamente brutal, atualmente em prisão preventiva por uma série de crimes muito graves. Permaneceu com ela por cerca de meia hora, conversando, e, nos termos usados num relatório oficial, "de maneira, por vezes, animada". Correto?
— Bem, eu diria "uma chefa", embora eu ainda esteja aprendendo a melhor forma de me referir a profissões respeitando as questões de gênero — responde Ibrahim. — De resto, está correto.
— Será que eu poderia saber do que falaram?
Ibrahim reflete sobre a pergunta.
— Será que eu poderia saber, em troca, por que isso é relevante para o senhor?
— O senhor também deve estar ciente de que outra prisioneira, Heather Garbutt, foi encontrada morta pouco após sua visita, Sr. Arif. E de que o nome de Connie foi mencionado em um bilhete encontrado na cela dela. Isso faz com que seja relevante para mim.
— Crime e uma escrita excelente são realmente bem relevantes para você. Quer um charuto?
Andrew Everton faz que não com a cabeça. Definitivamente não pretende cair naquela.
— É possível, aliás chega a ser bem provável, que Connie Johnson seja a mulher mais perigosa com que o meu departamento já teve que lidar até hoje. Com sorte, será condenada e ficará na prisão por muito, muito tempo. Se o senhor atrapalhar isto de qualquer forma que seja, posso tornar sua vida bem difícil. Portanto, aconselharia que não fizesse isso. Por outro lado, caso possa me ajudar, recomendo fortemente que o faça.
— Entendo sua posição — garante Ibrahim. — É de uma sinceridade impressionante. Entendo por que as pessoas gostam de você. Entendo por que se tornou chefe de polícia. Nos Estados Unidos, às vezes esse posto é escolhido pelo voto popular, sabia? É uma de muitas idiossinc...

— Portanto, vou lhe perguntar mais uma vez com a maior educação — interrompe-o Andrew Everton. — Por que o senhor visitou Connie Johnson e do que falaram?

Ibrahim tamborila no braço do sofá.

— Você me põe num dilema, Andrew. Posso continuar a te chamar de Andrew?

Andrew Everton faz que sim e toma um gole de chá.

— Veja bem, ao se tratar de clientes — começa Ibrahim—, tudo o que é falado tem o sigilo garantido por lei referente à relação entre médico e paciente.

— Ela é sua cliente?

— Bem, esta é a questão. No início do nosso encontro, não era. Porém, ao final dele, passou a ser. Então, onde é que ficamos? Eu posso contar o conteúdo de nossa conversa ou não? Seria a confidencialidade retroativa, como teria de ser neste caso? Uma situação espinhosa, não, Andrew?

— Espinhosa, de fato. Deixe ver se consigo ajudar com esse seu dilema.

— É muita bondade sua.

— O cavalheiro com quem o senhor estava sentado durante a leitura... — começa Andrew Everton.

— Ron.

— Eu também o vi na televisão e estou ciente de que vocês são próximos. O senhor deve ter reparado, como eu reparei, que hoje pairava sobre ele um forte cheiro de cannabis.

— Vou acreditar na sua palavra — diz Ibrahim. — Ron sempre cheira a alguma coisa.

— O senhor também deve saber que buscas por cannabis realizadas pelo meu departamento e por muitos outros envolvem, desproporcionalmente, jovens negros. Algo que venho tentando solucionar nos últimos anos com algum sucesso, embora não o bastante. Acredite em mim, portanto, quando lhe informo que ajudaria muito as minhas estatísticas autorizar um mandado de busca e apreensão de drogas no apartamento de um homem branco idoso. Policiais poderiam chegar à casa de Ron dentro de uma hora.

— Minha nossa! — exclama Ibrahim. — Isto é que é franqueza.

— Será que Ron gostaria de uma equipe da polícia revirando sua gaveta de cuecas?

— Imagino que ninguém gostaria disso. Os policiais, menos ainda. Porém imagino também que você não seguiria adiante com isso. Ron faria um escarcéu, estaríamos todos lá para tirar fotos. Talvez eu até conseguisse que nosso amigo Mike Waghorn se interessasse pelo ocorrido. Tudo seria exposto demais, turbulento demais, acredito.

Andrew Everton se recusa a permitir que alguém o supere na manipulação.

— E suas outras amigas, quem sabe? Aquelas senhoras?

— Joyce e Elizabeth?

— Talvez o senhor ficasse à vontade sendo interrogado por um chefe de polícia. Ron talvez tirasse de letra. Mas duas senhoras idosas? Como acha que elas reagiriam se eu decidisse interrogá-las? Porque, se for necessário, eu farei isso.

Ibrahim ri.

— Desejo a você toda a sorte do mundo nessa empreitada, Andrew. Preciso contar à Elizabeth o que você acabou de dizer, ela vai dar umas boas gargalhadas. De todos os ossos ao nosso redor, posso assegurar que eu sou o mais fácil de roer.

— Preciso da sua ajuda nisso, Ibrahim.

Ibrahim se inclina para a frente.

— Comandante. Andrew. Reconheço que passo a impressão de estar obstruindo seu trabalho. Entendo de verdade e por vezes posso ser alguém bem difícil. Inflexível, como já me descreveram. Portanto, não vou contar sobre o que conversei com Connie Johnson e, a meu ver, não acredito que você esteja em uma posição particularmente boa para me forçar. Contudo, posso assegurar que não foi nada do seu interesse, nada com que deva se preocupar. Se Connie Johnson é ou não culpada, isso cabe ao tribunal decidir. Mas posso garantir com toda a franqueza que ao menos minha conversa com ela foi inocente.

— Quando o senhor vai vê-la de novo?

— Não tenho planos para isso.

Andrew Everton faz um sinal afirmativo com a cabeça. Não sabe ao certo o que fazer em seguida.

Mas de uma coisa tem certeza: Ibrahim Arif acaba de mentir para ele.

27

Joyce

Carron Whitehead e Robert Brown Msc.

Andei procurando no Google, mas não achei muita coisa. De tão desesperada, tentei até o Bing, porém os resultados foram os mesmos, só demoraram mais a aparecer. Ibrahim diz que não adianta dar busca. Acha que os nomes estão em alguma espécie de código. Ibrahim sempre acha que tudo está em código, verdade seja dita.

Agora tenho o e-mail de Mike Waghorn, mas vou tentar não abusar. Mandei para ele um vídeo que achei muito engraçado de um esquilo comendo amêndoas pela primeira vez, mas ele respondeu dizendo que aquele e-mail era para trabalho, não para vídeos da internet, e que, de qualquer maneira, ele já o havia visto.

Desde então não tive mais coragem de enviar e-mail algum para ele, e fiquei feliz com a oportunidade de lhe passar os nomes. Whitehead e Brown? Já ouviu falar deles?

Ele me agradeceu, mas disse nunca ter ouvido nenhum dos dois nomes. Talvez estejam mesmo em código, então. Ele os repassou também a Pauline.

Minha maior novidade é que tivemos uma leitura na Sociedade Literária. E muito boa, por sinal. Do chefe de polícia de Kent, dá pra acreditar? Já baixei os livros dele para o meu Kindle. Noventa e nove pence cada um, uma bagatela.

Ibrahim vai na quarta-feira à prisão de Darwell conversar com Connie Johnson. Ele me perguntou que revista eu achava que ela gostaria de ler, mas não tenho certeza. Gosto de *Woman & Home*, mas imagino que não faça o estilo de Connie. Pedi a opinião da Joanna e lhe disse que Connie era uma traficante de drogas de trinta e poucos anos que sempre usava uns sapatos lindos. Ela sugeriu *Grazia*.

Ron nos deu notícias sobre Jack Mason, que garantiu que Bethany morreu. E só tem como ele ter tanta certeza se souber quem a matou. Elizabeth disse ao Ron para procurá-lo de novo e descobrir mais coisas, mas isso realmente nos deixou com uma pulga atrás da orelha.

Talvez eu assista a *A Place in the Sun*. Ontem, no programa, estavam à procura de uma casa em Creta. A esposa se apaixonou por uma casinha de fazenda, mas o marido não teria onde guardar sua asa-delta ali, e por isso não fizeram uma oferta. Deu pra ver como a esposa ficou desolada. Mas ela se casou com ele, então acho que também tem parte da culpa.

Ando pensando em como vamos conseguir falar com Fiona Clemence. Sei que ela não se encaixa muito na nossa teoria do Jack Mason, mas, se ela escreveu aqueles bilhetes para a Bethany anos atrás, ainda é suspeita. E todos os suspeitos têm que ser interrogados.

Mas como? Enviei uma mensagem para ela no Instagram, mas não sei se leu.

Mal escrevi estas palavras e já sei o que Elizabeth vai dizer. Que eu só quis examinar o caso Bethany Waites porque seria um jeito de conhecer Mike Waghorn, e que agora estou acusando Fiona Clemence só para poder conhecê-la também. Que não tem como saber se foi ela a autora daqueles bilhetes tantos anos atrás. E, sim, isso é verdade. Porém, não é porque eu quero conhecer Fiona Clemence que ela não é uma assassina. Muita gente famosa é. Os gêmeos Kray, por exemplo.

Joanna vem almoçar comigo domingo e pretendo perguntar a ela como alguém faz para se encontrar com Fiona Clemence. Sei que dá para se inscrever para conseguir entradas para a gravação do *De Olho no Relógio*, mas suspeito de que não seja permitido gritar da plateia perguntas sobre assassinatos.

Será que dou um pulo no mercado? Agora eles vendem leite de amêndoas. Da última vez que Joanna apareceu por aqui, trouxe seu próprio leite porque "ninguém mais bebe leite de vaca, mãe". Protestei e disse achar que bastante gente ainda bebe leite de vaca, querida, mas talvez Joanna e eu tenhamos definições de "ninguém" bastante diferentes. Pensei em retrucar com "você quer dizer ninguém em Londres", mas não valia a pena.

Enfim, mal posso esperar para ver a cara dela quando abrir a geladeira. A não ser que ninguém mais beba leite de amêndoas, o que é uma possibilidade, devo admitir. É difícil se manter atualizada.

Mas Joanna é útil quando se precisa escolher a revista certa para uma traficante de drogas, dou esse crédito a ela.

Combinei de encontrar Pauline amanhã e estou muito animada. Ela sugeriu chá da tarde num hotel no píer. Procurei me informar e eles dão uma taça de prosecco para quem vai lá. Vou me sentir como Jackie Collins.

28

Jack Mason dá uma olhada em helicópteros na internet. Seria bom comprar um. Dinheiro ele tem, sem dúvida, mas será que usaria muito?

Nos velhos tempos, com certeza. Idas e vindas a Amsterdã, um pulo em Liverpool, trânsito, engarrafamento no túnel do Canal da Mancha. Um helicóptero lhe teria caído muito bem. Faria uma baita diferença.

Mas agora? Para onde ele iria? Até o ferro-velho? São quinze minutos ao volante do Bentley. Talvez vinte, se pegar alguma obra no caminho. De vez em quando vai a Londres visitar os poucos amigos que lhe restam. Os poucos que não estão na Espanha ou que não morreram.

O relógio do corredor anuncia que já são seis da tarde, então Jack se serve de um uísque.

Teria contado demais a Ron Ritchie? Foi tão bom poder conversar com alguém da própria idade... Jack sabe quem matou Bethany Waites, mas de sua boca ninguém jamais ouvirá o nome. Há que se manter um certo nível, e ser dedo-duro é uma ofensa, não importa para quem se tenha falado.

Mas Jack quisera dizer *alguma coisa*. Afinal, parando para pensar, tudo o que acontecera fora uma forçação de barra. Não havia a menor necessidade de Bethany Waites morrer.

O ferro-velho continua de vento em popa, de vez em quando pinga algum na sua mão, uma troca de favores se desenrola. Vendeu quase toda a participação no cassino e o pouco que sobrou ainda lhe rende um bom dinheiro. Porém o telefone não toca mais do jeito que tocava. As pessoas não precisam dele, fazer o quê? E quem ainda tem energia para vender drogas? Deixa isso com a garotada. Jack tem sua casa, sua vista para o Canal da Mancha, sua mesa de sinuca. Tem até estábulos, caso queira criar cavalos um dia. E só começa a beber às seis da tarde. Nada de ser dedo-duro, nada de uísque antes das seis. É preciso respeitar as regras.

Espaço para um helicóptero, Jack tem de sobra. Isso com certeza. Poderia pousá-lo no gramado de croquet. Comprar um carrinho daqueles de campo de golfe para depois voltar para casa. E, nossa, alguns eram lindos. Alguém na Estônia estava vendendo um Bell 430 roxo e dourado. Impressionaria algumas pessoas.

Será? Jack vira o restante do uísque. Hoje em dia, quem sequer o veria? Quem aparece para visitá-lo? Jack reflete se poderia convidar Ron para uma partida de sinuca. Será que Ron gostaria de vir? Eles se deram bem.

Jack ganhou um dinheiro absurdo nesta vida, só que, hoje se dá conta, nunca fez muitos amigos. Capangas não são amigos de verdade, algo que veio a compreender depois de toda uma jornada pelo mundo do crime.

Será que ele quer mesmo gastar seiscentos mil num helicóptero que vai usar duas vezes por ano? Para vê-lo enferrujar no gramado? Hum.

Está digitando "carrinho golfe quanto custa reino unido" no Google quando pipoca um alerta de e-mail em sua tela.

Ele reconhece o endereço. É de quem matou Bethany Waites. Antigamente se falavam com muita frequência. Hoje em dia menos, o que não deixa de ser um alívio. Apesar de que, com tudo o que rolou nos últimos dias, ele já esperava a mensagem.

O e-mail diz:

Há quanto tempo. Só um aviso amigável pra ficar de olho vivo. Nos falamos.

Não diga, pensa ele. Jack Mason não é muito de deixar pontas soltas, mas este definitivamente foi um desses casos.

Jack se pergunta se talvez não tenha chegado o momento de dizer a verdade.

29

Como o Juniper Court, o prédio que identificaram nas câmeras de segurança, fica a apenas quinze minutos de distância da delegacia de Fairhaven, Chris e Donna vão andando para lá.

— Então, quem é esse cara misterioso? — pergunta Chris.

— A perícia ainda não deu retorno — diz Donna. — Não conseguiram nada sobre o corpo, não tem identidade e a foto está sendo divulgada pela imprensa. Mas você já não sabe de tudo isso?

— Não o cara do micro-ônibus. Esse com quem você está saindo.

— Gostei de ver suas prioridades — retruca Donna. — Caramba, hein.

Eles dobram a esquina e entram na Foster Road. O Juniper Court é um condomínio residencial dos anos 1980 e talvez dentro de uns vinte anos comece a ter um charme retrô. Tem cerca de cem apartamentos, gramados na parte da frente e, o mais importante, um grande estacionamento subterrâneo.

O Juniper Court não costuma aparecer muito em investigações policiais. Só por alguns roubos de bicicletas, uma reclamação de barulho aqui e ali, um homem vendendo falsificações de Banksy pelo correio e algumas pichações sobre o prefeito que o departamento tivera de levar a sério. Não dá nem para encontrar os dados sobre a administradora do condomínio na internet. O lugar é a própria definição de sossegado e banal. Mas pode ser a peça-chave para descobrirem quem matou Bethany Waites.

Com seu clima agradável e por ser próximo à estação, é o lar de muita gente que trabalha em Londres ou Brighton. Por isso, está deserto quando eles chegam.

— Está apreensivo com o teste? — pergunta Donna a Chris.

Ele fará um teste de cena na quarta-feira para o *Boa Noite, Sudeste*, que é gravado ali pertinho.

— Não, meu trabalho é perseguir gente ruim. Acha que uma câmera vai me deixar assustado?

— Acho.

— Tem razão — confessa Chris. — Estou apavorado. Será que me deixam pular fora?

— Eu não deixo. Você vai mandar muito bem.

Pela larga porta dupla, Chris e Donna avistam uma mesa no hall de entrada do Juniper Court e, atrás dela, um homem de macacão marrom lendo o *Daily Star*.

— Em Londres, diriam que é um concierge — comenta Chris ao apertar o interfone para ser admitido no prédio.

Ele exibe o distintivo, mas não há necessidade para tanto. O homem os deixa entrar sem nem erguer os olhos do jornal.

— Bom dia — diz Chris.

O homem continua sem encará-lo.

— Por acaso o prédio tem algum síndico com quem a gente possa falar?

O homem finalmente olha para eles.

— O próprio. Mas não sou de falar muito.

Chris mostra mais uma vez o distintivo.

— Departamento de Polícia de Kent.

O homem larga o jornal.

— É por causa do meu vizinho? Vocês vão prender ele?

— Eu... não, não é isso — responde Chris. — O que ele fez?

— Ele fechou a varanda. Sem autorização. Meu nome é Len. Vivo ligando pra vocês reclamando sobre isso e é a primeira vez que aparece alguém.

— Len, esse tipo de coisa é com o conselho — explica Donna. — Não com a polícia.

— Ah, é? — diz Len. — Se eu o matasse, imagino que vocês apareceriam rapidinho.

— Bem, isso é óbvio — retruca Chris. — Se você o matasse. Assassinatos, sim. Varandas fechadas, não. Estamos à procura dos dados da empresa administradora do condomínio, e queríamos saber se você pode nos ajudar.

— Vocês resolvem o meu lado, eu resolvo o de vocês — responde Len. — Apareçam, batam um papo com o meu vizinho e quem sabe eu lembro...

— Arlington Properties. — Donna lê o quadro de avisos e copia um número.

Chris começa a dar uma olhada em alguns dos escaninhos de correio, anotando nomes. Isso pode ser considerado ilegal, na verdade, mas o relacionamento deste Len com a legalidade parece ser bem descompromissado.

— Vocês têm permissão pra fazer isso? — pergunta Len.

— Com um mandado, sim — diz Chris.

É óbvio que ele não tem um. Às vezes, Chris acha que o Clube do Crime das Quintas-Feiras é uma má influência para ele.

— Alguém específico aqui costuma causar problemas? — questiona Donna.

— O cara do décimo sétimo andar já quebrou dois assentos de privada.

— Obrigado pela ajuda, Len — diz Chris. — Vamos deixar você continuar com seu serviço.

Ao saírem, ouvem o homem dizer:

— Depois não venham me culpar se eu matar ele. Vai ser por causa de vocês.

De volta ao relento, Chris e Donna começam a anotar placas de carros. Um, Chris tem certeza de reconhecer, um Peugeot branco com o desenho de chamas na placa. Ele anota o número.

Chris adoraria descobrir uma pista que Elizabeth não tinha captado. Será que devia mesmo ser tão competitivo com uma mulher de setenta e muitos?

Mas ele compreende que investigar aquela pista é apostar na sorte. Ainda que a pessoa morasse hoje no Juniper Court, não significa nada a menos que já morasse ali dez anos atrás, na noite em que Bethany morreu.

Ele continua a anotar os números mesmo assim. Anotar números é basicamente o que a polícia faz durante a maior parte do tempo.

30

— Ele gostava de motos — diz Pauline. — Gostava de mexer nelas. Desmontava todas, aí esquecia de montar de novo.

— Gerry era assim com quebra-cabeças — comenta Joyce. — Eu dizia a ele o tempo todo, Gerry, não começa um quebra-cabeça se não for para terminar. Se já completou a parte do teatro de ópera, pelo amor de Deus, monta a ponte também. Acabava que era eu quem tinha de terminar. Imagino que não dê para ser assim com uma motocicleta.

— Fim de semana, lá ia ele sair com os amigos. Uma gangue. Eles se intitulavam Foras da Lei da Morte. Dois eram contadores.

— Mas ele tomava conta de você — observa Joyce.

— Tomava, Joyce? Não sei. Ele me amava, de certa maneira, e me livrar dele teria dado um trabalho enorme. Mas...

— Mas o quê?

— Olha, a gente se dava bem. Já vi coisa pior — diz Pauline. — Mas sei lá se não era só um sonho romântico de juventude. Naquela época, casar era meio que uma obrigação, não era? Você tinha que encontrar alguém.

— Acho que eu era caretíssima — lamenta Joyce. — Eu queria me casar.

— Deus do céu, Joyce, isso não é ser careta. Querer mesmo, de verdade, isso é um sonho. Você se lembra de como se apaixonou pelo Gerry?

— Ah, não teve um momento específico em que eu me apaixonei por ele. Não foi nada assim. Só entrei numa sala e lá estava ele, e ele olhou pra mim, e eu olhei para ele, e pronto, não precisou de mais nada. Como se eu sempre tivesse sido apaixonada por ele, não precisei de um momento arrebatador. Foi como encontrar um par de sapatos perfeito.

— Jesus Cristo, Joyce, assim você me faz chorar.

— Quer dizer, ele tinha lá seus defeitos.

— Ele traiu você alguma vez com uma tatuadora chamada Minty?

— Não, mas sempre deixava os saquinhos de chá usados na pia. E tinha essa história dos quebra-cabeças.

As duas riem. Pauline ergue sua taça.

— Um brinde ao Gerry. Gostaria que a gente tivesse se conhecido.

As taças das duas tilintam.

— E ao... desculpe, não guardei o nome do seu marido.

— Ele chamava a si mesmo de Lúcifer. Era roadie do Duran Duran.

— Qual era o nome verdadeiro dele?

— Clive.

— Bem, gostaria de ter conhecido o Clive também. Fico imaginando se ele e o Gerry teriam se dado bem.

Há um momento de silêncio e então as duas riem de novo. Um garçom leva para elas um suporte de bolo cheio de bolinhos e sanduíches em miniatura. Joyce bate palmas.

— Amo um chá completo — diz Pauline. — Agora, enquanto eu como um éclair minúsculo, por que você não me conta o motivo de estarmos aqui?

— Achei que seria legal bater um papo. Conhecer você melhor, fofocar um pouco.

Pauline ergue uma das mãos.

— Joyce, me poupe.

— Está bem — cede Joyce, dando a primeira mordida num sanduíche que acabaria na segunda mordida. — Queria conversar com você sobre Bethany Waites.

— Assim você me mata de surpresa, Joyce. Você vai querer seu éclair? Eu troco por um desses de carne com raiz-forte.

Troca feita.

— Não paro de pensar nos bilhetes sobre os quais o Mike comentou — admite Joyce.

— Certo. A propósito, você acha que vai querer a torta de limão?

— Não, fique à vontade — diz Joyce. — É só que nem sempre é nos locais mais óbvios que se encontram as coisas. Outro dia, por exemplo, perdi minha fita métrica. Fica sempre na gaveta da cozinha. Sempre. Mas precisei dela para resolver uma discussão com Ibrahim sobre qual dos dois tinha uma televisão maior, abri a gaveta e cadê? Não estava lá. Não estava no local mais óbvio. No fim das contas, estava na estante, com os livros, sabe-se lá Deus por quê. Não fui eu quem a pôs lá e com certeza não foi o Alan, não é?

— Perdeu o fio da meada, Joyce?

— Nem um pouco. Só quero dizer que, enquanto todo mundo está prestando atenção só no Jack Mason, eu me pergunto se não deveria prestar atenção no *Boa Noite, Sudeste* para ver se não foi alguém de lá que a matou. Por razões totalmente diferentes. Faz sentido?

— Faz sentido desse jeito de vocês — responde Pauline. — Pode perguntar qualquer coisa.

— Bom, alguém estava deixando bilhetes ameaçadores para a Bethany. Na bolsa e na mesa dela.

— É o que dizem — concorda Pauline.

— Pode ter sido você?

— Não.

— Pode ter sido a Fiona Clemence?

— Pode ter sido a Fiona Clemence. Eu duvido, mas impossível não é.

— Inveja?

— Não acho que inveja seja a palavra certa — diz Pauline. — Ambas eram mulheres fortes. E, naquela época, as pessoas gostavam de botar mulheres fortes para competirem umas contra as outras. Como se não fosse possível haver duas mulheres fortes numa mesma sala ao mesmo tempo. Como se o mundo fosse acabar explodindo se isso acontecesse.

— Talvez eu devesse falar com Fiona Clemence. O que você acha?

— Eu acho que você gostaria de falar com ela, Joyce. É isso o que eu acho.

Joyce passa sua torta de limão para Pauline.

— Mal não vai fazer. Voltando ao que você disse no outro dia, o que você estava falando a respeito da roupa da Bethany?

— Não faço ideia.

— Casaco *pied de poule* e calça amarela — relembra Joyce. — Você questionou quem usaria algo assim.

— Bom, você sabe.

— Não, não sei. Por que mencionar isso?

— Posso oferecer mais um prosecco às senhoras? — pergunta um garçom.

— Sim, por favor — respondem as duas.

Enquanto ele as serve, elas se mantêm educadamente em silêncio, a não ser por um ou outro "ooh" vendo o líquido preencher as taças.

— Me parece uma combinação esquisita, só isso — retoma Pauline. Ela toma um gole generoso. — Não era o estilo dela.

— Pauline, você sabe de alguma coisa que não está me dizendo?

— Acho que você perceberia se fosse o caso, não?

— Não, com você eu não tenho certeza. Você não está protegendo ninguém?

— Ao falar da roupa da Bethany? Não — diz Pauline. — Só me interesso por moda. É o tipo da coisa em que eu prestaria atenção.

— Estão todos mais concentrados em contas offshore do que em calças — comenta Joyce.

— Bem, por isso vocês formam um grupo. Não precisam se concentrar todos na mesma coisa.

— E você comentou que a imagem das câmeras mostrando o carro estava muito borrada, não foi? Foi um comentário um pouco inesperado.

— Joyce... Vocês estavam todos sentados falando suas teorias e eu só queria participar. Só queria contribuir com algo. Quando estão juntos, vocês formam um grupo bastante intimidador.

Joyce ri.

— É, imagino que sim. Principalmente graças à Elizabeth, não a mim.

— Pode ser — diz Pauline. — Me conta mais do Ron.

— O que você quer saber?

— Os podres. Qualquer coisa que eu tenha deixado passar enquanto ficava perdida naqueles olhos lindos.

— Por onde eu começo? — questiona Joyce. — Ele não sabe se vestir, se recusa a comer de forma saudável, não dá para discordar dele, às vezes fala alto demais, ainda mais em público, tem algumas atitudes ultrapassadas e uma vez me passou um sermão de uma hora por eu ter contado que votei nos Liberais Democratas na eleição local.

— Mas isso...

— Às vezes ele fica implicando comigo, se bem que eu gosto quando ele faz isso com a Elizabeth, então talvez não seja exatamente um defeito. Demora séculos para responder às mensagens, fica de mau humor por qualquer coisa, em especial se estiver com fome. Vive soltando pum. Teve uma vez em que passou um dia inteiro rabugento porque a gente não o convidou para ver o cadáver de um assassino que alguém havia matado em Coopers Chase. Tem um gosto musical péssimo e, se aparece na casa da gente à noite, fica falando sem parar e não nos deixa ouvir a TV.

— Teve um assassino em Coopers Chase?

Joyce faz um sinal de "deixa pra lá".

— Se você pedir a ele para fazer compras, vai voltar com o pedido errado. E não pense que quero dizer chocolate amargo em vez de chocolate ao leite. É tipo pedir um pacote de rolos de papel higiênico e ele voltar com um abacaxi.

— Já deu pra entender bem — diz Pauline. — Tem alguma coisa boa?

— Aí a lista já é mais longa. Vou resumir para você. É leal, gentil, engraçado e eu tenho muito, muito orgulho por ele ter escolhido ser meu amigo, seja lá qual tenha sido o motivo para isso. Ele, e essa é só minha opinião, é um príncipe. Sei que vai soar bobo, mas às vezes fico pensando em como seria ter Ron no meu sofá, Gerry na poltrona dele e os dois rindo e discutindo por horas. Consigo visualizar toda a cena na minha mente. Gerry teria adorado ele, e esse é o maior elogio que posso fazer.

Lágrimas escorrem pelo rosto de Joyce, e Pauline pega sua mão.

— Pelo jeito, você também o ama, Joyce.

— Claro que amo. Como não amar o Ron? Quer dizer, ele não é o homem para mim, Pauline, por essas muitas razões mencionadas. Mas se você gostar de abacaxi e estiver com um bom estoque de papel higiênico, é o homem para você.

— Sabe, talvez você esteja certa — responde Pauline.

Joyce sorri por entre as lágrimas.

— Que amor, que amor. Melhor eu começar a procurar um chapéu para o casamento.

— Vamos com calma — diz Pauline, sorrindo. — Está muito no início.

Ela solta a mão de Joyce. Mas Joyce agora coloca a sua sobre a de Pauline. E seus olhos se concentram diretamente nos dela.

— Jura que está me contando tudo, Pauline?

— Pelo jeito, as senhoras precisam de mais um refil — oferece o garçom.

— Sim, por favor — respondem as duas.

31

— Você jogou os nomes no computador velho? — pergunta Stephen. — Não deu em nada?

— Não deu em nada — diz Elizabeth.

Um amigo que ainda trabalhava no Serviço checara os nomes para ela. "Carron Whitehead" não gerara resultado de busca algum, "Robert Brown" gerara em excesso. Haviam prometido checar todos, mas há um limite de favores que é aceitável para uma pessoa pedir, e Elizabeth andara pedindo muitos nos últimos tempos. Quem sabe não deveria fazer uma visita ao chefe de polícia para ver se ele sabia de algo que lhes tenha escapado? Será que conseguiria um horário na agenda dele? Deve haver um jeito.

— Seu chapa vai matar a charada — consola Stephen. — O das palavras cruzadas.

Ibrahim. Ele e Stephen haviam sido bons amigos. Ibrahim ainda pede para visitá-lo e Elizabeth continua a enrolá-lo.

— Estou tentando jogar xadrez aqui — diz Bogdan. — Vocês estão falando muito.

Bogdan desceu do canteiro de obras no alto da colina para fazer companhia para Stephen.

— Você continua cheirando bem — comenta Elizabeth. — E é o mesmo cheiro de antes. É quase como se estivesse indo encontrar alguém com frequência, não é?

Elizabeth dá conta de mais de um mistério ao mesmo tempo.

Bogdan faz a sua jogada e se recosta.

— O que você vai fazer quanto a esse cara que precisa matar?

— Eu perguntei primeiro, Bogdan.

Ela não vai conseguir tirar nada dele. Talvez devesse começar a segui-lo. Seria exagero? Ela contempla a possibilidade por um instante e resolve que sim, seria. A verdade é que Elizabeth detesta ficar por fora de segredos. Espiões são iguais a cachorros. Não suportam portas fechadas.

— Que livros maravilhosos aquele rapaz Viking tinha — comenta Stephen, ponderando sobre a próxima jogada. — Extraordinários, de verdade.

Stephen é o seu segredo, é claro. A porta fechada de Elizabeth. Por ora.

— Vai usar aquela arma que eu te dei? — pergunta Bogdan. — A mulher que me arranjou a arma avisou que estava enterrada fazia um tempo, melhor garantir que está funcionando.

— Agora ele me dá conselhos sobre armas — resmunga Elizabeth.

Mas ela terá mesmo que checar. Vai até a mata esta noite. Dar um susto nas corujas e nas raposas.

— Bogdan, meu rapaz — diz Stephen, fazendo cara feia para o tabuleiro. — Ao que parece, você me pegou de novo. Devo estar ficando ruim da cachola.

— Não da cachola, só de jogo — diz Bogdan.

Carron Whitehead e Robert Brown. As primeiríssimas transações com o dinheiro roubado. Deve haver alguma pista aí, porém Elizabeth tem a sensação de ter se deparado com um beco sem saída.

Ironicamente, lhe vem à mente uma pessoa que talvez possa ajudá-la.

Viktor Illyich. Um gênio nesse tipo de coisa. Vasculhar arquivos, descobrir de onde vinha e por onde passava o dinheiro.

Mas a hora é de aguentar ou ficar quieta. Eliminar Viktor e, assim, eliminar o risco do Viking. Elizabeth vai ao bosque hoje à noite testar a arma. Em seguida, terá que mandar uma mensagem para Joyce e avisá-la de que irão a Londres amanhã. O porquê, isso ela não dirá.

É hora de matar Viktor Illyich. E Elizabeth precisará de Joyce ao seu lado quando for fazer isso.

32

A hora do rush matutino passou, mas o trem continua cheio. Elizabeth acaba de abrir o jogo sobre seu sequestro.

— Mas por que um saco na cabeça e *também* uma venda? — pergunta Joyce enquanto o trem dispara através da chuva. — Que exagero.

— Nunca é demais garantir — diz Elizabeth.

Joyce concorda.

— Eu nem posso falar nada porque hoje trouxe casaco impermeável e *também* guarda-chuva. Como é Staffordshire?

— Não vi muita coisa, Joyce. Fui levada para lá a toda, empurrada para dentro de uma casa com uma arma na cabeça e, no fim, largada no acostamento da estrada às duas da manhã num frio de rachar.

O celular de Elizabeth começa a vibrar. Uma mensagem de um número oculto.

Vejo que você está no trem para Londres, Elizabeth. Tenho gente por todos os lados. Por favor, não me decepcione.

A intenção é ser uma ameaça, mas já começa a parecer carência. Ainda assim, Elizabeth dá uma espiada no vagão, avaliando cada rosto.

— Acho que eu nunca estive em Staffordshire — comenta Joyce. — Mas devo ter passado por lá em algum momento, não é?

A situação ideal seria não ter que assassinar Viktor Illyich. Mas aí o Viking mataria Joyce em duas semanas, a não ser que lhe dessem uma boa razão para não fazer isso. Era uma escolha entre Viktor e Joyce e, nesse caso, não era preciso nem pensar.

Assim, ali estavam as duas no trem das 9h44 saindo de Polegate para a estação de Victoria, em Londres. Ela prefere ainda não contar a Joyce da ameaça que paira sobre a cabeça da amiga. Seria o correto a se fazer? Seria Joyce capaz de lidar com uma ameaça de morte? Elizabeth ainda não fora apresentada aos limites de Joyce, mas devem existir, sem dúvida.

— Sim, Joyce, você com certeza já passou por Staffordshire. É uma área bem extensa.

Joyce estava contando a Elizabeth sua nova teoria. A de que Fiona Clemence teria algo a ver com o assassinato de Bethany Waites e, colocando tudo na balança, será que não valeria a pena falar com ela? Algo agradável de se pensar por algum tempo, em vez daquilo que Elizabeth está indo fazer.

Ela sente o peso da arma na bolsa em seu colo. Uma arma, uma caneta, batom e uma revista de palavras cruzadas. Como nos bons tempos.

— Será que passam com um carrinho nesse trem? Ou vamos precisar ir até o vagão-restaurante? — pergunta Joyce.

— Sempre passam com o carrinho.

— Ah, que bom — diz a outra, olhando para trás para ver se, por acaso, ele já não estaria se aproximando. — E esse passeio a Londres tem ligação com a sua aventura? Ou vamos fazer compras?

— Tem ligação. Levo você para fazer compras outro dia, para compensar. Chega mais uma mensagem no celular de Elizabeth.

Belo dia para a missão, por sinal!

Esse Viking não tem mais o que fazer? As duas se recostam e contemplam a vista cinzenta e úmida da janela. Ah, Inglaterra, você sabe mesmo ser sem graça quando quer.

— Então, para onde estamos indo? — Joyce não consegue se segurar mais.

— Encontrar um velho amigo meu. Viktor.

— Nós tínhamos um leiteiro chamado Victor — comenta Joyce. — Será que é o mesmo?

— É bem possível. Seu leiteiro também era o chefe da KGB em Leningrado nos anos 1980?

— É outro Victor, então — responde Joyce. — Se bem que a entrega do leite termina cedo, não é? Será que ele tinha dois empregos?

Elas caem na risada e o carrinho de lanches chega. Joyce faz uma série de perguntas à mulher que o traz. O chá é de graça? Têm biscoitos? Os *biscoitos* são de graça? Aquilo ali que ela está vendo são bananas? As bananas têm muita saída aqui no trem ou o pessoal quer saber mesmo é dos biscoitos? O café de um lado do trem seria mais quente que do outro? E ainda houve algumas perguntas adicionais: ficaram sabendo que a mulher responsável pelo carrinho havia recentemente voltado a trabalhar depois de ter filho e que seu marido, que trabalhava como operário no aeroporto, não ajudava muito em casa, e a mãe dele era impossível e o defendia em tudo. Terminadas as perguntas, Joyce decidiu que estava bem e não ia querer nada, obrigada. Elizabeth pediu uma água e assim carrinho e mulher seguiram seu caminho, desejando às duas uma boa viagem.

— Então por que vamos encontrar esse Viktor?

Elizabeth certifica-se de que o carrinho está longe.

— Pelo jeito, vou ter que matar o homem.

— Não brinca assim, Elizabeth. Estamos bem no meio de uma investigação. E passamos por muita coisa ultimamente.

Joyce está certa. Elizabeth relembra tudo o que acontecera desde o assassinato de Tony Curran. Ian Ventham, Penny em Willows, com John segurando sua mão. Parecera tudo meio que uma brincadeirinha, mas foi apenas o início de uma longa série de acontecimentos que culminou nela sentada no trem das 9h44, com sua melhor amiga e uma arma na bolsa. "Melhor amiga"? Aquele era um pensamento inédito. Ela faz um sinal de concordância para Joyce.

— Eu sei. E sinto muito, mas vamos ter que passar por mais um pouco, antes que tudo isso acabe.

— Mas você não pode matar alguém, Elizabeth.

— Nós duas sabemos que isso não é verdade, Joyce. E, neste caso, eu preciso.

— Por quê? O que vai acontecer se você não matar esse Viktor?

— Alguém vai me matar. — (Alguém vai matar você, Joyce, e eu não vou deixar que isso aconteça.)

— Você às vezes é mesmo ridícula — diz Joyce. — Desde quando faz o que mandam você fazer? Quem está mandando você matar o Viktor?

— Não sei.

— É o MI5?

— Com todo o respeito, Joyce, seria o MI6. Mas não. É um sueco alto.

— Todos os suecos são altos — responde Joyce. — Apareceu no *The One Show*. Então ele está pagando você para isso?

— Não, foi apenas uma ameaça de morte. — (A sua morte, minha amiga querida, gentil e excessivamente tagarela.)

— Tudo bem. Bom, imagino que eu não esteja por dentro de tudo, mas acredito estar aqui para ajudar, é para isso que servem melhores amigas.

— Nós *somos mesmo* melhores amigas, não é, Joyce? Nunca tinha parado para pensar nisso.

— É claro que somos melhores amigas — garante Joyce. — Quem você achava que era minha melhor amiga? O Ron?

Elizabeth sorri. Teria tido alguma melhor amiga antes? Penny? Talvez, mas na verdade elas só compartilhavam um hobby e tinham respeito mútuo uma pela outra. Ela tivera maridos e amantes. Parceiros de campo, colegas de cela, guarda-costas. Mas uma melhor amiga?

— Espera aí, Stoke fica em Staffordshire? — questiona Joyce.

— Fica, sim.

— Então eu já estive em Staffordshire. Fizemos um passeio de ônibus até Stoke, já faz muitos anos. As peças de cerâmica lá são lindas. Comprei uma caçarola com o nome do Gerry.

— Que bom termos resolvido essa questão.

— Onde mora o Viktor?

— Em um lugar de que você vai gostar muito — responde Elizabeth.

Joyce assente.

— Elizabeth, você não vai matá-lo de verdade, não é? Acho que você não me traria se fosse matá-lo de verdade.

Elizabeth estuda Joyce por um momento.

— Quem diabo você acha que eu iria trazer? O Ron?

Ela esperava fazer a amiga rir, mas, em vez disso, Joyce parece assustada.

O trem começa a diminuir a velocidade ao se aproximar de Londres.

33

— Eles vão me matar — lê Ibrahim. — Só Connie Johnson pode me ajudar agora.

— Ela estava com medo, isso eu te garanto — diz Connie Johnson, com os pés em cima da mesa.

Permitiram-lhes usar uma sala privada, devido à importância da "boa saúde mental".

— Com medo — repete Ibrahim. — Medo de você?

Connie faz que não com a cabeça.

— Eu sei quando as pessoas têm medo de mim. Mas ela estava com medo de alguém.

— Talvez você goste de quando as pessoas têm medo de você. — Ibrahim faz anotações em seu bloco. — O que diria sobre isso?

— Isso aqui é terapia? Ou uma investigação de assassinato?

— Pensei que poderíamos misturar os dois — declara Ibrahim. — Na terapia, nunca se deve ignorar uma crise.

— Ficar aterrorizando as pessoas não é a minha praia. A propósito, obrigada pela *Grazia*, foi o presente perfeito. Deixar as pessoas com medo de mim não é algo que me dá tesão, só mexo com isso porque é fácil de monetizar.

— Então, de quem você acha que ela estava com medo?

Connie dá de ombros e toma um gole do cappuccino que um carcereiro fez para ela. Tem até chocolate em pó por cima.

— Ela parecia estar guardando um segredo e com medo de contar — explica ela.

— Um segredo que, pelo que ela escreveu, você também deve saber. "Só Connie Johnson pode me ajudar." O que ela contou para você? Deu alguma pista?

— Se deu, eu não captei — afirma Connie. — Mas vou pensar um pouco mais no assunto.

— Se puder... Você tem segredos, Connie?

— Nem tenho. Tá, a combinação do cofre na minha cela, mas isso não conta, né? Quais são os seus segredos?

— Isso é uma conversa para outro dia. Vamos começar do começo. Quando você soube do que havia acontecido...

— Com as agulhas de tricô?

— Isso, com as agulhas de tricô — diz Ibrahim. — O que pensou?

Connie faz uma pausa e quebra um pedaço do KitKat que outro carcereiro havia levado. Numa bandeja.

— Bem, em primeiro lugar, admirei a sagacidade. Não é moleza matar alguém com agulhas de tricô.

— Concordo — fala Ibrahim.

— E, em segundo, pensei que não deveria ter dado a ela as agulhas. Mas a gente não pode se pautar pelo que só veio a saber depois, não é?

— Sábia observação.

— Tarde demais para ela agora — diz Connie, terminando o cappuccino com uma careta. — Se eu der uma sondada nessa história, você acha que pode me trazer uma cafeteira nova? Tenho uma da Nespresso, mas queria uma De'Longhi.

— Acho que não vai ser possível — responde Ibrahim.

Connie faz um aceno positivo com a cabeça.

— Bom, faz o que der. A única coisa de que eu me lembro é: quando entrei na cela dela, Heather estava escrevendo algo.

Ibrahim para de fazer anotações e olha para ela.

— Que tipo de coisa?

Connie dá de ombros.

— Ela escondeu bem rápido. Mas valeria a pena procurar. Eles levaram todas as coisas dela.

— E o que ela estava escrevendo? — pergunta Ibrahim. — Não teria sido o bilhete que deixou?

Connie faz que não.

— Era muita coisa. Ela estava escrevendo sem parar.

— E o que você acha, Connie? Por que matar Heather Garbutt e por que agora?

— O que eu acho é o seguinte: acho que isso não parece a terapia pela qual eu estou pagando. Parece que eu faço parte da sua turma e ainda estou trabalhando de graça.

— Bem, de graça trabalhamos todos, mas seu argumento é válido. Sua observação é legítima. Vamos falar um pouco de você. Quer começar ou começo eu?

— Começa você — instrui ela.

Ibrahim pensa por um instante.

— Eu acho que você é infeliz.

— Errado.

— Acho que você faz outras pessoas infelizes — retoma ele.

— Isso pode ser.

— Você então sabe que faz outras pessoas infelizes e ainda assim é feliz? Deve ser difícil aceitar esse fato.

— As outras pessoas não são minha responsabilidade.

— Connie. Você é muito inteligente e trabalha duro. Você identifica oportunidades. Acho que não é exagero dizer que é mais poderosa do que muita gente.

Connie tamborila na mesa.

— Talvez.

— Portanto, o que você faz é bullying — diz Ibrahim. — Se você é forte, tem uma escolha na vida: proteger os fracos ou se aproveitar deles. Você lança mão das vantagens que obteve para se aproveitar dos fracos.

— Eu e todo mundo.

— Eu, não. Quem faz isso é sociopata.

— Bom, então eu sou uma sociopata. Experimenta você também, é bastante lucrativo.

— Você percebeu que Heather Garbutt estava assustada, Connie. E percebeu que ela não podia dizer a verdade. E acho que você ficou preocupada com isso.

Connie permanece em silêncio por um instante.

— Não muito.

— Não ficou preocupada?

— Não, no fundo, não.

— "Não, no fundo, não." E, no entanto, você acha que eu deveria descobrir o que a Heather estava escrevendo. E acha que talvez existam muito mais coisas por trás da morte dela.

— Talvez.

— Connie, tenho boas e más notícias para você — começa Ibrahim, fechando o bloco.

— Diga.

— A boa notícia é que você se preocupa. Assim sendo, não é uma sociopata.

— E a má?

— A má é que isso significa que, em algum momento, terá de ser sincera consigo mesma e reavaliar tudo o que você fez ao longo da sua vida.

Connie encara Ibrahim por um longo tempo. Ele a encara de volta.

— Você é uma farsa — diz ela, finalmente. — Até tem uns ternos bonitos, mas não passa de uma farsa.

— Talvez eu seja mesmo.

O celular de Ibrahim começa a apitar.

— Acabou nosso tempo. Continuamos semana que vem ou terminamos por aqui? A escolha é sempre sua. Será que eu sou uma farsa grande demais para você?

Connie pega sua revista e guarda o resto do KitKat em sua bolsa carteira da Hermès. Levanta-se e estende a mão para Ibrahim.

— Continuamos semana que vem — responde ela. — Por favor.

— Como preferir.

— Vou continuar a cavucar para você — diz Connie.

— E eu faço o mesmo para você.

34

— Qual o seu veredito sobre a Pauline? — pergunta Elizabeth.
— Eu gosto dela — diz Joyce.
— Bem, gostar eu gosto também. Mas qual o seu *veredito*?
— Perguntei a ela sobre aqueles comentários do outro dia — responde Joyce. — Sobre a roupa da Bethany. Mas ela se esquivou. E disse não ter lembrança alguma dos bilhetes.
— É quase como se estivesse tentando nos guiar numa direção específica. Ou nos *afastar* de alguma coisa.
— Mas ela também acha que a gente deveria falar com Fiona Clemence — contrapôs Joyce. — Achou a ideia magnífica.
Desconfiada, Elizabeth ergue uma sobrancelha para a amiga.
O táxi para e as duas saltam. Elizabeth dá uma boa espiada ao redor. Quem as estaria observando? Há guardas na entrada da embaixada dos Estados Unidos, mais à frente, e um grupo de jovens entrando pela porta giratória do edifício de uma editora, à esquerda. Ao olhar para cima, vê um monte de janelas, um monte de lugares onde alguém poderia se esconder para acompanhá-las. Era o paraíso para um sniper. Joyce também está dando uma olhada ao redor, mas com um foco inteiramente diferente.
— Tem uma piscina!
— Eu sei — confirma Elizabeth.
— No céu — comenta Joyce, protegendo os olhos do sol ofuscante do inverno.
— Eu disse que você ia gostar.
A piscina se estende por entre os topos de dois prédios residenciais altos. Com o piso de vidro, parece suspensa em pleno ar. Elizabeth não acha lá grandes coisas. Não passa da soma de engenharia com dinheiro. Talvez com um pouco de imaginação também, mas ela aposta que copiaram de algum lugar. Se alguém a tivesse construído para que mais gente pudesse usufruir, quem sabe Elizabeth não ficaria admirada? Mas só quem tem dinheiro pode

flutuar no céu, e quem tem dinheiro pode fazer praticamente tudo. Portanto, perdoem-na por não se entusiasmar.

— E é aqui que ele mora? — pergunta Joyce. — O Viktor?

— É a informação que recebi.

— Você acha que ele nos deixaria usar a piscina?

— Você trouxe roupa de banho, Joyce?

— Não me ocorreu. Você acha que podemos voltar algum dia?

Elizabeth certifica-se do peso da arma em sua bolsa mais uma vez.

— Não tão cedo.

Passam pelas enormes portas duplas de um dos prédios residenciais e cruzam o lobby de mármore até a mesa reluzente da concierge, de nogueira e cobre. Tudo ali passa a impressão de ser caríssimo mas muito impessoal, como um hotel para executivos onde um divorciado poderia escolher se suicidar.

A concierge é muito bonita. Talvez do leste da África. Elizabeth lhe oferece seu sorriso mais amigável. Não é uma Joyce, mas dá o seu melhor.

— Viemos encontrar o Sr. Illyich.

A concierge encara Elizabeth com um olhar muito simpático, além de muito seguro de si.

— Sinto dizer, mas não temos ninguém com esse nome no prédio.

Faz sentido, pensa Elizabeth. Viktor Illyich tinha centenas de nomes. Por que usaria o verdadeiro aqui?

— Você é muito bonita — diz Joyce à concierge.

— Obrigada. A senhora também. Há algo mais que possa fazer para ajudá-las hoje?

O celular de Elizabeth vibra. O Viking, de novo. Ela checa a mensagem.

Estou sabendo que você chegou ao prédio. E ainda escolheu matar o homem em casa, gostei. Espero notícias suas em breve.

Como conseguir subir?

— Você já usou a piscina? — pergunta Joyce à concierge.

— Várias vezes. Só para informar, um de nossos funcionários está a caminho para escoltá-las até a saída assim que lhes convier.

— Acho que fiquei mais impressionada com a piscina do que a Elizabeth — comenta Joyce.

— Elizabeth? — repete a concierge. — Elizabeth Best?

— Sim, minha cara — responde Elizabeth.

Agora melhorou.

— O Sr. Illyich me disse que, se Elizabeth Best aparecesse para uma visita, eu a liberasse para subir de imediato. — Ela consulta uma lista. — Acrescentou que a senhora poderia ainda se apresentar como Dorothy D'Angelo, Marion Schulz, Konstantina Plishkova ou reverenda Helen Smith. Ele me instruiu ainda para observá-la e aprender com a senhora, pois Elizabeth Best é a mulher mais inteligente que ele já conheceu.

Elizabeth repara em Joyce revirando os olhos.

— Você não pensou, quando nós entramos e lhe perguntamos por Viktor Illyich, que *eu* poderia ser Elizabeth Best? O pensamento não lhe ocorreu?

— Não, sinto muitíssimo. Da forma como o Sr. Illyich falou a respeito da senhora, fiquei com a impressão de que Elizabeth Best seria uma mulher muito mais jovem.

— Bem... Eu costumava ser mais jovem, então está desculpada.

— O Sr. Illyich está na cobertura. Eu mesma as levo até lá. — A concierge se dirige a Joyce: — E eu mostro a piscina quando saírem. Nós temos roupas de banho para convidados.

Elizabeth percebe o deleite no olhar da amiga. Ninguém vai nadar hoje. Mas pode ser que precisem de toalhas.

Após a subida num elevador do tamanho da sala de estar de uma casa nos subúrbios, Viktor Illyich abre ele mesmo a porta, agradece à concierge e convida Elizabeth e Joyce a entrarem em sua cobertura. Não poderia parecer mais entusiasmado em vê-las.

— Olha ela aí! Como fui dar essa sorte? Quanto tempo faz, Elizabeth?

— Vinte anos? — sugere Elizabeth.

— Vinte anos! Vinte anos! — exclama Viktor, cumprimentando-a com dois beijos no rosto. — Eu estou tão velho! Você não acha?

— Você sempre pareceu muito velho — replica ela.

Viktor ri.

— Sempre! É verdade! Agora, finalmente, sou velho *de verdade*! Enfim passei a fazer sentido. E creio que você seja Joyce Meadowcroft.

Joyce lhe oferece a mão, mas Viktor a cumprimenta com dois beijos no rosto.

— Prazer, Viktor — diz Joyce. — Sabia que na Bélgica se dá três beijos? Só fui descobrir recentemente.

Viktor sorri e a guia pelo cotovelo.

— Por favor, venha comigo e sente-se. Está frio demais para ficarmos lá fora, mas sempre dá para aproveitar a vista. Espero que gostem de céu cinzento e ônibus vermelhos.

Viktor leva Joyce até um sofá rebaixado de onde, em tese, se enxerga um vasto panorama de Londres. Hoje, a maior parte da vista encontra-se obscurecida por nuvens cinzentas. Próximo o suficiente para ser distinguível há apenas o canteiro de obras na usina de Battersea, onde toda uma nova face de Londres começa a ganhar forma às margens do rio. Elizabeth os segue.

— Joyce — começa Viktor —, acho que você gostaria de um gim-tônica. É o que imagino. Me diga se estou certo.

— Está certo!

— Então é o que vamos tomar. Estou muito feliz de ter vocês duas aqui. Elizabeth, nos acompanha?

— Viktor, senta — responde ela.

— Já sento, já sento. Deixa só eu preparar as bebidas e a gente senta e conversa. Dois velhos espiões. A Joyce vai ficar de cabelo em pé com as nossas histórias!

— Senta, Viktor — repete Elizabeth, agora com a arma na mão.

35

— Eu falo, aí você fala — diz o produtor.

Ele se chama Carwyn Price. Disso o inspetor-chefe Chris Hudson não tem a menor dúvida, pois Carwyn Price gosta de se referir a Carwyn Price na terceira pessoa.

— Eu falo, você fala. Eu falo, você fala. Eu falo, você fala.

— Já entendi — afirma Chris.

— Eu falo, você fala, é a minha única regra. É a regra de Carwyn Price — diz Carwyn Price.

— Devo olhar para a câmera?

— Não, olha para mim, essa é a outra regra. A não ser que esteja fazendo um apelo, falando "vocês viram este homem?", esse tipo de coisa. Aí a gente te enquadra direitinho.

— Enquadra?

— É, você pode olhar direto para a lente da câmera e a gente foca em você — explica Carwyn.

— Na polícia isso quer dizer outra coisa — comenta Chris.

Carwyn usa um gorro de lã. Num ambiente fechado. Donna terá opiniões sobre isso. Ela assiste de uma cadeira na lateral do pequeno estúdio do *Boa Noite, Sudeste*. Quando Chris recebera o telefonema para fazer um teste de cena, o sujeito no telefone dissera: "Vamos ver se Carwyn Price gosta de você." Chris perguntara "Quem é Carwyn Price?", ao que o sujeito respondera: "Sou eu."

— Está bem. Vou te disparar algumas perguntas — diz Carwyn. — Você manda ver algumas respostas e assim a gente descobre o quanto a câmera te ama.

— Boa sorte — incentiva Donna.

— Silêncio no set — instrui Carwyn. — Aqui não é um zoológico.

Por que concordara com aquilo?, pensa Chris. Agora, lógico, é meio tarde demais para mudar de ideia. Sua boca está mais seca do que imaginara ser possível. É como se tivesse acabado de acordar de um sono agitado em um voo de longa distância.

— Estamos aqui com o inspetor-detetive Chris...

— Inspetor-chefe — corrige Chris, com dificuldade.

— Nunca interrompa. Eu falo, você fala.

— Desculpe. Só pensei que... Sei lá, para ser mais preciso.

— Em pleno ar? — pergunta Carwyn. — Foi o que você pensou? Se eu te colocar no meu programa, vai ser assim? Vai ficar falando de cinco em cinco segundos?

— Mas nós não estamos no ar. Garanto que não faria isso se estivéssemos.

Carwyn solta um resmungo. Pelo jeito, a coisa vai mal. Chris se dá conta de que, além disso, precisa ir ao banheiro. Como é possível que precise quando sua boca está tão seca? Olha para Donna, que ergue o polegar sem lá muita convicção.

— Estamos aqui com o *inspetor-chefe* Chris Hudson, da polícia de Kent — diz Carwyn, que agora nem sequer ergue os olhos. — Inspetor, os roubos estão aumentando, os crimes violentos aumentam, não restam dúvidas de que a população de Kent merece mais do que isso, não é?

— Uma pergunta bastante justa, Mike. Eu acho...

— Mike? — questiona Carwyn.

Soa como uma interrupção, mas Chris acha melhor deixar passar.

— É, achei que você estava interpretando Mike Waghorn. Desculpe.

— Sou Carwyn Price, amigo. Portanto, interpreto Carwyn Price.

— Desculpe. Só achei que você fosse o produtor, daí...

— Daí eu não existo? Já que você nunca me viu na TV?

— Não, eu só... — Chris volta a olhar para Donna, mas ela finge checar algo no celular. — Desculpe, nunca fiz isso antes.

— Está dando pra perceber. Espero que você entenda que estou fazendo isso como um favor a Mike. Estou perdendo meu jiu-jítsu por causa disso.

Chris faz um aceno afirmativo.

— Claro. Desculpe.

Para sua própria surpresa, Chris se dá conta de que *de fato* gostaria de aparecer na televisão. Não gosta de Carwyn, óbvio, com seu gorro e seus recalques, mas Chris gosta de estar no estúdio, de ter a câmera virada para ele. Que surpresa para um homem que apenas alguns meses atrás evitava até o espelho. Percebe Carwyn bufando. *Última chance, Chris, vamos com tudo.*

— Sou Carwyn Price e estamos aqui com o inspetor-chefe Colin Hudson, da polícia de Kent...

Chris deixa passar. Olha só quanto já aprendeu.

— Os roubos estão aumentando, os crimes violentos aumentam, não restam dúvidas de que a população de Kent merece mais do que isso, não é? — perguntou.

— Merece, Carwyn. É a pergunta certa a se fazer, e, se tivesse uma resposta simples a dar, eu faria isso. Vou começar dizendo que nós vivemos numa parte bastante segura do mundo, então não quero que seus telespectadores se preocupem tanto. Mas se tivermos um caso de roubo já será um a mais do que deveríamos ter, se tivermos uma ocorrência de crime violento já será...

Com o canto do olho, Chris repara em Donna. Desta vez, o polegar para cima é para valer.

— ... mais do que deveríamos ter. E por isso, prometo: eu e meus colegas não descansaremos...

A porta do estúdio é escancarada e dela irrompe Mike Waghorn, jogando sua pasta em cima de uma cadeira.

— Aí está ele! Minha grande descoberta!

Na presença de Mike Waghorn, Carwyn extrai de algum lugar uma delicadeza que não existia ao lidar com Chris.

— Mikey, meu rapaz! — exclama Carwyn. — É, só estou ajudando ele a entrar nos eixos.

— Aposto que sim, aposto — diz Mike. — E aí, Chris, o que está achando disso tudo?

— Estou adorando — responde Chris. — De verdade. Não achei que fosse, mas estou.

Mike vê Donna.

— E a outra metade da dupla? O que acha, Donna?

— Ele é bem bom, na verdade — elogia ela.

— Não precisa fazer teste de cena com ele, Carwyn, eu garanto. Você já conhece meu instinto — afirma Mike.

— Claro, Mike — concorda Carwyn. — Ele tem aquele algo a mais, com certeza.

— Vamos falar de crimes com faca daqui a dois dias — comenta Mike. — Bota ele pra participar. Tudo bem para você, Chris?

— Hum, tudo bem — responde ele.

Dois dias? Na TV? Crimes com faca? É como se todos os Natais de sua vida tivessem chegado de uma vez só. Ele mal pode esperar para contar a Patrice.

— Meus parabéns, chefe — diz Donna, levantando-se da cadeira e indo dar um abraço em Chris.

A mente dele já está lá na frente. Quem sabe o convite não vira algo recorrente? O policial amigo, dando conselhos, talvez até compartilhando um pouco de sabedoria. Chris assiste ao monitor no chão do estúdio. Está com uma cara boa. Estariam seus olhos brilhando? Poderia jurar que sim. Ele nota Mike Waghorn também concentrado no monitor. Mas percebe que não é ele quem Mike Waghorn está observando.

— Donna — chama Mike —, você rouba a cena na frente da câmera. Rouba *mesmo*, sabe?

— Roubo? — pergunta Donna, confusa.

Chris sente a apreensão bater.

— Chama a atenção, cativa a plateia, rouba todo o show — explica Mike. — A última vez que vi algo do tipo acontecer foi quando o Phillip Schofield era novato. Uau.

— Eu... hum... Obrigada — diz Donna.

— O que você sabe sobre crimes com faca? Quero você no programa em vez do Chris — declara Mike.

Chris tem que reconhecer que Donna até ergueu as mãos em protesto.

— Desculpe, Mike. Escolha o Chris — replica ela.

Mike apoia as mãos nos ombros de Donna.

— Não sou eu quem escolhe ninguém, Donna. É a câmera. E ela escolheu você.

Mike se vira para Carwyn.

— Carwyn, leve a Donna até a sala do figurino, vamos ver o que a gente tem lá.

Carwyn guia Donna para fora do estúdio. Ao sair, ela olha para trás como quem pede desculpas. Mike apoia uma das mãos no ombro de Chris.

— Desculpe, Chris — acrescenta ele. — O show business é assim mesmo.

Chris faz um sinal positivo com a cabeça, a chama da fama em potencial se apagando.

36

— Elizabeth, não brinca assim — diz Viktor Illyich, a arma apontada para sua cabeça.

— Eu bem queria, Viktor — retruca Elizabeth, observando-o se sentar.

Joyce está boquiaberta.

— Elizabeth — diz ela.

— Não se meta, Joyce. Não desta vez. Preciso que você confie em mim. Matar o Viktor é a única opção que nós temos.

— Existem muitas opções — argumenta Viktor, já sentado. — Senta aí e a gente encontra uma solução. Escolhi não matar você depois que recebi as fotos. Poderia ter matado, você sabe disso, não é?

— Que fotos? — pergunta Joyce.

— Eu sei que você poderia ter me matado, Viktor. E sinto muito. Deveria ter me matado. Mas o homem que quer ver você morto sabe que eu estou aqui. Ele tem gente nos vigiando.

Ela tira o celular da bolsa e exibe a tela.

— Posso mostrar as mensagens para provar. Portanto, eu preciso matar você. Vai ser rápido e lhe daremos um enterro digno.

— Elizabeth... — tenta Joyce.

— Desculpe, Joyce — diz Elizabeth, deixando o celular na mesa ao seu lado. — Sinto muito, de verdade. Agora você pode ver do que eu sou de fato capaz quando não me resta alternativa. Onde cuidamos disso, Viktor? Onde é mais silencioso? Não quero chamar a atenção da sua adorável concierge.

— Eu escolheria o banheiro. É silencioso. E fácil de limpar — sugere Viktor. — Mas você não precisa fazer isso. Somos amigos, não somos?

— Sim, Viktor, somos amigos — responde Elizabeth.

— O cara que mandou você aqui.... É um sueco, não é?

— Não posso contar, Viktor. Terminado isto aqui, não quero mais ouvir falar dele e nem pensar nele.

— E se a gente se unir? E matar ele? É um plano melhor. É ou não é?

— É tarde demais — responde Elizabeth. — Eu não sei quem ele é, você também não parece saber e eu só quero acabar com isso de uma vez. Quero ficar em paz em casa com o meu marido. Sinto muitíssimo. Vamos para o banheiro. Vai na frente.

Viktor se levanta. Joyce também.

— Ele não vai a lugar algum — declara Joyce. — Não enquanto eu estiver aqui.

Viktor apoia uma das mãos no ombro dela.

— Joyce Meadowcroft, eu agradeço muito, mas isso é uma questão de negócios. Alguém vai me matar algum dia, e pelo menos Elizabeth é uma amiga. Esse sueco quer me ver morto, então talvez seja esta a melhor forma.

Joyce olha para Elizabeth, que assente.

— Nem sempre é só uma brincadeira, Joyce. Sinto muito.

— Eu nunca vou perdoar você — devolve Joyce.

— Você tem que confiar em mim, Joyce. Melhores amigas.

— Não somos mais — diz Joyce.

Ela dá as costas a Elizabeth, que fica surpresa com o quanto aquilo a magoa, mas compreende.

Viktor caminha na direção do banheiro com Elizabeth atrás dele, a arma erguida.

— Nada de movimentos bruscos, Viktor, vamos acabar logo com isso.

— Última chance de desistir. Você sabia que eu te amava, Elizabeth? — acrescenta Viktor.

— E o que o amor faz com a gente? — replica Elizabeth, na cola de Viktor, que se distancia da sala. — Faz você acordar amarrada na parte de trás de uma van. Faz você levar um tiro em uma cobertura. Chega dessa história de amor.

Viktor abre a porta do banheiro. Sua voz fica mais alta, ele implora:

— Por favor, me deixa virar de frente e a gente...

Elizabeth aperta o gatilho.

37

A verdade é que na prisão simplesmente não se consegue vitamina D o suficiente e, na opinião de Connie Johnson, isso infringe os seus direitos humanos.

Ela não gosta nem um pouco do que o espelho lhe revela. Está pálida demais. Quando sair daqui, vai direto para as Maldivas. A vida não pode ser só trabalho. Quem sabe não chegou a hora de gastar um pouco do dinheiro que ganhou? Quem sabe em Santa Lúcia? Ou na França? Onde é que gente comum curte as férias?

Em toda a sua vida, Connie só esteve duas vezes no exterior. Uma, num passeio de escola até Dieppe, no qual sentiu enjoo durante toda a viagem de barca e um professor de Geografia tentou beijá-la atrás de um supermercado. A outra, presa no porta-malas de um BMW e levada até Amsterdã por dois irmãos de Liverpool com quem havia tido uma divergência de opiniões. Tanto os irmãos quanto o professor logo se arrependeriam de seus atos.

Faça quantas sessões de bronzeamento artificial quiser, encha-se de botox e de preenchimentos, mas tem quatro coisas que são vitais para a pele: vitamina D, verduras, legumes e muita água, de preferência com gás. Eles não servem verduras e legumes frescos na prisão, mas, através de um conhecido de um conhecido dela, uma vez por semana lhe entregam uma cesta de orgânicos, e outro conhecido na cozinha é capaz de fazer maravilhas com uma pastinaca e uma berinjela. Ela toma os comprimidos de vitamina D, mas nada substitui a luz solar quando se deve permanecer vinte e três horas do dia dentro de uma cela. Para a água com gás, ela tem uma máquina para gaseificar.

Connie reflete que a prisão deve ser muito, muito difícil sem algum dinheiro e o tratamento VIP. Mesmo tendo, não é lá essas coisas. Lembra uma viagem de trem na primeira classe: passa-se algum tempo confinado, os banheiros estão longe do ideal, mas alguém traz uma xícara de chá de vez em quando para compensar.

Seja como for, ela terá que sair daqui mais cedo ou mais tarde. Quer a luz do sol no rosto, uma arma na cintura e seu pilates no reformer. Não está nem pedindo muito.

Cruzando os portões de segurança a caminho da Ala D, Connie pensa em Ibrahim, aquele velho sabichão. No geral, Connie nunca teve boas experiências com figuras de autoridade lhe dizendo o que deve e o que não deve fazer. Mas com Ibrahim? Com aqueles ternos bem-feitos e olhos gentis? É a primeira vez na vida que não lhe bate uma sensação de estar sendo repreendida.

Ela passa por uma cela que está sendo lavada com mangueira de alta pressão. Mantém distância dos borrifos pois sua roupa é de suede e a lavanderia da prisão tem lá suas limitações, por mais maconha que se forneça aos funcionários.

Connie nunca conversou com ninguém da maneira como conversa com Ibrahim. O que havia de diferente ali? A sinceridade, talvez? Dependendo do seu humor, Connie pode ser uma série de pessoas diferentes. Usa personas distintas se quiser assustar alguém, trepar com alguém ou se quiser que um carcereiro lhe traga comida do Nando's. Mas todo mundo é assim, não é? Não é o que todo mundo faz o tempo todo? Apresentar uma determinada faceta de si às outras pessoas?

Então que lado é esse que ela apresenta a Ibrahim e por que se sente tão diferente com ele? Connie sobe a escada de metal que leva ao andar de Heather Garbutt. Alguém grita alguma coisa de uma cela no fundo do corredor, algo sem muita coerência sobre gente que pede asilo. Se tirassem daqui todos os que têm algum problema mental, o lugar acabaria vazio. Para a maioria dos internos, aquilo era só mais um degrau numa vida de caos. Estavam sendo arrastados pelas marés de um mundo que não os queria nem precisava deles. Muito poucos eram como Connie, pura e simplesmente maus.

Connie chega à porta da cela de Heather. Continua vazia devido à investigação interna sobre o suicídio da ocupante. O cara do prédio administrativo, aquele do Tinder, o que tem um Volvo, lhe garantiu que foi deixada aberta. Connie entra na cela, gelada e vazia na ausência de Heather.

"SÓ CONNIE JOHNSON PODE ME AJUDAR AGORA." Bem, vamos ver o que dá pra fazer, Heather. Vamos tentar encontrar o que você estava escrevendo.

Numa cela, há pouquíssimos lugares onde dá para se esconder algo. Connie começa a bater nas paredes, vendo se identifica algum som oco. Mas são espessas demais. É um beco sem saída.

Ela enfia o braço atrás do encanamento do vaso sanitário de Heather Garbutt. Também nada.

Connie engana absolutamente qualquer um. É excelente nisto, o que lhe serviu bem por muitos anos. Quando o pai a abandonou, ela continuou a sorrir, só porque alguém naquela casa precisava fazer isso. Quando a mãe morreu, Connie seguiu em frente e construiu seu negócio. Ninguém jamais conseguira identificar sua dor.

A armação do beliche é de tubos de metal fuleiro. Tubos ocos.

É evidente que, mesmo ao refletir sobre a situação, Connie sabe o que Ibrahim está fazendo. O espelho que está lhe dando. Ele permite a ela falar consigo própria. Enxergar a si própria. E a ajuda a entender que quem engana a todos na verdade só está enganando a uma pessoa: a si mesma. Ibrahim lhe dissera que nossos pontos mais fortes são também os mais fracos, o que fez Connie reagir com um revirar de olhos. Mas, por alguma razão, esse pensamento não sai da sua cabeça.

Ela vira o beliche de ponta-cabeça e puxa um pé de borracha solto de uma das pernas de metal. Nada além de um espaço vazio. É continuar procurando.

E se ela não fosse pura e simplesmente má? E se essa fosse apenas uma mentira que vinha contando a si mesma durante todos esses anos? Seria difícil demais lidar com isso. Uma solução seria parar de conversar com Ibrahim, mas a sensação é de que ele abriu uma porta que não tem mais como ser fechada.

Ela puxa o pé de borracha da segunda perna da cama. Nada.

Muita gente já teve que lidar com coisa bem pior do que Connie Johnson, ela sabe. Seu estilo de vida é desprezível: a forma como ganha dinheiro, a forma como trata as pessoas, a forma como evita pensar na dor que causou. Mas tudo isso sempre lhe parecera inevitável. Como se tivesse nascido assim e as regras que a guiam não fossem as mesmas para os demais.

Ela puxa o terceiro pé. Ainda nada.

Mas e se nada daquilo for verdade? Será que ela quer mesmo ter de encarar tudo o que já fez?

Connie puxa o pé da última perna.

Colocando tudo na balança, não, ela não quer descobrir. Talvez seja melhor continuar a mentir para si própria. Melhor continuar a ser a Connie Johnson inventada tantos anos atrás por aquela menininha quando foi abandonada pelo pai. Vai falar a Ibrahim que não quer mais se consultar com ele. Obrigada, mas chega.

Connie enfia um dedo na perna oca da cama e sente de imediato um papel. Está muito bem enrolado. Cinco ou talvez seis páginas amarradas com um elástico. Ela as puxa para fora. Retira o elástico e achata as páginas o melhor que pode. Estão tomadas por uma caligrafia impecável em tinta azul. Ela lê a primeira linha:

Pelas grades eu ouço os pássaros

Naquela cela vazia e de paredes grossas, Connie não tem dúvidas de que encontrou algo que interessará a Ibrahim. Ele lhe encarregara de uma tarefa e ela a cumprira.

Dá uma rápida olhada no que Heather Garbutt escreveu, mas parece ser um poema, olha só. Ela esperava ler uma bela e simples confissão ou o nome de um comparsa, algo que ajudasse a solucionar o assassinato de Bethany Waites, mas não dera sorte ainda. Connie sabe, porém, que aquilo pode ajudar. Chega a ter uma sensação física de certeza.

E, ainda que agora não entenda qual é a do texto, conhece alguém que entenderá. É melhor ter mais uma consulta com Ibrahim. Mostrar para ele o poema. Só para entenderem o que está rolando aqui.

38

Joyce

Por onde eu começo?

Sentado no meu sofá, assistindo a um programa sobre trens, há um homem chamado Viktor Illyich. Ex-agente da KGB. É ucraniano.

Eu lhe disse que queria escrever no meu diário, então ele riu e comentou que eu teria muita coisa para escrever hoje. Deixei-o com uma taça de xerez e uma fatia de bolo de chocolate amargo com cereja. Vi no Instagram e achei a cara do Ron. No fim das contas, a primeira fatia acabou ficando para o Viktor. Olhem como os planos podem mudar. Mas o resto já está guardado num tupperware para o Ron.

Esperem só um segundinho.

Tudo certo, estou de volta. Só fui até a sala perguntar ao Viktor sobre o bolo, e ele garantiu que está muito bom. Sei que diria isso de qualquer forma, porém, como comeu a fatia toda, consideremos que esteja falando a verdade. De maneira geral, não sou lá muito fã de chocolate amargo, mas funcionou muito bem nessa receita. Leva quirche também, o que ajuda. O programa ao qual Viktor está assistindo é sobre um trem que cruza as Montanhas Rochosas no lado canadense. Que vista. Viktor avisou que acabaram de passar por um urso.

Hoje fui a Londres com a Elizabeth. Ela me disse que iríamos encontrar um velho amigo dela e que ela iria matá-lo. Não acreditei muito, mas Elizabeth tinha ido parar numa van com Stephen algumas noites atrás, de forma que certamente já tinha algo acontecendo. Como falei, não soube bem o que pensar, mas confio na Elizabeth. Ah, e o trem tinha um carrinho com lanches, não um vagão-restaurante.

Quando chegamos a Londres, fomos ao condomínio onde Viktor mora. Tem uma piscina, mas disso eu falo alguma outra hora porque acho melhor avançar logo para o que aconteceu.

Esperem só mais um pouquinho.

Voltei de novo. Viktor tinha acabado de ir ao banheiro e não estava conseguindo dar a descarga. Ensinei a ele o macete. Primeiro vai com delicadeza, com jeitinho, depois aperta tudo de uma vez. Comentei que ele podia apertar *pause* na TV antes de sair para o banheiro, mas ele já sabia. Eu dou *pause* quando assisto ao *Countdown*, fica menos estressante. Mas quando estou vendo com Ibrahim, ele não deixa. Diz que eu estou só enganando a mim mesma.

Viktor mora no último andar do condomínio, na cobertura, e ele é meio engraçado. Parece uma tartaruga superfeliz. Ficou encantado em ver a Elizabeth, até me cumprimentou com dois beijos, daí achei que de jeito nenhum ela iria matá-lo e só fiquei esperando para me inteirar do assunto. Viktor me ofereceu gim-tônica, mas logo em seguida Elizabeth sacou a arma. Nós duas discutimos, mas ela não cedeu, e o Viktor pareceu levar tudo na maior calma.

Para ser sincera, fiquei assustada e brava com Elizabeth. Cheguei a dizer que nunca a perdoaria, algo que ela mencionou no caminho de volta. "Você deveria sempre confiar em mim" foi a moral da história que ela me apresentou, mas, na verdade, acho que minha raiva foi útil.

Lá se foram os dois para o banheiro. Viktor gritou alguma coisa, houve um som de tiro e eu o ouvi cair no chão.

Eu tremia, devo admitir. Aliás, se é para admitir tudo, chorei. O que, de novo, acabou sendo útil.

Elizabeth voltou às pressas para a sala e me deu instruções. Algo do tipo: "Joyce, sem choro, eu precisei fazer isso, até o Viktor sabia disso, mas agora preciso da sua ajuda." Disse que estava fazendo uma limpeza no banheiro, e pensei "que bom, pelo menos isso", mas que precisava que eu desse alguns telefonemas. Eu tinha que ligar para o Bogdan do celular dela e dizer "Elizabeth precisa de um táxi", depois retirar o chip, cortá-lo em pedaços, limpar bem o aparelho e jogá-lo no triturador de lixo da cozinha. Não poderia haver qualquer evidência física ou eletrônica da nossa passagem pelo apartamento. Pensei em perguntar sobre a concierge, mas fiquei quieta por medo da resposta.

Lá foi ela de novo, e eu liguei para o Bogdan, ele disse alô, falei que a Elizabeth precisava de um táxi, ele perguntou se eu estava chorando, respondi que não, ele disse que bom, não havia motivo para chorar e que estaria conosco dentro de uma hora. Fui perguntar como o Bogdan estava, mas ele já havia desligado.

Tirei então o chip, o que foi difícil porque eu estava tremendo, cortei em pedaços, levei o celular para a cozinha e atirei na tubulação. Ouvi Elizabeth gritar "já cuidou de tudo, Joyce?", respondi bem baixinho que sim, tinha cuidado de tudo, e foi quando Elizabeth e Viktor voltaram na maior calma para a sala.

Eu parecia ter visto um fantasma. Quem vai me culpar? E então Elizabeth me explicou a situação.

As mensagens de texto do Viking haviam sido cruciais para desvendar tudo. Ele acompanhava todos os nossos movimentos. Dizia ter gente acompanhando cada passo nosso. Mas Elizabeth não engoliu essa. Disse que não tem como alguém segui-la sem que ela repare, é esperta demais. No trem, por exemplo, não havia ninguém. Assim, sabia que o Viking havia recorrido a um truque bem mais simples. Ele tinha simplesmente clonado o celular dela enquanto ela estava na casa dele (eu disse "simplesmente", mas dá pra entender, né) e assim conseguia escutar e às vezes até ver tudo o que acontecia, até o momento em que eu destruí o aparelho.

Por isso ela teve que me deixar por fora de tudo, para que minhas reações fossem naturais e críveis para o Viking. Na verdade, havia sido por isso que me levara, para que a coisa toda soasse totalmente real. Retruquei que eu poderia ter atuado, mas Elizabeth riu. Perguntei se o Viktor estava por dentro de tudo e ele disse que no instante em que ela segurou o aparelho e lhe contou sobre as mensagens, entendeu qual era o plano. Eu quis saber se antes disso ele chegara a ficar preocupado, achando que ela fosse matá-lo de verdade, e ele respondeu que achava que não fosse, mas que, com Elizabeth, nunca dá para ter certeza. Elizabeth fez pouco-caso, soltou um "até parece" que ela o mataria, Viktor falou "ah, mataria" e, enquanto ela continuava a reclamar, Viktor finalmente me serviu o gim-tônica que me fora prometido.

Cerca de uma hora depois, a concierge subiu com Bogdan, que carregava uma bolsa de viagem enorme. Viktor avisou à concierge que havia morrido, ela assentiu e perguntou por quanto tempo ele estaria morto, aí ele olhou para Elizabeth, que respondeu que bastariam umas duas semanas, mais ou menos.

Acabou que a concierge trabalhava para o Viktor e, no fim das contas, até ajudou Bogdan a carregar a bolsa de viagem até o carro com Viktor dentro, tão imóvel quanto possível, caso o Viking tivesse alguém vigiando o prédio. Viktor tomou dois comprimidos fortes para dormir, pois já esteve em situação parecida antes e só assim para suportar o confinamento em espaço tão restrito.

Percorridos trinta quilômetros, quando Elizabeth se certificou de que não estávamos sendo seguidos, entramos em um edifício-garagem em East Croydon, fomos até o último andar, abrimos o porta-malas e a bolsa e deixamos Viktor sair. Juro por Deus: ele já estava desmaiado, e tivemos que lhe dar uns tapas para que acordasse. Falei que bem que gostaria de um remédio daqueles para dormir, mas ele falou que é forte demais para mim. Tem que mandar vir dos Estados Unidos.

E aqui estamos. Viktor não podia ficar com a Elizabeth, portanto está instalado no meu quarto de hóspedes, onde permanecerá enquanto estiver morto. O plano é descobrir quem é o Viking e onde está se escondendo. Imagino que o passo seguinte seja matá-lo, sei lá. Imagino que não dê para manter o Viktor morto para sempre.

Tenho perguntas a fazer sobre o Viking e sobre Viktor, mas amanhã é quinta e elas podem esperar até estarmos todos reunidos.

E quanto à investigação sobre Bethany Waites, como ficamos? Tenho a sensação de que podemos estar perdendo o foco, mas diz Elizabeth que na verdade demos uma tremenda sorte, pois Viktor pode nos ajudar enquanto está aqui.

Alan costuma aparecer para me ver enquanto escrevo, mas, agora que há um ucraniano novo e interessante no apartamento, nem sinal dele. Como é volúvel... Daqui a pouco vou lá balançar um pacote de biscoitos para ele ver quem é que manda.

Os sons da sala me dizem que o programa sobre os trens já acabou e Viktor se levantou. Pelo jeito, ele mesmo vai lavar o que sujou ao comer o bolo, o que é um bom sinal.

Sei que fui enganada hoje, e sei que isso foi importante para o desenrolar da situação, mas não me sinto totalmente à vontade. Algo não me caiu bem. Houve o choque, é claro, aquilo derruba a gente, mas há alguma outra coisa também, e estou a tarde inteira tentando identificar o que é. E acho o seguinte:

Vejam, quando Elizabeth apertou aquele gatilho, eu *de fato* acreditei. Acreditei que ela tinha realmente matado o Viktor. Que minha melhor amiga era capaz de assassinar um homem que conhecia havia anos só para salvar a própria pele.

Aliás, não é que eu tenha acreditado. Eu *tive certeza*.

Portanto, o que isso diz sobre Elizabeth? E o que diz sobre mim?

39

O Clube do Crime das Quintas-Feiras costuma se encontrar às onze da manhã na Sala de Quebra-Cabeças. É como as coisas devem ser. De vez em quando muda, Ibrahim entende isso, é claro. Tiveram de lidar com assassinatos, e ninguém pode lhe acusar de não ser flexível.

Mas, espera aí, convocar uma reunião do Clube do Crime das Quintas-Feiras às oito da manhã *no apartamento da Joyce*? Enquanto há uma investigação de assassinato em andamento? Vamos ter que conversar sobre isso.

Ele vai buscar Ron no caminho e comenta que estão começando a passar dos limites. Ron concorda, ou ao menos não discorda veementemente, e Ibrahim sente-se encorajado.

Compromisso é compromisso, é para ser respeitado. Ainda mais com um cronograma plastificado. Mais uma vez, Ron não faz objeções. Aliás, está tão quieto que é de se estranhar.

— Ron, você está cheirando a maconha? — pergunta Ibrahim.

— Talvez esteja — admite Ron.

— Estou cogitando declarar esta reunião extraoficial, sabe? A menos que me deem uma razão muito boa para justificá-la.

— Está no seu direito, meu caro — diz Ron. — Passa um sermão nelas mesmo.

— Obrigado, Ron, vou fazer isso. Por que agora você vive cheirando a maconha?

— Pauline.

— Ah, entendo. É, aí faz sentido.

— É bem mais forte do que a que eu costumava usar. Vivo caindo no sono no chão do banheiro dela.

Ibrahim aperta a campainha do prédio de Joyce e o portão é destravado.

— Elevador ou escada? — pergunta Ibrahim.

— Elevador, né? Por que não?

Ibrahim repara que o amigo vem tentando esconder que manca. Continua sem usar a bengala.

Saem do elevador, batem na primeira porta à direita e Joyce a abre. Abraça cada um separadamente.

— Ron, você está usando perfume? — pergunta ela. — Esse cheiro me lembra o de alguma coisa que a Joanna costumava usar.

Ron resmunga e tira o casaco. Alan se aproxima dele com interesse e começa a lamber sua mão com um rigor profissional. Ibrahim vê Elizabeth sentada na sala.

— Agora, vocês me perdoem, mas eu preciso dizer...

— Precisa? — pergunta Elizabeth.

— Preciso. Bom dia, Elizabeth. Dia este que mal começou, se me permitem a observação.

— Bom dia pra você também — responde ela, fazendo sinal para que ele continue.

— Somos o Clube do Crime das Quintas-Feiras, isso não é segredo para ninguém. Nos encontramos toda quinta-feira às onze da manhã na Sala de Quebra-Cabeças. Gostaria de ressaltar cada um destes três pontos, um por um...

— Quer um chá? — oferece Joyce.

— Quero, obrigado, Joyce — aceita Ibrahim. — Ponto número um, nos encontramos às quintas-feiras. Quanto a isso, tudo certo, hoje é quinta de fato, não há motivos para debate...

— Ron, você está fedendo demais a maconha forte e cara — comenta Elizabeth.

— O cheiro fica no cabelo — reclama Ron.

— Ponto número dois, nós nos encontramos às onze da manhã e, veja, aqui já começamos a ter divergências porque são oito da manhã. Há alguma razão, há alguma explicação? Até agora não houve nenhuma.

— Como está a Pauline? — grita Joyce da cozinha, onde enche a chaleira.

Ron solta um resmungo que não é bem uma resposta.

— Em seguida, chegamos ao ponto número três. Nós nos encontramos na Sala de Quebra-Cabeças. E, sem querer ser chato, não estou vendo quebra-cabeça algum.

— Maconha é muito bom para artrite — informa Elizabeth.

— Eu não tenho artrite — diz Ron.

— E eu nunca tive acesso aos arquivos confidenciais sobre o assassinato do JFK — rebate Elizabeth. — Conta outra, Ron, que essa já não cola mais.

— Portanto, antes de avançarmos — continua Ibrahim —, eu gostaria de saber se há algum bom motivo, e minha definição de "bom" será rigorosa, para estarmos nos encontrando aqui e agora. Porque isso vai deixar a minha planilha caótica.

Alan vem trotando do corredor com o rabo abanando, vê Ibrahim e vai direto até ele. Começa a puxar a manga do seu casaco.

— Eis aqui outro homem que está confuso — diz Ibrahim, acariciando a cabeça de Alan. — Outro homem que entende como é importante sermos consistentes. Um homem que sabe que a hora é de caminhar, não de se encontrar.

Alan se deita no chão e expõe a barriga para Ibrahim coçá-la. Joyce apoia o chá do amigo numa mesinha.

— Obrigado, Joyce. Assim sendo, a questão é: eu esperava que nos encontrássemos às onze da manhã para abordarmos os desdobramentos mais recentes do caso Bethany Waites. Para discutir, quem sabe, o bilhete deixado por Heather Garbutt. Para ouvir Ron e o que ele tem a relatar sobre Jack Mason. Tenho, inclusive, notícias quentes da minha fonte na prisão de Darwell. Joyce, a coleira do Alan não está apertada demais?

— Não — garante Joyce. — A não ser que você entenda disso mais que o veterinário do *Supervet*.

— Portanto, a não ser que algo verdadeiramente espetacular tenha ocorrido nas últimas vinte e quatro horas, e creio que eu teria reparado, não vejo razão para que esta reunião não possa ser transferida para o horário de sempre, no lugar de sempre.

— Você teria reparado? — questiona Elizabeth. — Se algo tivesse ocorrido?

— Sou observador, sim — responde Ibrahim. — Agora, deixe eu lhe mostrar...

— Quantos pares de sapatos havia na entrada?

— Não presto atenção em sapatos — contesta Ibrahim. — Não sou perfeito, Elizabeth.

— Por que estamos nos encontrando às oito da manhã? — pergunta Elizabeth. — E por que no apartamento da Joyce? Quer uma boa razão para isso?

— Havia quatro pares? — chuta Ibrahim. — É o que eu pensaria a princípio.

— Alguns dias atrás — começa Elizabeth —, enquanto você estava jogando seu charme para cima da Connie Johnson e o Ron, sei lá, era seduzido, talvez...

Ron ergue sua xícara de chá num brinde.

— Também joguei um pouco de sinuca.

— ... eu fui sequestrada, eu e Stephen, e levada, para minha grande surpresa, até Staffordshire. Alan, agora não, estou falando. Depois de recuperar a consciência, conheci um senhor de porte bem avantajado que apelidamos de Viking, de nome real por ora desconhecido, mas estamos trabalhando nisso. Ele tinha uma proposta para me fazer. Eu deveria matar um homem chamado Viktor Illyich, ex-chefe da KGB. E, se eu não conseguisse ou me recusasse, eu seria assassinada.

— Está bem — concede Ibrahim. — Mas, ainda assim...

— A história continua, meu querido. Ontem de manhã, Joyce e eu fomos a Londres visitar Viktor Illyich.

— Espera só até eu contar para vocês da piscina — diz Joyce, em cujo colo Alan se aboleta desconfortavelmente, olhando sem parar para todas as direções, animado por ter tanta companhia inesperada.

— É impressionante, de fato — admite Elizabeth. — Entramos na cobertura do Sr. Illyich, onde fingi matá-lo em um dos muitos banheiros.

— Naquela hora, eu não sabia que ela estava fingindo — comenta Joyce.

— Bogdan então gentilmente foi a Londres, enfiamos Viktor Illyich numa bolsa de viagem e aí Bogdan nos trouxe de volta até aqui.

— O Bogdan é um bom sujeito — elogia Ron.

— Até onde a gente sabe, o Viking acha que o Viktor está morto e, portanto, por ora estamos fora de perigo, mas esta situação não vai durar muito e precisamos encontrar e neutralizar o Viking antes que ele perceba o ocorrido. Por isso o nosso encontro às oito da manhã, porque não temos um segundo a perder, e por isso estamos no apartamento da Joyce, uma vez que ela está escondendo um ex-coronel da KGB e chefão do crime no quarto de hóspedes. Ele também tem muita experiência em lavagem de dinheiro e interrogatórios, de forma que pretendo colocá-lo para trabalhar nas mortes de Bethany Waites e de Heather Garbutt. Esta explicação lhe parece aceitável, Ibrahim?

Ibrahim assente.

— Parece, sim, eu sabia que seria algo do tipo. Dadas as circunstâncias, retiro minhas objeções.

— Que gentil da sua parte, obrigada — diz Elizabeth.

Ibrahim olha para a soleira e vê Viktor Illyich com uma xícara de chá e torradas. Viktor abre um grande sorriso.

— Está todo mundo aqui! A turma toda agora. Alan, acho que você é grande demais para o colo da Joyce.

— Olá, Viktor, sou o Ibrahim.

— Haviam me dito que você era bonito. Mas não esperava que fosse tão bonito.

Ibrahim assente mais uma vez.

— Pois é, isso às vezes pega as pessoas de surpresa. Como é estar morto? É libertador?

— É. Esta é minha primeira torrada desde que morri e está deliciosa — responde Viktor.

— É pão multigrãos — informa Joyce. — Guardo no freezer para ocasiões especiais. Não se acostumem.

— Eu devia levar mais tiros — brinca Viktor. — Quem sabe no céu não é a Joyce quem faz o café da manhã?

— Não acho que algum de nós dois vá para o céu para descobrir, Viktor — argumenta Elizabeth.

— Talvez no inferno seja o Ron quem faça o café da manhã — sugere Ibrahim, e todos riem, menos o próprio Ron.

— Oi, eu sou o Ron — apresenta-se ele.

— Um homem com coração de leão — diz Viktor.

— Se você está dizendo... — responde Ron.

— Ron é mais difícil de elogiar do que o Ibrahim — diz Elizabeth a Viktor.

Quando ela o conheceu, o que deve sido por volta de 1982, em algum lugar nas cercanias de Gdańsk, a reputação de Viktor já era temível. Tinha fama não de violento, mas de inteligente, e isso o tornava um motivo maior de preocupação. Subira a partir das fileiras da KGB em Leningrado e, na época, chefiava os agentes na Escandinávia. Continuaria a crescer até alcançar o escalão mais alto da KGB. Não era pouca coisa. Contudo, ele acabou se desencantando com o sistema e foi trabalhar por conta própria. O que explicava como veio a ser dono de uma cobertura.

Haviam se conhecido num bar do porto para uma troca de prisioneiros sem lenga-lenga e, várias garrafas de vodca depois, uma amizade havia se formado. Acabariam alcançando o máximo de proximidade que é possível haver entre inimigos declarados. Elizabeth nunca imaginara que acabaria por forjar a morte de Viktor em uma cobertura em Londres, mas também jamais imaginara ter uma melhor amiga que não ouvisse a Radio 4. Às vezes o jeito é apenas se deixar levar pela maré.

— Acho que gostaria de saber, se me concedem a palavra — retoma Ibrahim —, por que Elizabeth teve que matar você. Alan, agora não.

— O submundo do crime é todo interligado. Os colombianos, os albaneses, a máfia de Nova York. Atuam em áreas diferentes, brigam entre si, mas às vezes precisam uns dos outros. Aí precisam de alguém que consiga trabalhar com todos os envolvidos. Alguém a quem possam confiar o dinheiro movimentado dentro do sistema. E esse é o meu papel. Eu garanto que todos se comportem, que todos ganhem a sua parte do dinheiro e me certifico de que o pessoal não saia matando uns aos outros.

— Mas eles matam uns aos outros, meu caro — intercede Ron.

— Eu sei — concorda Viktor. — Mas não tanto quanto matariam. Eu faço o que posso. Em todos os países eu conto com gente como Martin Lomax, que trabalha para mim.

Elizabeth se lembra de Martin Lomax. Aquela casa linda que visitaram.

— Assim, veja bem, vocês mataram um dos meus — continua Viktor.

— Desculpe, Viktor — diz Joyce.

— Provavelmente tiveram as suas razões — aceita ele.

— Tivemos — garante Elizabeth.

— O que aconteceu com os diamantes dele? — pergunta Viktor.

— É uma longa história — responde Elizabeth.

— E quem é o Viking, então? — questiona Ron. — Por que quer matar você?

— Essa nova geração de criminosos é diferente. Gosta de lavar o dinheiro de um jeito novo. Nada de ouro, de diamantes, casas de câmbio nem fábricas de automóveis, que é como eu lavo dinheiro.

Alan espirra.

— Saúde, Alan — diz Viktor. — A nova geração lava o dinheiro todo por meio de criptomoedas.

— Ah, tipo Bitcoin — diz Joyce, com um meneio de cabeça.

— Isso, tipo Bitcoin — confirma Viktor.

— E Dogecoin e Ethereum também — acrescenta Joyce, tomando um gole do chá. — E Binance Coin, que está muito em alta esta manhã.

Elizabeth olha para a amiga. Depois terão que conversar sobre aquilo.

— E o Viking trabalha com criptomoedas? É essa a história?
Viktor confirma.

— Só que eu aconselho as pessoas a evitarem criptomoedas. É arriscado demais. Só estou fazendo meu trabalho, não é nada pessoal. Por isso ele deixa de ganhar dinheiro à beça por minha causa, e ele conseguiria ainda mais se eu morresse. Ele poderia apenas esperar alguns anos até todo mundo confiar em criptomoedas, sabe...

— Por que alguém não confiaria em criptomoedas? — pergunta Joyce.

— Mas acho que ele prefere mesmo me tirar do caminho. Eu entendo, ele é jovem. Impaciente.

— Não tenho lido nada que indique que criptomoedas vão entrar em colapso — comenta Joyce. — Muito pelo contrário.

— Portanto, temos que chegar ao bambambã antes de ele descobrir que você está vivo — conclui Ron.

— Correto, ou então ele me mata — diz Viktor. — E, se entendi direito, mata a Elizabeth também.

Elizabeth faz que sim. E ele mata a Joyce. Joyce, que agora procura disfarçar o fato de estar dando um pedaço de croissant a um maravilhado Alan.

— Esta é, sem dúvidas, uma das reuniões mais inusitadas do Clube do Crime das Quintas-Feiras — observa Ibrahim. — Devo presumir que é melhor não registrar as discussões de hoje em minuta?

— Acredito que seja melhor — confirma Elizabeth.

— O que é o Clube do Crime das Quintas-Feiras? — pergunta Viktor. — Achei o nome ótimo.

— Nos reunimos todas as quintas — explica Ibrahim. — Em geral, às onze horas, na Sala de Quebra-Cabeças, mas a exceção de hoje está perdoada. E tentamos resolver crimes. Apesar de que hoje parece ser mais um caso de cometer crimes. Há certa flexibilidade.

— Atualmente vocês estão investigando o quê? — pergunta Viktor.

— Era para estarmos discutindo a morte de uma repórter de TV chamada Bethany Waites. Ela foi assassinada em 2013.

— Ron, estava pensando — inicia Elizabeth —, talvez fosse interessante levar o Viktor com você da próxima vez que se encontrar com Jack Mason. Quem sabe o Jack não fala um pouco mais?

— Não vai falar — garante Ron. — Dele, já conseguimos tudo o que poderíamos conseguir.

— Bem, quem sabe? — rebate Elizabeth. — Viktor, eu também tenho uma papelada enorme para você analisar. Já que está aqui, pode muito bem trabalhar com a gente.

— Ao seu dispor — diz Viktor.

— Mas vamos começar pelo começo — continua Elizabeth. — Preciso mandar ao Viking uma foto do seu cadáver para provar que matei você.

— Excelente. Vamos abrir uma cova rasa e vocês me jogam lá dentro.

— E, para dar o toque final — completa Elizabeth, virando-se para Ron —, será que alguém conhece uma maquiadora que possa nos ajudar? Você estava planejando se encontrar com a Pauline hoje, por acaso?

— Hum... estava — diz Ron, sem muita convicção. — Para jogar boliche, talvez. Eu já deveria estar me despedindo de vocês, para ser sincero.

Elizabeth faz um aceno positivo com a cabeça e se pergunta o que será que Ron vai fazer de verdade.

40

Quisera Ron estar jogando boliche. Quisera ele estar em qualquer outro lugar que não este.

Pauline o convenceu de que ele talvez gostasse de receber uma massagem.

O perfume acentuado e morno de eucalipto domina o ambiente, e o ar vibra com os sons típicos de florestas tropicais. Uma toalha felpuda branca foi enrolada frouxamente na cintura de Ron, e ele caminha pelo piso de ladrilhos marroquinos ao lado de uma piscina azul-celeste. Encontra-se muitíssimo ansioso quanto a todo o relaxamento que deveria estar sentindo. E pensar que poderia estar questionando Jack Mason a respeito do assassinato em vez de estar passando por tal provação.

Pauline lhe perguntara se ele gostava de massagens e Ron havia respondido que nunca recebera uma, Pauline rira, Ron reafirmara que não, era isso mesmo, falando sério, massagem pra quê? Ela respondera que era para se dar um agrado, Ron rira e dissera que, se fosse para se dar um agrado, tomaria umas geladas, mas Pauline dissera vou te levar pra um spa e Ron respondera mas nem fodendo, nem que a vaca tussa, e Pauline o beijara e pedira para tentar uma vez, por mim, ele dissera que não, ela o beijara de novo e pronto, aqui estão os dois.

O nome da mulher é Susie. Veio receber Ron e Pauline na recepção do Elm Grove Spa and Sanctuary e, pelo jeito, será sua gentil guia durante este horrendo processo.

Pelo visto, esse negócio de esfoliação com ervas aromáticas e banho turco existe mesmo, e pessoas de verdade pagam por isso com dinheiro de verdade. Ron já havia passado na frente daquele spa antes, mas sempre achara que fosse um bordel e não tinha o menor interesse, nem por spas nem por bordéis. Se é para alguém colocar as mãos em você, que seja o seu médico ou a sua esposa. Ou um estranho no pub quando a Inglaterra faz um gol.

Pauline pega sua mão e lhe diz que pode relaxar, não há nada com que se preocupar. Nada com que se preocupar? E se a toalha cair? E se ele for pesado demais para a mesa de massagem? E se a massagista for mulher? E aí? Ou pior: e se for homem? O que vai achar do corpo nu dele? É para continuar de toalha? É para se virar? Ron já se viu no espelho e não é algo que deseje a ninguém. Será que vai ter que puxar papo? Massagistas falam sobre o quê? Dá pra falar de futebol, ou só de óleos essenciais e sinos dos ventos? Ron sente a máscara facial de algas derreter em contato com sua pele e reza pelo fim daquela tortura. E esses sons delicados de floresta tropical? Ninguém vai parar com isto?

Ron garante a Pauline que está relaxado e que está longe de pensar em qualquer tipo de preocupação. Mal pode esperar. Pauline ri e lhe diz que ele vai gostar quando a massagem começar, ao que Ron responde ter certeza de que vai. Susie lhes serve copos de "suco de melancia detox" e faz sinal para que se acomodem sobre uma montanha de almofadas da qual Ron duvida ser capaz de se levantar um dia.

— Vocês têm hora marcada para a massagem de casais com duração de quarenta e cinco minutos, na Suíte Java. O Ricardo e o Anton vão atender vocês.

Dois marmanjos. Tudo bem. Talvez seja melhor assim. Certamente entenderão que esse troço é todo muito esquisito, não é?

— Vamos começar com a massagem de corpo inteiro, depois uma leve massagem facial e sauna para terminar.

Ela fala com tanta calma e tranquilidade que a vontade de Ron é de se jogar pela janela. Só que não há nenhuma. As paredes são recobertas por tapeçarias persas ornamentadas e espelhos que refletem a luz quente e suave das velas aromatizadas. Não há por onde fugir. Ele vai ter que permitir que lhe toquem e jogar conversa fora. Vai ter que relaxar, que Deus o livre e guarde.

Certa vez, Ron passou oito horas trancado na caçamba de um camburão na companhia de Arthur Scargill. Foi uma experiência mais relaxante que esta.

Ele toma um gole do suco de melancia. Nem é ruim, na verdade.

Quando chega o momento de se levantar do sofá, Pauline ajuda Ron a se erguer, embora ele proteste, declarando ser cem por cento capaz de fazer isso sozinho. Susie os leva até a Suíte Java. Duas mesas de massagem estão posicionadas lado a lado, mas nada de Ricardo nem de Anton.

A boa notícia é que pararam com os sons de floresta tropical. A má é que agora começaram a tocar cantos de baleias.

— Deitem-se de bruços e Anton e Ricardo logo estarão aqui. Namastê aos dois.

— Namastê — responde Pauline.

— Obrigado — resmunga Ron, enfiando o rosto no buraco da mesa de massagem e torcendo pelo melhor sem ter lá muitas esperanças.

— Tudo bem aí, bonitão? — pergunta Pauline quando Susie os deixa a sós.

— Tudo. Gostei do suco de melancia.

— Está precisando de alguma coisa?

— Não, de nada — diz Ron. — Só uma dúvida: a gente precisa falar com eles? Com os massagistas?

— Se quiser. Em geral, eu caio no sono. Vou direto para os braços de Morfeu.

— Certo.

Cair no sono, nem pensar. Será crucial se manter num total e absoluto estado de vigilância.

— Ou deixe a mente viajar — acrescenta Pauline.

Deixar a mente viajar? Para onde? Com a mente de Ron não tem dessas coisas. Sempre que é forçado a pensar pra valer, é por alguma boa razão. Por exemplo, o que os Conservadores estariam aprontando hoje? Para que posições o West Ham precisava de reforços na janela de transferência de janeiro? Por que o restaurante parou de servir omelete? Ele adora omelete. Será que os ovos estavam em falta e ninguém lhe contou, ou alguém tomara a liberdade de mudar o cardápio? Essas são coisas importantes. E quando sua mente não estava se ocupando delas, não se ocupava de nada. Apenas recuperava sua energia para quando surgisse uma questão importante. Deixá-la viajar nunca esteve nos seus planos.

Ele volta a olhar para Pauline, que já fechou os olhos.

— Você já ouviu falar de um tal de Carron Whitehead? Ou de um Robert Brown?

— Relaxa, Ronnie — diz ela, olhos ainda fechados.

Ele percebe que Anton e Ricardo entram na sala. Que bom que a toalha continua a cobrir sua cintura. Sabe Deus que aparência tem o seu traseiro hoje em dia. Uma paisagem lunar, talvez. Tomara que esses rapazes sejam bem pagos. Seriam sindicalizados? Ron fica à espera de um cumprimento, que nunca vem — há apenas a sensação de mãos quentes besuntadas de óleo em suas costas. Está certo, pelo jeito os quarenta e cinco minutos estão começando agora. As mãos descem por suas costas em movimentos alongados e intensos. Ron repete para si mesmo que a agonia terá de terminar em algum momento.

Ricardo, ou Anton, se concentra no pescoço e nos ombros de Ron. Impossível ignorar que isso está de fato acontecendo. Do lado de fora, há carros, lojas, cães latindo, mães dando bronca nos filhos. Mas, ali dentro, só aqueles sons terríveis de baleias. Será que devia pensar no caso Bethany Waites? Talvez isso fizesse o tempo passar um pouco mais rápido. Ele ouve Pauline suspirar, num estado de satisfação profunda. Isso, ao menos, o deixa feliz.

Uma mão desce então por sua coluna. Ricardo ou Anton está fazendo o seu trabalho, de forma habilidosa, Ron deve admitir. Há que ser justo. Será que esses dois já viram coisa pior do que ele? As baleias continuam a cantar e, na verdade, depois que você se acostuma, nem é tão ruim. Ele lera certa vez que baleias são solitárias.

Talvez pense um pouco sobre Jack Mason. Ron gostou dele. Jack vivia aprontando alguma, comprando, vendendo, botando fogo em qualquer coisa. E não é que agora, anos depois, está com uma empreitada legítima, um belo de um casarão, caminhões para lá e para cá? Continua aprontando alguma, é claro. E como será que ele *tem certeza* de que Bethany está morta?

Duas mãos passam a dar leves socos na coxa de Ron. É, vai se encontrar com Jack de novo, vai levar o cara da KGB, vão conversar sobre os velhos tempos, compra, venda, a época em que eram todos garotos. Casarão, aquele do Lenny. Não, Lenny é o irmão, o que caiu do telhado de um armazém e morreu. Tem anos isso. Pensando bem, será que o West Ham já teve algum capitão melhor do que Mark Noble? Assim, parando *bem* pra pensar. Já, sim, teve o Billy Bonds. E o Bobby Moore, claro. Mas o Noble talvez ainda seja o melhor. Vai perguntar ao Jack. Ele vai saber.

Ron agora nada com as baleias, faz companhia a elas, todos nos sentimos sós, filho, vai ficar tudo bem, flutuando nas correntes mornas. Levadas pela maré assim como Bethany Waites. Coitada. Quem a matou, tantos anos atrás? Jack Mason é quem sabe. Jack Mason. Ron conheceu o irmão dele... como se chamava?

— Ronnie! — É a mãe dele, acordando-o para que vá para a escola.

Só mais uns minutinhos, mãe. Não vou perder o ônibus, prometo.

Ron se sente tão acalentado, encasulado... Será que não foi o próprio Jack Mason quem matou Bethany Waites? Mas Ron não compra essa hipótese. Será que Bethany Waites morreu mesmo por causa da reportagem, ou foi outra coisa? Algo ocorre a Ron neste momento, algo que deixara passar... Robert Brown? Ele conhece esse nome.

— Ronnie, sou eu.

Uma mão acaricia seu cabelo e Ronnie abre os olhos. Teria morrido? Tem quase certeza de que sim. Alguma hora teria que acontecer. É isso aí.

— Você estava dormindo — comenta Pauline. — Eu disse a eles para deixarem a parte da frente pra lá, você parecia tão em paz.

— Só estava fechando os olhos um pouquinho — diz Ron, cujo corpo está em outra frequência.

Que sensação é essa? Tem algo de familiar, dos velhos tempos. Ron procura identificar o que seria.

— É, bonitão, por quarenta e cinco minutos, eu sei. Roncando igual a um porquinho. Vamos para a sauna?

Ron se depara com o sorriso de Pauline. Chega a perder o fôlego. Um sorriso como esse não se recebe todos os dias. Ron estende a mão e Pauline a pega. Ele identifica aquela sensação antiga. É a de não sentir dor. Nenhum pedacinho de seu velho e depauperado corpo está reclamando de nada.

— Obrigado por me convencer a vir.

— Falei que você ia gostar. Vamos voltar um dia desses?

— De jeito nenhum — retruca Ron, balançando a cabeça.

Para tudo há limites.

— Quero só ver se a resposta ainda vai ser a mesma depois da sauna — rebate Pauline.

Ron se levanta da mesa de massagem. No que ele estava pensando mesmo logo antes de acordar? Tenta recuperar o pensamento, mas não consegue.

Sem problemas. Se for importante, ele lembra depois.

41

— Mas como se mata alguém numa prisão? — pergunta Mike Waghorn.

Andrew Everton cumprira com sua palavra e andara verificando o caso Heather Garbutt. Os dois estão no píer de Fairhaven, cada um com seu copo de chá. Mike cumprimenta de longe alguns transeuntes deslumbrados.

— É mais fácil do que você pensa — informa Andrew Everton, tentando soprar através do furo mínimo na tampa do copo. — Apesar de o Ministério do Interior estar me fazendo as mesmas perguntas agora.

— Não tem câmeras? Nada que mostre alguém entrando na cela?

Mike vai inaugurar uma pista de skate às onze da manhã e Andrew Everton aceitou encontrá-lo antes disso. Mike está ciente de que nem todo mundo pode simplesmente ligar para um chefe de polícia e fazê-lo vir ao seu encontro. Vantagens do ofício.

— Tem câmeras por tudo que é parte — diz Andrew Everton. — Mas o trecho de que nós precisamos "desapareceu" misteriosamente. Duas horas de gravações do andar de Heather Garbutt foram apagadas.

— Meu Deus. Esse tipo de coisa é comum?

— Já foi mais comum, mas ainda acontece. Alguém leva uma grana para apagar as fitas.

— Mas isso com certeza sugere assassinato — declara Mike. — Isso e o bilhete que ela deixou.

— É o que parece.

— Deve ter alguma conexão com a Bethany — insiste Mike, acenando para uma mulher numa scooter de mobilidade reduzida. — Só pode, não acha? Ela está para sair da cadeia, teme pela própria vida e aí morre?

— Pra falar a verdade, na prisão nunca se sabe. Ali é um mundo à parte. Mas se eu tiver que dar uma opinião, sim, diria que há conexão. Essa não é a minha linha de investigação oficial, falo como amigo.

— Agradeço muito, Andrew. Então, pegar quem matou Heather Garbutt talvez signifique pegar quem matou Bethany Waites?

— Talvez — responde Andrew Everton.

Andrew Everton observa um rapaz de moletom caminhar pelo píer despreocupadamente com as mãos enfiadas bem no fundo dos bolsos. Para onde estará indo de manhã tão cedo? O que deve haver naqueles bolsos? O fim do píer é um bom lugar para uma reunião mais escondida. Quem esse rapaz está indo encontrar? Andrew às vezes sente falta das rondas, de estar no meio do burburinho, confiando em seu instinto. Gosta de ser político, mas sente falta de ser detetive.

— Então, quem teria acesso à cela dela? — pergunta Mike.

— Carcereiros. Esses nós já estamos investigando. E outras detentas, se fossem da confiança dela.

— Outra detenta conseguiria cometer o crime?

— Tem muitas assassinas na prisão — explica Andrew Everton.

— Mas e as câmeras? Com certeza uma detenta não teria como fazer isso...

— Algumas delas têm excelentes conexões.

— Então outra prisioneira seria capaz de entrar na cela dela, pegar as agulhas de tricô e...

— Com licença... — interrompe-o um homem de macacão, segurando um celular. — Eu não sou de pedir, mas minha mãe é muito sua fã.

Mike assente e então sorri para uma selfie com o homem.

— Vou continuar em cima, Mike — diz Andrew Everton. — Prometo.

O homem de macacão saiu andando na direção do café. Ele para, põe uma lata no chão ao lado de um portão de ferro trabalhado cuja pintura está descascando e começa a raspar e lixar. O rapaz de moletom vai ao seu encontro, tira um pincel do fundo do bolso e começa a pintar. Andrew sorri para si mesmo. Não se pode acertar todas. Por falar nisso...

— Talvez... — Andrew Everton hesita. — Talvez eu também precise de um favor, Mike, mas só se você puder.

— Fala.

— Eu não sei muito sobre televisão, mas é só que... você conhece alguém na Netflix? Eu vivo mandando meus livros para lá, mas eles não me retornam.

42

— Joga um pouco mais de terra em cima de mim — diz Viktor a Bogdan. — Para esquentar.

Viktor, profissional incorrigível que é, insistiu em ser enterrado nu. Sabe que qualquer assassino de respeito deixaria o mínimo possível de pistas na cova. Se é para o Viking não desconfiar de nada, é assim que as coisas têm que ser. Claro, esperara até o último instante para se despir. Enquanto Bogdan cavava a sepultura, Viktor continuara cobertinho. Já vira muita gente cavar sepulturas ao longo dos anos, mas poucos com a rapidez e a eficiência de Bogdan. Quando tudo isso terminar, quem sabe o sujeito não gostaria de um emprego?

— Eu posso te servir um pouco de chá — oferece Joyce com o cantil à mão, da beira da sepultura. — Só não sei como você beberia aí embaixo.

— Muito gentil da sua parte, Joyce — responde Viktor, enquanto mais um torrão de terra da pá de Bogdan cai sobre seu peito. — Mais tarde, talvez.

— Não se mexe — instrui Pauline, ajoelhada a seu lado com um pincel e uma paleta toda coberta de gosma vermelha e preta.

Ela está pintando um buraco de bala na testa dele com o maior cuidado há mais ou menos cinco minutos.

— Desculpe por fazer você trabalhar com um homem pelado dentro de um buraco nesta friaca — diz Viktor.

Pauline dá de ombros.

— Amor, eu trabalho na televisão.

— Devo dizer que seu perfume é muito agradável — elogia Viktor. — Eucalipto.

Pauline começara a pintar o buraco de bala no conforto do apartamento de Joyce. A situação lhe fora explicada por Ron e ela tirara de letra. Havia perguntado se o que iriam fazer era ilegal, Elizabeth respondera "defina ilegal" e Pauline se dera por satisfeita. Também enchera o rosto de Viktor de pó, deixando-o cada vez mais pálido, cada vez mais cadavérico, até todos concordarem que seus olhos estavam iguais aos de um fantasma. Viktor então fora depositado mais uma vez na sua já familiar bolsa de viagem e Bogdan o carregara até um quadriciclo, subindo assim com ele até a mata. Os demais o seguiram a uma distância segura, só para o caso de o Viking estar observando.

— E pronto! — exclama Pauline com um floreio teatral. Ela faz uma rápida inspeção final, observando-o de todos os ângulos. — Sua aparência está péssima.

Joyce é que havia reparado no erro. Pauline pintara um buraco de bala na testa de Viktor. Na gravação que o Viking ouvira, ficara evidente que Elizabeth atirara em Viktor pelas costas. Por isso, Pauline estava agora ajoelhada ao lado dele numa cova transformando o buraco de entrada da bala no de saída. Se havia ficado surpresa com a riqueza de detalhes descrita tanto por Viktor quanto por Elizabeth para distinguir um do outro, não demonstrara.

Ron e Bogdan ajudam Pauline a sair do buraco. Viktor repara que Bogdan é quem de fato a auxilia, mas agindo de uma maneira que dá entender que todo o trabalho foi feito por Ron.

Viktor olha para os rostos que o espiam lá de cima, e Bogdan despeja mais terra sobre o corpo dele. A ideia é que tenha a aparência de "recém-desenterrado". Ibrahim está com o celular nas mãos e enquadra Viktor no fundo do buraco.

— Paisagem ou retrato?

— Paisagem — responde Viktor. — Fica mais impactante.

— Retrato — opõe-se Elizabeth. — Quem está tirando a foto sou eu e eu prefiro retrato.

— Você é insuportável, Elizabeth! — grita Viktor do fundo do buraco.

Ibrahim tem mais uma pergunta.

— Close do rosto ou corpo inteiro?

— Os dois — responde Elizabeth. — Mas não aproxima a câmera demais do rosto, só por precaução.

— Só por precaução? — repete Pauline. — Ibrahim, pode dar o zoom que quiser que isso aqui é trabalho bem-feito.

— Isso, pode dar zoom — concorda Ron, segurando a mão de Pauline.

— É claro que vamos ter que escolher filtros — começa Ibrahim. — Pessoalmente, acho que Clarendon seria perfeito, por causa dos marrons em tons terrosos.

— Se não for pedir demais — interrompe Viktor —, podemos falar disso depois?

Ibrahim faz que sim.

— Hipotermia, entendo. Também quero falar com vocês sobre o poema de Heather Garbutt, mas pode esperar até você estar vestido.

Viktor contempla os rostos que o encaram lá de cima. Elizabeth, seu grande amor, que felicidade passar mais algum tempo com ela. As pessoas entram e saem da nossa vida e, quando se é jovem, você sabe que as verá de novo. Mas agora cada amigo antigo é um milagre.

Ron e Pauline. Estão de mãos dadas. Viktor se lembra do nome dele, de tantos anos atrás. Fazia parte de uma lista. Era uma lista longa, mas o nome dele estava lá. Alguém em dado momento teria falado com ele, sondado-o, checado se seria solidário à causa soviética. Agora, ao conhecê-lo, Viktor percebe que não teriam tido a menor chance. Bogdan, apoiado em sua pá, esperando com a maior paciência para encher o buraco de terra. Ibrahim, à procura do ângulo perfeito. Joyce, sua colega de apartamento, sua nova protetora, que no momento tenta impedir Alan de pular para dentro do buraco.

Observando-os, Viktor se dá conta da solidão de sua cobertura. Da solidão de sua vida. Gente jovem e bonita tirando fotos numa piscina que todos observam, mas ninguém pode visitar. Onde estariam os amigos de Viktor?

Será que daria para ele simplesmente ficar ali? Quem sabe esta foto não será o suficiente para satisfazer o Viking? Daí bastaria Viktor mudar de nome, abandonar seu velho mundo e se mudar para Coopers Chase. Nada como se deitar em sua própria cova com um buraco de bala na cabeça para fazê-lo reavaliar a vida.

Será que ele precisa mesmo de negócios multibilionários quando há Joyce, Elizabeth, Alan e toda aquela turma da qual fazer parte? Quem sabe não desvendam este crime? Quem sabe ele não poderia passear pelo bosque com Alan? E Ron tinha mencionado sinuca. Viktor já não tinha mais ninguém com quem jogar sinuca. Antigamente, jogava com um velho cazaque dono de uma joalheria em Sydenham, mas ele morrera devia fazer uns três anos. Mais uma vez, contempla os rostos lá em cima. Talvez tenha dado sorte, afinal.

— Viktor, pelo amor de Deus, para de sorrir e fecha os olhos. Você está morto — reclama Elizabeth.

É verdade, eu estava morto, acho que eu estava mesmo. Viktor fecha bem os olhos e se esforça para parar de sorrir.

43

Os outros estão se aquecendo em algum lugar, com seus cobertores, suas xícaras de chá e fofocas. Mas Ibrahim tem trabalho a fazer.

O poema de Heather Garbutt está à sua frente. Sem dúvida alguma, há um segredo naquelas páginas. Uma mensagem escondida, disfarçada com maestria. De quem Heather Garbutt tinha medo? Quem iria matá-la?

Decifrar o poema e descobrir tal segredo vai levar certo tempo, disso Ibrahim tem certeza. Ele quisera conversar a fundo com alguém sobre o assunto, mas Elizabeth, Joyce e Ron não deram bola. Acham que é uma pista falsa.

Tentara até com Viktor, depois de o terem desenterrado. Não se chega a um posto tão alto na KGB sem entender alguma coisa de criptografia. Mas Viktor deu uma espiada no papel, os dedos sujos de terra, e o devolveu, dizendo "aqui não tem mensagem nenhuma, é só um poema".

Ibrahim é uma voz solitária na imensidão, algo a que está habituado. Que seja, é a cruz que lhe cabe carregar. Ninguém é profeta em sua própria terra. Haverá pedidos de desculpas aos montes quando ele desvendar a mensagem de Heather. Ele fará uma magnânima reverência, talvez até curvando um pouco as costas, enquanto chouverem aplausos. Consegue imaginar a cena: Elizabeth parabenizando-o ("Eu errei feio, errei feio"), Joyce lhe entregando um prato de biscoitos, com Alan sentado em orgulhoso e respeitoso silêncio. Até Viktor terá de admitir que Ibrahim o superara.

Ele se perde no devaneio por um instante, e é quando a ideia lhe ocorre. Ibrahim sabe exatamente com quem deve falar. Alguém que jamais o julga, alguém que tem sempre muitas ideias. Alguém que *vai ajudar*.

Ele checa o relógio. São quatro e meia. Isto significa que o neto de Ron, Kendrick, já terá saído da escola mas ainda não estará tomando seu lanche. A hora perfeita para se falar com qualquer menino de oito anos.

Ibrahim liga para Kendrick pelo FaceTime. Está relembrando como se divertiram checando horas e horas de gravação de câmeras de segurança na busca por um ladrão de diamantes.

— Tio Ibrahim! — cumprimenta Kendrick, aos pulos na cadeira.
— Como você está? — pergunta Ibrahim.
— Estou bem, tudo bem.

Ibrahim esmiúça a tarefa a ser cumprida. Houve um assassinato alguns anos antes de Kendrick nascer ("*Outro*, tio Ibrahim?") e, recentemente, um segundo na prisão ("A mãe da Millie Parker tá presa, ela não tem ido pra escola"). A moça que estava presa (Heather Garbutt, não a mãe da Millie Parker) deixou um poema e Ibrahim acredita que ele teria sido escrito em código (a reação do menino é um assovio discreto, fascinado), e, se ele e Kendrick conseguirem decifrá-lo, talvez descubram quem a assassinou e onde havia ido parar um monte de dinheiro desviado em fraudes ao IVA (aqui foi necessário fazer uma breve interrupção para que Ibrahim explicasse o que é o IVA, apresentando a Kendrick os princípios mais simples da taxação universal). E mãos à obra. Ibrahim está tomando brandy e fuma um charuto; Kendrick toma um refresco de laranja ("Tem menos açúcar, mas nem dá pra reparar quando a gente bebe").

Ibrahim lê:

> *Meu coração deseja lançar-se como águia ao firmamento*
> *Deseja ser ouvido como o gorjear dos melros*
> *Mas meu coração partiu-se, rachou-se em dois dentro da caixa*
> *A águia já não voa e a meu coração resta o tormento.*

— Veja, Kendrick, como isto é interessante. Tecnicamente é bem fraquinho, mas é interessante. O coração dela quer se lançar como águia ao firmamento... — Ibrahim enviou a Kendrick uma cópia do texto e lê da sua — ... mas, duas linhas abaixo, "rachou-se em dois dentro da caixa".

— Existe a águia-careca, a águia-dourada, aquela águia preta — enumera Kendrick. — Elas comem peixe. Você conhece algum outro tipo? Eu não sei mais nenhum.

— Açor é um tipo de águia — comenta Ibrahim.

Kendrick anota a informação.

— Agora eu conheço quatro tipos — diz Kendrick.

— Se o coração se parte em dois dentro da caixa... Pensando alto aqui, só isso... Kendrick, será que a gente deveria considerar que Heather Garbutt deseja que encontremos um anagrama de "coração" e combinemos com um sinônimo para "caixa"?

— Talvez. Vai ver ela quer.

— Ou então — continua Ibrahim —, se o coração "rachou-se em dois", quem sabe o que deseja é que coloquemos um sinônimo de "caixa" no meio das duas partes de "coração", já que ele se partiu em dois?

— Talvez. A letra dela é feia, né? A minha é bonita, mas só quando eu me concentro.

— Nós precisamos de uma palavra diferente para "caixa" — aponta Ibrahim. — Temos "invólucro", "embalagem", "arca"... "lugar", se forçarmos um pouco. Ou pode ser ainda dinheiro em caixa! Nesse caso, "poupança", "reserva". Já "reserva" também pode ser um verbo conjugado...

— Um verbo é uma palavra para quem está fazendo alguma coisa.

— Isso mesmo. Aí teríamos "economiza", "poupa", "acumula". É tão rica a língua, não é?

— Quanto é cem vezes cem vezes cem? — pergunta Kendrick.

— Um milhão — diz Ibrahim, dando uma baforada no charuto. — Digamos que um anagrama de coração seja "Raco aço"... aí a gente adiciona um sinônimo de "caixa". Mas "Raco aço"... isso não faz sentido. E se for "melros" e não "coração"? "Rose LM"... Ainda não é um nome inteiro. Aí pegamos um sinônimo de "caixa", pode ser "arca", colocamos "Rose LM" em torno dele e temos "Rose Arcalm". Você pode dar uma busca em "Rose Arcalm" para mim e ver se aparece alguém de Kent ou Sussex ou uma pessoa ligada ao crime organizado?

Kendrick se ocupa disso por um instante.

— Tem só duas.

— Hum, me fala.

— Uma tá na Austrália e a outra morreu.

— Hum — repete Ibrahim. — A que morreu foi assassinada? Isso é recente?

Kendrick navega pela página.

— Foi em 1871. Em Aberdeen. Onde fica Aberdeen?

— Na Escócia — informa Ibrahim.

— Pode ser uma pista...

Ibrahim relê o texto, cogitando que, para sua infelicidade, talvez não passe de um mero poema. E eis que avista algo interessante.

— Ela escreveu mais alguma coisa? — pergunta Kendrick. — Isso aqui está bem difícil.

— Escreveu um bilhete, antes de morrer — diz Ibrahim, ainda analisando sua mais recente pista, testando sua consistência.

— Um bilhete?

— É, um bilhete. Prenunciando a morte dela. Mas acho que seu avô não gostaria que eu mostrasse pra você.

— Por favooooor!!! Eu não conto pro vovô!

— Acho que não vai fazer mal — concede Ibrahim.

Isso vai manter Kendrick ocupado por alguns instantes enquanto Ibrahim tenta decifrar o poema. Ele encontra o e-mail original de Chris e envia a imagem do bilhete de Heather Garbutt. Retorna então à questão premente e, mais uma vez, começa a ler o poema em voz alta, focando em uma nova estrofe desta vez.

Me lembro da infância, do córrego onde brincamos,
Daqueles segredos escondidos, daquelas promessas feitas
Onde o sol não tinha fim, onde a chuva não tinha começo
Do córrego onde brincamos, dele jamais me esqueço.

— "Segredos escondidos", bem, isso vale a pena investigar. Há uma repetição da ideia de brincar no córrego, deve ser o mais importante. "Brincar", "brincar". "Brin" é um nome, certo? E "córrego", hum... O sobrenome Corr é bem comum...

Estariam à procura de uma Brin Corr?

— Kendrick, procura pra mim, Brin Co...

— Tio Ibrahim, você me enganou.

— Eu enganei você?

Brin Corr. Brin Corr. Seria outra contadora, colega de Heather, talvez? Ou um pseudônimo?

Kendrick ergue os olhos do bilhete.

— A letra é diferente, né? No poema e nesse bilhete. No poema está toda estranha, no bilhete está direitinha. Eles não são da mesma pessoa.

Ibrahim compara os dois, seus olhos indo de um ao outro. Sim. Não poderia ser mais óbvio. Ibrahim era a única pessoa que vira os dois. Mas vira também uma série de coisas que não estavam lá, em vez daquilo que estava bem debaixo do seu nariz.

Não havia mensagem secreta, só um poema falando sobre solidão escrito por uma mulher que perdera toda a esperança. E um bilhete que alertava sobre seu risco de morte e lançava um apelo a Connie Johnson. Escrito por outra pessoa.

— Que bom que você se deu conta disso, Kendrick — comenta Ibrahim. — Eu sabia que você perceberia.

— Eu sei, era só um teste — diz Kendrick. — O que você queria que eu procurasse agora?

Ibrahim reflete sobre não ser a primeira vez que tende a complicar coisas simples. Então, ele ouve a voz da mãe do garoto, Suzi, filha de Ron, chamando-o para tomar seu lanche.

— Não precisa pesquisar nada — garante Ibrahim. — E, por ora, essa coisa da letra ser diferente fica entre nós.

— Legal, um segredo! Tchau, tio Ibrahim, te amo!

A imagem de Kendrick desaparece.

— Te amo também — diz Ibrahim.

Mais uma vez, Kendrick se provara a pessoa certa para a função. Se a vida em algum momento parecer complicada demais, se a impressão for de que ninguém pode ajudar você, às vezes a pessoa certa a quem recorrer é alguém com oito anos.

Heather Garbutt escrevera o poema, sobre isso não restava muita dúvida. Connie a vira escrevendo. O que significa que Heather Garbutt não escreveu o bilhete. Então quem foi? E por quê?

Ibrahim avisará imediatamente ao grupo sobre a descoberta.

Embora talvez omita alguns detalhes sobre como chegou a esta conclusão.

44

— Está feliz? — pergunta Mike Waghorn. — Você está com uma cara ótima.

— Estou feliz na medida do possível — diz Donna, se olhando no monitor do estúdio.

Ela não está nada mal. Pauline insistira em trabalhar no que seria seu dia de folga para fazer a maquiagem de Donna.

— Gravando em dois minutos — diz a diretora de cena.

O *Boa Noite, Sudeste* exibe uma reportagem sobre uma padaria que não trabalha com glúten e que vem dando o que falar em Folkestone.

— Eu falo que os crimes com faca estão aumentando — informa Mike a ela. — Você diz que a coisa não é tão simples assim, Mike. Eu digo deixa de conversa, não me venha com papo furado. Você diz algo tranquilizador e a gente põe pra rodar um VT de moradores de Fairhaven reclamando. Aí eu pergunto se você tem alguma mensagem para essas pessoas e você diz para não terem pesadelos ou o que quer que venha à sua mente. Você está com uma cara ótima mesmo, não fique nervosa.

— Obrigada.

Será que estava nervosa? Não se sente assim. Deveria estar? Ela observa o pequeno estúdio.

A diretora de cena com a prancheta, a operadora de câmera no Tinder, Carwyn, o produtor, emburrado em seu canto e, como um cão de guarda fiel, Chris, sentado, a observando. Desta vez, é ele quem está erguendo o polegar. Ela retribui o gesto. Se ficou chateado por ter sido preterido, não está deixando transparecer.

A diretora de cena já iniciou a contagem regressiva de dez segundos para entrarem no ar. A contragosto, a operadora de câmera largou o celular em pleno flerte.

— Conseguiram descobrir alguma coisa da história da Heather Garbutt? — pergunta Mike, dessa vez num sussurro.

— Estamos tentando. O caso não é exatamente nosso, mas estamos seguindo uma pista. — Donna passara a manhã toda checando as placas dos veículos do Juniper Court.

— É só que... — diz Mike.

— Eu sei. Eu sei o que a Bethany Waites significava para você.

— Ela não estava para brincadeiras. Vocês procuraram...

A diretora de cena dá a deixa ao estúdio.

— Facas aos montes nesta padaria, sem dúvida — começa Mike, olhando para a câmera. — E facas aos montes nas ruas de Kent também. Mas, neste caso, não se trata de um "ganhar o pão", mas de "cortar a carne". Para conversar sobre o preocupante aumento recente nas estatísticas de crimes com faca, temos aqui a policial Donna de Freitas, da polícia de Fairhaven. Policial De Freitas, o índice de crimes com faca está aumentando?

— Olha, não é tão simples — responde Donna. — É...

— Ah, deixa de conversa. Ou está aumentando ou não está. A mim, parece algo bem simples de responder, e os espectadores do *Boa Noite, Sudeste* concordarão comigo.

— Acredito que talvez você devesse dar um pouco mais de crédito aos espectadores do *Boa Noite, Sudeste*.

Mike, fora do enquadramento, ergue um polegar para encorajá-la.

— Nos últimos seis meses, nós priorizamos o combate aos crimes com faca, alocamos todos os nossos recursos nisso — continua Donna. — Foram mais investigações, mais denúncias, mais condenações. Como resultado, é evidente que os números subiram. Porém os crimes com faca vêm se tornando cada vez mais raros nas ruas de Fairhaven, Maidstone ou... Folkestone. E, por sinal, da próxima vez que eu for a Folkestone, vou visitar aquela padaria. As coisas lá não pareciam uma delícia?

— Eu vou junto, policial De Freitas, eu vou junto. Quem me dera que a TV também transmitisse o cheiro de lá.

— Aliás, pode me chamar de Donna — diz ela, antes de olhar diretamente para a câmera. — E isso vale para vocês em casa também. Eu trabalho a serviço de vocês.

— Sua primeira vez no *Boa Noite, Sudeste*, Donna, mas suspeito de que não será a última. Vamos ver o que o povo de Fairhaven tem a dizer sobre crimes com faca.

O VT começa. Mike balança o indicador com admiração.

— Você é boa. Você é boa.

— Obrigada, Mike. Até que é divertido, não é?

Chris se aproxima, agachado, como quem quer evitar ser capturado pela câmera.

— Uau! — exclama ele.

— Você ficou impressionado mesmo?

— Fiquei. A menção à padaria, a olhada para a câmera. Quando você planejou tudo aquilo?

— Não planejei — responde Donna. — Fui no instinto.

— Trinta segundos para acabar o VT — avisa a diretora de cena. — Saiam do estúdio, por favor.

— Você leva jeito — elogia Chris. — Sua mãe tirou uma foto da tela e me mandou.

— As pessoas gostam muito mais quando a gente aparece na TV do que quando captura criminosos — opina Donna.

— Você é boa nos dois — diz Chris.

— Voltamos em dez... — inicia a diretora de cena.

Carwyn Price, o produtor, se aproxima de Donna.

— Brilhante, brilhante mesmo — declara Carwyn. — Quer sair para beber alguma coisa comigo depois?

— Foi mal, mas já tenho planos — responde Donna, e se martiriza por ter usado um tom de quem pede desculpas.

Ela recebe uma mensagem no celular. É de Bogdan, assistindo ao programa em casa. Ela dá uma rápida olhada enquanto a contagem do estúdio chega a cinco. São três emojis.

Uma estrela, um coração e um joinha.

Um coração, veja só. A câmera entra ao vivo bem a tempo de capturar o olhar radiante de Donna.

45

A foto está ótima. Bem realista. Viktor Illyich, morto e enterrado. Bem, Viktor Illyich enterrado, isso com certeza. O Viking agora usa a imagem como fundo da tela de bloqueio do celular.

Poderia ter sido forjada? Claro que sim. Tudo pode. Coçando a barba, o Viking se lembra de ter sido apresentado certa vez a Brad Pitt numa festa no Vale do Silício. Brad se recusara a tirar uma selfie com ele, dizendo "isso aqui é uma festa particular, relaxa", uma babaquice hollywoodiana qualquer. Ao chegar em casa, portanto, o Viking usara o Photoshop para montar uma foto sua com Brad, este gargalhando alto de uma piada sua. A foto agora fica na sua cozinha e, se alguém um dia visitá-lo, não será capaz de notar que é uma montagem. Conhecer as pessoas, não conhecê-las, hoje em dia dá tudo na mesma. A ralé que se preocupe com a realidade das coisas.

Espionando o prédio à frente, o Viking chega à conclusão de que precisa parar de se irritar por causa de Brad Pitt por um momento e se concentrar na questão premente. Ele também se sente tímido, exposto assim na rua. As pessoas o encaram. Ele nasceu grande demais. Mal pode esperar para voltar pra casa.

O assassinato em si? Com certeza lhe soou real enquanto o ouvia à distância, de sua biblioteca em Staffordshire. Mas por que, em seguida, Elizabeth Best jogara fora o celular? Pode ter sido só um grau admirável de cautela. Ou Elizabeth e Viktor poderiam estar lhe passando a perna. Dois velhos espiões se achando capazes de enrolar um novato. O Viking às vezes não tem muita autoconfiança. Acredita tratar-se de síndrome do impostor.

O Viking olha para cima, para a piscina, suspensa no ar muito acima dele. Se acertasse um míssil nela, toda a estrutura desabaria e as pessoas despencariam lá de cima. Morreriam na hora. Como não há ninguém na água no momento, seria um desperdício de míssil. Ele pensa em disparar um contra Brad Pitt. "A festa é particular, Brad. Relaxa um pouco." Aí, *catapum*, quem sabe você não trata melhor seus fãs da próxima vez.

Porém, por mais tentador que seja matar gente, também é ruim. E difícil.

Entrar no prédio é fácil. O Viking tem um cliente, um ladrão de carros de luxo, no décimo segundo andar. O cliente envia dinheiro ao Viking, que o transforma em Bitcoins ou qualquer que seja a criptomoeda em alta naquela semana e o devolve ao cliente lavado de maneira impecável. Não era tão simples assim, é evidente. Caso contrário, todo mundo faria o que o Viking faz. Mas sua genialidade residia no algoritmo que movimentava o dinheiro pela deep web, tornando todo o esquema praticamente indetectável. Até aquele momento, na verdade, ele se provara *completamente* indetectável, mas o Viking prefere o termo "praticamente indetectável" porque é sueco, e suecos não gostam de se gabar.

Sua clientela só aumenta e, com ela, a sua fortuna pessoal. Ele fica com uma parte de cada transação. Quanto maior e mais complicada a transação, maior seu lucro. Dez anos atrás, trabalhava para uma start-up de pornografia gerada por inteligência artificial, em Palo Alto. Hoje, sua fortuna está avaliada em mais de três bilhões de dólares.

O Viking pega o elevador, passa do décimo segundo andar e vai direto para a cobertura, onde Viktor Illyich morava. Onde quer que se fosse, Viktor inspirava confiança, por pouco não era venerado, alguém que sempre acerta o alvo num mundo em constante movimento. Ele falava e os criminosos ouviam, ele dava conselhos e os criminosos acatavam.

Por isso o Viking queria dar um fim nele. Viktor sempre recomendava lavarem dinheiro à moda antiga. Por meio de imóveis, cassinos, "mulas" e empresas de fachada. Ouro ou pedras preciosas, ou as boas e velhas casas de câmbio, um método bem retrô. Tudo muito seguro, sem dúvida, mas tomava tempo demais e custava muito caro. Ao passo que, ao investir em criptomoedas, *ganhava-se* muito dinheiro.

Viktor vinha custando ao Viking uma grana absurda. É verdade, o Viking valia três bilhões de dólares, e isso deve ser mais que suficiente para qualquer um, mas Jeff Bezos vale duzentos bilhões e o Viking não curte ser 197 bilhões mais pobre do que ninguém. Viktor está ciente da existência do Viking, do negócio dele, mas não faz ideia de sua identidade.

A imensa porta do apartamento de Viktor foi comprada de, e instalada por, uma empresa israelense de tecnologia. Tranca inquebrável, tecnologia de ponta, de grafeno e Kevlar, com revestimento personalizado. Viktor optou por teca do Alasca. A empresa cresceu muito atendendo às necessidades de segurança de mafiosos internacionais. Viking sabe bem disso, pois a empresa é sua.

Ele abre a porta.

Está ali só por desencargo de consciência. Elizabeth Best tivera um motivo muito bom para matar Viktor Illyich. A ameaça à amiga dela fora o golpe de mestre, mas esse tipo de coisa não custa checar. E o apartamento de Viktor é tão próximo do heliporto de Battersea que a viagem foi coisa simples para o Viking. Quando sair, talvez vá comer um sushi, o que não é fácil de achar em Staffordshire. Há um lugar bacana chamado Miso em Stoke, mas o Viking foi proibido de entrar no estabelecimento desde que disparou por acidente um revólver no banheiro. Não leva muito jeito com armas. Não deveria nem ter uma.

O Viking checa a cobertura. Bonita, com certeza. Talvez falte um toque feminino. A vista é muito agradável. A London Eye, o Big Ben, o Banco da Inglaterra. Daria para atacar qualquer um deles com um míssil diretamente da sacada de Viktor. Isso, sim, causaria um rebuliço. O Viking percebe como tem pensado em ataques com mísseis nos últimos tempos. Em grande parte, por ter acabado de adquirir um lança-mísseis. Foi uma compra por impulso. Afinal, quando se tem tanto dinheiro quanto ele, não restam muitas novidades. Fora que dá para comprar lança-mísseis com Bitcoin. Por ora, tudo o que fez foi explodir um celeiro.

Pelo áudio que escutara ao vivo, o Viking tenta recriar a cena do crime. Percebe que Elizabeth deve ter conduzido Viktor por baixo de uma passagem larga à direita, avançando pelo corredor acarpetado até o box do chuveiro. Refaz estes passos.

Ninguém ouve falar de Viktor desde os tiros, o que é bom sinal. Os boatos sugerem que está morto. Certos círculos estão entrando em pânico, o que deixa o Viking muito satisfeito. Ele entra no box.

A faxina foi muito bem-feita, lógico. Elizabeth Best é profissional. Em algum momento, alguém em posição de autoridade vai reparar no desaparecimento de Viktor, e é quando haverá uma busca na cobertura por pistas. O Viking pressupõe que Elizabeth não terá deixado nenhuma. Não haverá manchas carmesim de sangue nas paredes nem miolos grudados em algum ralo.

Mas deveria haver um buraco de bala em algum lugar, talvez até a própria bala.

O Viking saca uma arma imaginária e a aponta para a cabeça imaginária de Viktor. Aperta o gatilho e estima a possível trajetória da bala. Deveria ter perfurado o vidro do box, mas é evidente que não foi o caso. Deveria ter se alojado bem no fundo de uma das placas de mármore turco, mas, de novo, é evidente que não foi o caso.

Ele sabe que a bala perfurou o corpo de Viktor Illyich, saindo pelo outro lado, viu evidências do buraco de saída do corpo. Cadê o projétil, então? Seria Elizabeth Best mais alta que Viktor? Teria atirado para baixo? O Viking baixa o olhar, vistoriando as paredes. Nada.

Estaria o ângulo da arma voltado para cima? É assim que espiões matam alguém? O Viking levanta a cabeça, mas continua sem ver marca alguma de bala. Inspeciona o espelho na parede do outro lado, e é quando o avista. O buraco no teto. O Viking olha para cima, quase que diretamente acima do ponto onde está. O ponto onde Elizabeth Best teria estado. Um buraco de bala. Um tiro diretamente no teto.

O Viking fita o buraco. Reconhece nele uma série de significados.

Significa, em primeiro lugar, que Viktor Illyich não está morto. O tiro ouvido foi disparado para cima, não contra Viktor Illyich. O que significa outra coisa: Elizabeth Best acha que o Viking tem cara de trouxa. Subestimou suas habilidades. Ele não gosta disso nem um pouco. Suspira.

Pois o significado mais importante a extrair dali é que agora terá de matar Viktor Illyich ele mesmo. E, é óbvio, punir Elizabeth, o que significa que ele também terá de matar Joyce Meadowcroft.

O que é irritante. Muitíssimo irritante.

46

Joyce

Joanna apareceu hoje para almoçar e trouxe o namorado, o dirigente do clube de futebol. E calhou de eu estar com um ex-coronel da KGB no quarto de hóspedes. Tive que dar algumas explicações.

Fico feliz de ela não ter aparecido no outro dia, quando Viktor estava coberto de lama. Sei que meu chuveiro é potente, mas nem ele estava dando conta.

Expliquei que Viktor era um velho amigo da Elizabeth e que ficaria aqui por um tempo, enquanto fazia obra no seu apartamento. Joanna perguntou a Viktor onde ficava o apartamento, Viktor disse que era em Embassy Gardens, Joanna perguntou se era aquele prédio da piscina, Viktor admitiu que era, o dirigente do clube de futebol (Scott o nome dele) disse que os apartamentos ali valiam milhões, Viktor admitiu que era isso mesmo, Joanna comentou que então ele estava fazendo uma obra num apartamento milionário mas estava hospedado aqui, com a mãe dela, e Viktor disse que não poderia imaginar lugar melhor para ficar em toda a Inglaterra, e Joanna foi direta e perguntou se havia alguma coisa estranha acontecendo, nós admitimos que, sim, tinha algo estranho acontecendo, eu mostrei a Joanna a foto de Viktor na cova e disse que lhe contaria tudo no almoço. Joanna se virou para Scott e disse, bem, não diga que eu não tinha te avisado e minha mãe não era assim antes, tá. Scott perguntou ao Viktor para que time ele torcia, Viktor respondeu Chelsea, Scott disse que conhecia pessoas lá e poderia conseguir um camarote especial, e que Viktor devia aparecer um dia desses para ver um jogo, mas Viktor disse que não precisava se preocupar pois ele já tinha um camarote.

Inventei uma desculpa para Joanna ir até a geladeira e ela de cara bateu o olho no leite de amêndoas. Disse que eu deveria comprar o que tinha menos açúcar, mas deu pra perceber que considerou um passo na direção certa.

Alan gosta do Scott, por sinal, o que eu considero um bom indicativo. Apesar de que, até agora, Alan gostou de todo mundo.

Eles acabaram de ir embora. Scott tem um Porsche, ele o mostrou ao Viktor, que só fez aquele típico movimento de cabeça que os homens fazem. Joanna me chamou num canto e me perguntou se havia alguma coisa entre mim e Viktor, e falei que não. A reação dela foi uma mistura de alívio com decepção. Ele é um amor, o Viktor, muito gentil, mas não faz o meu tipo. Gerry era o meu tipo, Bernard era o meu tipo. Talvez um dia apareça outro. Mas é melhor que seja logo, já estou com quase setenta e oito.

Ontem à noite, Ibrahim chamou todos nós para o seu apartamento. Ele nos mostrou o poema de Heather Garbutt, aquele que Connie Johnson tinha encontrado, e o bilhete. O bilhete que não foi escrito por Heather Garbutt. Mas então por quem?

Convenci Elizabeth a fazer um pequeno passeio comigo. Até Elstree, onde Fiona Clemence grava o *De Olho no Relógio*. Dá pra ir de trem. Joanna conhece alguém que conhece grava o que conhece alguém, e eu estou torcendo para termos uma chancezinha de falar com ela. E vocês nos conhecem: para nós, basta uma oportunidade.

A propósito, estou terminando de ler *Depoimento prestado*. Um dos livros escritos pelo chefe de polícia de Kent. Eu só o peguei para ler porque estou com um da Hilary Mantel à espreita na minha mesa de cabeceira e ainda não estava com vontade de encará-lo.

O enredo não é de todo ruim, prende mesmo o leitor.

Alguém tenta assassinar o chefe, Big Mick, de uma família do submundo do crime de Glasgow, mas o guarda-costas se lança bem na frente dele antes de a bala acertá-lo. Daí o livro é sobre o chefão tentando descobrir quem tentou atirar nele. Isso desencadeia uma enorme guerra entre as gangues, e dá pra perceber que Andrew Everton é um policial de verdade, porque tudo parece real.

O engraçado é que, no final, depois de todo o sangue derramado e muitos palavrões, descobrimos que na verdade o alvo era o guarda-costas: sua namorada o pegou a traindo. Então ninguém estava tentando matar o Big Mick, e toda a carnificina foi em vão.

Já li coisa muito pior, é só o que tenho a dizer. Ainda consigo ver o livro da Hilary Mantel com o canto do olho. Eu sei que vou gostar, mas preciso me preparar antes de ler.

Sabe outra coisa que pensei enquanto estava lendo o romance de Andrew Everton? Que talvez eu devesse escrever um livro.

47

A mensagem chega quando Elizabeth está indo dormir. É o Viking.

Você cometeu um grande erro.

Cometeu? Elizabeth pensa na foto.

A bala. A bala que errou o alvo.

O Viking esteve no apartamento de Viktor. Como isso é possível? Ele viu o buraco da bala. Ela fora desleixada. Mas, sério, como diabo ele entrou lá?

Essa é minha última mensagem. Vou atrás de todos vocês.

Bem, agora terão que encontrar o Viking. Encontrá-lo antes que ele os encontre. Stephen olha em sua direção.

— Algum problema?

— Joyce não consegue fazer o termostato funcionar — responde Elizabeth.

— Só resetando — comenta Stephen. — Do contrário, não adianta, ele só faz o que quer.

O que Elizabeth sabia? Pouquíssimo. Viu o Viking, é claro. Essa é uma vantagem. Mas ele ter permitido isso indica que o sujeito se sente em total segurança. Está em algum lugar de Staffordshire, sabe-se lá por quê. E numa casa bem grande. Que tem uma biblioteca. E isso é tudo o que Elizabeth sabe. Ela se lembra do olhar de Stephen explorando a biblioteca, maravilhado.

— O que você achou da biblioteca do Viking?

— Como é? — pergunta Stephen.

— A biblioteca do Viking. Você parecia fascinado. Algum motivo para isso?

— Não entendi qual é a desse papo, querida. Vikings? Bibliotecas? Você andou bebendo gim?

— Você estava olhando os livros dele — explica Elizabeth.

— Acho que você está se confundindo — diz Stephen.

Elizabeth se senta e o encara.

— Stephen, aquela noite. A van, o homem de barba. Está lembrado?

Stephen ri.

— Isso está estranho até para os seus padrões. O que a gente vai fazer amanhã? Pensei em dar uma passada na casa da minha mãe. Você sabe como ela fica...

Elizabeth tenta controlar a respiração mais uma vez, porém não consegue. Sente que vai começar a chorar. Stephen a abraça.

— O que deu em você agora? — indaga Stephen. — Estou aqui, boba, estou aqui. Você sabe que, se tiver um problema, eu dou um jeito.

Elizabeth joga os pés para fora da cama e corre para o banheiro. Tranca a porta e desaba recostada nela. As lágrimas chegam. Não com facilidade, pois chorar nunca é fácil para Elizabeth. Ela se lembra de como chorava quando o pai lhe batia. Porque ele a amava, como a amava... De como ele continuava a bater e bater até ela parar. Até que um dia ela parou de chorar de vez.

Ela também se lembra de quando esteve sentada ao lado da cama do pai, muitos anos depois, de licença vinda de Beirute. Ele estava morrendo de câncer numa unidade de cuidados paliativos em Hampshire. Segurou a mão dele, ossuda e perversa, e pensou em tudo que aquele homem poderia ter tido na vida. Tudo que ela poderia ter tido. E ainda assim não chorou, com medo do que ele poderia fazer se ela chorasse.

Será que em breve estará segurando a mão de Stephen num lugar como aquele? É claro que sim. Mas, com ele, ela vai rir, vai amá-lo, sentir gratidão por tê-lo tido na vida e pela mulher que se tornou graças a ele. E vai chorar as lágrimas que passara uma vida inteira se negando a verter.

48

Bogdan está apaixonado. Não há sombra de dúvida. Ele tem certeza.

Tem mesmo?

É o que *sente*.

Mas será que sentimentos são confiáveis?

Estão a caminho para encontrar com Jack Mason. Dessa vez, levam Viktor a tiracolo. Bogdan dirige o Daihatsu de Ron.

Ele queria que alguém lhe ensinasse a lidar com isso. Já tinha se apaixonado na época da escola, ele se lembra, mas nada nunca mais tinha sido tão simples. Ele precisa dar um jeito de jogar xadrez com Stephen logo. Stephen vai saber.

Ele tem certeza de que gosta muito, muito, muito de Donna. Mas quantos desses "muito" são necessários para transformar "gosta de" em "ama"? Quatro? Cinco? Bogdan queria que houvesse uma resposta clara. Um revólver acomoda seis balas. Na caixa de tijolos de um pedreiro cabem doze tijolos. Um ovo tem treze gramas de proteína. Mas e o amor? Tenta jogar no Google. Não tem resposta, Bogdan já pesquisou.

Ron está no banco do carona. Vira-se para o banco de trás para falar com Viktor.

— Você conhece a Elizabeth faz muito tempo?

Viktor Illyich se estica, as articulações estalando. Acabaram de deixá-lo sair do porta-malas e retirá-lo da bolsa de viagem. Tinham parado numa trilha mata adentro há pouco mais de um quilômetro de Coopers Chase, logo que Bogdan se certificou de não estarem sendo seguidos. Elizabeth lhe dera instruções rígidas.

— De muito tempo atrás — diz Viktor. — Outra vida.

— Conta algum segredo pra gente, então — pede Ron. — Algo que ela não gostaria que a gente soubesse.

Viktor reflete por um instante.

— Está bem. Elizabeth é a melhor amante que eu já tive.

— Jesus — solta Ron. — Eu quis dizer alguma coisa sobre atirar em espiões russos, algo assim.

— Ela era tão doce... — retoma Viktor. — Mas também um animal enjaulado.

Ron liga o rádio na estação de esportes.

Viktor se perde nas lembranças.

— Ela fez comigo coisas que mulher nenhuma...

Ron indica o rádio com a cabeça e comenta:

— O Liverpool vai contratar o Sanchez? Que desperdício de dinheiro.

Bogdan sente-se tentado a entrar na conversa. Para falar de amor. Quem sabe perguntar alguma coisa? Mas sem entregar nada. Será que faria papel de bobo? Um grandalhão polonês bronco, o que ele poderia entender de amor? Decide que vai dizer algo. Não sabe o que vai ser até que as palavras saem de sua boca.

— Quanto vão pagar pelo Sanchez, Ron?

Ah, Bogdan...

— Trinta milhões — responde Ron. — Em parcelas, mas ainda assim.

Bogdan assente. Só está ali mesmo para dirigir e carregar Viktor para fora e para dentro do carro.

Enquanto Ron conta uma piada sobre um papagaio que morava num bordel, Bogdan pensa um pouco mais sobre o caso. Viktor falara algumas coisas antes de Bogdan fechar o zíper da bolsa com ele dentro. Agora, no interior da bolsa, há uma almofada, um exemplar da *Economist* e uma pequena lanterna.

Viktor lhe explicara o básico a respeito de lavagem de dinheiro, a complexa rede de empresas de fachada anônimas e contas no exterior capazes de transformar dinheiro sujo em limpo por meio de uma trilha quase impossível de ser rastreada. Quase impossível.

Bogdan perdeu o fim da piada sobre o papagaio. Ron já está contando outra, essa sobre uma freira num trem.

A grande sacada era cavucar cada vez mais o começo, seguir o rastro do dinheiro em ordem cronológica reversa até encontrar o pecado original. As primeiras transações eram as vulneráveis. Viktor afirmara que era como puxar um tapete. Era só pôr a unha sob um minúsculo cantinho e às vezes dava para levantá-lo inteiro de um puxão só. Foi o que acontecera com a Trident: uma transação inicial, um erro. Mas aquela pista não os levara a nada. Talvez precisassem ir ainda mais para trás.

Chegam à casa por volta das duas. Uma mansão elisabetana encarapitada bem no alto de um penhasco em Kent, com o Canal da Mancha a descortinar-se lá embaixo até onde a vista alcançava. Param num bosque a cerca de um quilômetro e meio dali e enfiam Viktor de volta na bolsa. Como vão explicar a Jack Mason a presença desse ucraniano numa bolsa de viagem não é da conta de Bogdan. Ele só precisa carregá-lo.

Bogdan sobe a longa entrada de carros ao volante do Daihatsu e estaciona o mais perto possível dos degraus de pedra da entrada. A bolsa espirra e Bogdan diz:

— Saúde.

Se Jack Mason fica surpreso ao ver um polonês grandalhão abrir o zíper de uma bolsa de viagem e retirar dela um ucraniano baixinho, esconde muito bem sua reação.

— Volto pra buscar vocês hoje à noite — avisa Bogdan a Ron e Viktor.

— Obrigado, meu caro — diz Ron. — Mas eu não volto hoje para Coopers Chase. Vou dormir na Pauline. É em Fairhaven, tudo bem pra você?

— Sem problema — responde Bogdan.

— Bom rapaz. É no Juniper Court, logo depois da Rotherfield Road.

49

Joyce está unindo o útil ao agradável. Havia um anúncio na TV anos atrás, talvez de doces, cujo jingle era "Dois favoritos meus num só". E eis Joyce aqui, prestes a assistir à gravação de um programa de TV e, assim ela espera, conversar com uma suspeita de assassinato.

Da última vez que ela e Elizabeth haviam pegado um trem, a amiga carregava uma arma na bolsa. Será que hoje também? Ela parece meio dispersa.

— Você está dispersa — comenta Joyce, vendo Elizabeth espreitar todos os cantos do vagão.

— Estou o quê? — pergunta Elizabeth.

— Dispersa.

— Impressão sua.

— Interpretei mal, então.

Haviam trocado de trem primeiro na London Bridge, depois em Blackfriars. A estação de Blackfriars fica numa ponte, o que deixou Joyce fascinada. Apesar de ali haver apenas uma Costa Coffee. Aparentemente, também contava com uma WHSmith, mas seria necessário pegar a escada rolante e Joyce não queria correr o risco de perder o trem seguinte. Ela daria um pulo lá na volta. As duas conversaram sobre a descoberta de Ibrahim, de que o bilhete deixado na gaveta de Heather Garbutt havia sido escrito por outra pessoa. Pelo assassino, presume-se, mas por que o assassino mencionaria Connie Johnson? A não ser que fosse *Connie Johnson* a assassina, mas mesmo assim não faria sentido.

Acabam de fazer baldeação para Elstree & Borehamwood, onde Fiona Clemence grava o *De Olho no Relógio*. Joyce explica as regras para Elizabeth pela enésima vez.

— Convenhamos, para uma mulher tão culta, às vezes você é bem tapada, Elizabeth. São quatro jogadores. No início do jogo, os cronômetros de todos registram cem segundos. Quanto mais tempo eles demoram para responder às perguntas, mais tempo eles perdem. Se o cronômetro de alguém chega a zero, a pessoa é eliminada.

— Não, essa parte eu entendi. O resto todo é que não faz sentido algum.

— Como assim, não faz sentido? — contesta Joyce. — Cada um tem direito a quatro salva-vidas. Com eles, você pode roubar dez segundos de um oponente, parar o próprio cronômetro, acelerar o de um oponente ou trocar a pergunta. Roubar, Parar, Acelerar ou Trocar, simples assim. Ah, e se um oponente rouba de você ou acelera seu cronômetro, você recebe um salva-vidas adicional, chamado "Vingança", que pode ser usado até quando você já estiver fora do jogo. Todos os segundos que ainda restarem ao vencedor são convertidos em dinheiro e, para ganhar esse dinheiro, ele tem doze perguntas a responder, na maior correria, de um a doze, até o tempo acabar. Não poderia ser mais simples.

— E isso passa na televisão? — Elizabeth observa minuciosamente um homem que passa ao lado delas.

— Todo dia. Dá pra assistir ao programa em vez de ver o noticiário. Por isso é que é tão popular.

O trem para em Hendon, lar do célebre centro de treinamento para policiais. Joyce manda uma mensagem a Chris dizendo "Adivinhe onde nós estamos? Hendon!", mas a resposta dele é "Eu não fiz meu treinamento em Hendon". Joyce então manda a mesma mensagem a Donna, mas por enquanto não recebe resposta.

— Me conta da Fiona Clemence — pede Elizabeth.

— Era uma produtora júnior quando Bethany apresentava o *Boa Noite, Sudeste*. Quando Bethany morreu, ela virou a apresentadora. Muito ambiciosa, mas as pessoas só chamam uma mulher de "ambiciosa" quando querem criticar, não é?

— Fui chamada muitas vezes de ambiciosa — comenta Elizabeth.

— Ela apresentou o programa por cerca de dois anos. Dava pra ver que já estava ambientada. Aí foi trabalhar para a Sky News. Sempre gostei de acompanhá-la, sabe como é. Vai que ela falava alguma coisa aqui da área... Aí começou a apresentar o *Breakfast News* na BBC e agora apresenta tudo. Outro dia estava até numa exposição de cachorros.

— Tenho certeza de que ela é famosa, Joyce, mas só o que me interessa é o que ela puder nos contar sobre Bethany Waites.

— Você jura que nunca ouviu falar dela? Acho tão difícil de acreditar nisso!

— Você já ouviu falar de Beryl Deepdene?

— Não — responde Joyce.

— Pois é, pessoas diferentes têm interesses diferentes.

— Quem é Beryl Deepdene?

— Era o codinome de uma espiã inglesa muito corajosa que operava em Moscou nos anos 1970. Muito conhecida no meu círculo.

— Duvido que Beryl Deepdene tenha ganhado um TV Choice Award — argumenta Joyce.

— E eu que Fiona Clemence tenha ganhado uma Cruz de Jorge. Cada um com seu cada um, não é? Ah, olha, chegamos.

Da estação de Elstree & Borehamwood até o estúdio, a caminhada é de dez minutos. Para Joyce, nada como uma grande rua comercial por onde nunca tenha passado. Ela aponta uma série de coisas para Elizabeth. "Starbucks, Costa e Caffè Nero, como seria de se esperar." "Essa Holland & Barrett não parece maior que o normal?" "Meu Deus, aqui ainda tem um Wimpy, Elizabeth."

Uma fila serpenteia a partir dos portões de segurança do estúdio, mas Joyce e Elizabeth vão direto até a frente. Joanna tem um amigo cuja irmã é gerente de produção no programa, o que quer que isso queira dizer, e lhes arranjou convites especiais. São conduzidas a um bar onde lhes oferecem chá e café. Joyce fica pasma.

— Não é o máximo? Você já apareceu na televisão alguma vez, Elizabeth?

— Uma vez fui convocada a apresentar provas à Comissão Investigativa de Defesa. Mas eles tinham a obrigação legal de pixelar o meu rosto. E teve uma vez em que apareci num vídeo como refém.

As duas são chamadas para o estúdio e acomodadas em assentos na primeira fila. Faz um frio de rachar, mas a produção pede a elas que retirem as luvas ("senão, não vai dar para ouvir os aplausos de vocês"). É proibido comer no estúdio, mas Joyce abre a bolsa só o suficiente para mostrar a Elizabeth que contrabandeou jujubas. Enquanto esperam, Joyce pega o celular. Ela avista um segurança.

— A gente pode fotografar?

— Não — responde o segurança.

— Entendido — diz Joyce.

— Isso com certeza não vai impedir você, não é, Joyce?

— Claro que não — garante ela, tirando uma foto. — Essa vai direto para o Instagram.

— Mas aí, de certa forma, me pergunto por que você quis saber.

— Só para ser educada, né? — rebate Joyce, tirando mais uma foto. — Sabia que a Fiona Clemence tem três milhões de seguidores no Instagram? Dá pra imaginar?

— Mal consigo.

Joyce já estava guardando o celular quando finalmente chega a resposta de Donna. "Não fiz meu treinamento em Hendon, Joyce." Onde é que esse pessoal todo treina hoje em dia?, pensa Joyce.

Ela espera que Ron e Viktor também estejam tendo um dia agradável. Deu tchau a eles pela manhã, com Bogdan ao volante. Jack Mason tem uma mesa de sinuca e, pelo jeito, isso significa que Ron e Viktor passarão o dia todo fora. Joyce entende o fascínio da sinuca. Aqueles jogadores profissionais de colete e tudo. Ela acha que se casaria com Stephen Hendry, se pintasse a oportunidade.

O volume da música ambiente do estúdio começa a diminuir e a plateia aplaude a entrada em cena de Fiona Clemence.

— Que pele impecável — diz Joyce a Elizabeth. — Não é impecável?

— Quanto tempo isso vai levar? Só vim mesmo para fazer umas perguntas a ela.

— Não demora muito — responde Joyce. — Só umas três horas.

O conhecido tema de abertura do programa começa a tocar.

O combate está empatado e disputadíssimo. Bogdan, seu bispo e seus peões, Stephen e sua torre. Os dois têm experiência suficiente para saber no que isso vai dar, mas ainda assim está divertido. Stephen parece mais magro. Esquece de comer quando não há ninguém no apartamento com ele, e Elizabeth tem andado ocupada. Ele praticamente engoliu os sanduíches que Bogdan lhe preparou. Há um escondidinho na bancada da cozinha, que Bogdan também vai botar no forno daqui a uma hora.

— Posso perguntar uma coisa para você, como amigo? — diz Stephen, olhos grudados no tabuleiro.

— Diga.

— É ridículo. Aviso logo.

— Estou acostumado — retruca Bogdan. — Você é ridículo.

Stephen assente e fixa o olhar entre as suas peças e as de Bogdan, em busca de saídas que não existem.

— Você acha que eu estou bem? — pergunta ele, sem encarar o outro.

Bogdan espera um instante. Já tiveram essa conversa antes. Variações dela, ao menos.

— Bem, ninguém está. Você está ok.

— Se você diz... — Os olhos de Stephen ainda evitam o contato. — Mas tem algo meio confuso. Algo está errado. Sabe como é isso?

— Claro.

— Por exemplo... — continua Stephen, fazendo então uma pausa. — Não sei onde a Elizabeth foi hoje.

— Foi à gravação de um programa de TV. Com a Joyce.

— Ah, eu conheci a Joyce. Outro dia. De onde elas se conhecem?

— É uma vizinha. Ela é muito legal.

— Deu pra notar — concorda Stephen. — Mas ainda assim. Estranho eu não saber onde a Elizabeth está, não? Não é incomum?

Bogdan dá de ombros.

— Ela pode não ter contado para você. Ela gosta de ter segredos.

— Bogdan. — Stephen o encara, afinal. — Eu não sou idiota. Bem, somos todos idiotas, mas não sou mais do que a média. Eu tenho deixado passar coisas de tempos em tempos, as pessoas não fazem mais sentido para mim como faziam.

Bogdan assente.

— Meu pai, que Deus o tenha, se perdeu completamente no final — conta Stephen. — Naquela época a gente chamava de lelé da cuca. Talvez hoje em dia usem outro termo.

— É, acho que não se fala mais isso — concorda Bogdan.

— Às vezes ele virava para mim e perguntava "cadê a sua mãe?". — Stephen move uma peça no tabuleiro. Um movimento neutro, sem riscos, sem ganhos. — Só que a minha mãe já tinha morrido, muitos anos antes.

Bogdan contempla o tabuleiro. Deixa Stephen falar. Responder, apenas se algo lhe for perguntado.

— Você entende, então — prossegue Stephen —, por que me preocupa eu não saber onde a Elizabeth está hoje?

Ok, isso soou como uma pergunta. Bogdan o encara.

— De algumas coisas a gente lembra, Stephen. De outras, esquece.

— Hum.

— A primeira vez que eu achei que estava apaixonado — diz Bogdan. Ultimamente, ele tem pensado sobre isso. — Sabe, quando você chega a ficar doente...

— Ô, como sei.

— Era uma menina do colégio. A gente tinha nove anos. Era a aula do Sr. Nowak. Ela sentava na frente, à esquerda, com os lápis todos organizados em cima da mesa. Quando escrevia, colocava a pontinha da língua para fora. Morava numa rua perto da minha. Às vezes a gente voltava juntos pra casa, quando eu conseguia dar um jeito pra isso acontecer. Ela usava sapatos com fivelas prateadas, então não gostava de pisar em poças. Eu gostava, mas quando estava com ela fingia que não. Era um amor que me consumia, Stephen, me consumia. O pai dela era da Força Aérea e foi transferido para o exterior, então ela saiu da escola, ela nem se despediu porque não sabia que nós dois estávamos apaixonados. Como ia saber? Mas eu ainda me lembro de como eu me sentia, do cheiro dela, da risada dela, todos esses detalhezinhos. Eu me lembro de tudo.

Stephen sorri.

— Bogdan, seu velho romântico. Como ela se chamava?

Bogdan ergue os olhos do tabuleiro e depois as mãos, dando de ombros devagar.

— De algumas coisas a gente esquece, Stephen.

Stephen sorri mais uma vez e faz um aceno positivo com a cabeça.

— Muito esperto da sua parte. Mas você me diria? Me diria se sentisse algo de errado? Não posso perguntar à Elizabeth. Não quero preocupá-la.

Esta pergunta, vale lembrar, Stephen já fez a Bogdan várias vezes. E a resposta é sempre a mesma.

— Se eu te diria? Para ser sincero, não sei. O que você faria se uma pessoa que você amasse perguntasse isso?

— Acho que, se eu achasse que iria ajudar, contaria — responde Stephen.

— E, se achasse que não ajudaria, não contaria.

Bogdan assente.

— Gostei. Acho que é bem por aí.

— Mas você acha que eu estou bem? Que estou exagerando?

— É exatamente isso o que eu acho, Stephen — diz Bogdan, avançando um peão pelo tabuleiro.

Stephen analisa o jogo.

— Mas isso me leva a uma outra pergunta. Uma pergunta pior.

— Temos o dia todo — assegura-o Bogdan.

— Elizabeth está bem?

— Claro — responde Bogdan. — Quer dizer, Elizabeth nunca está bem, sabe como ela é. Mas está bem, sim.

— Ela estava uma pilha de nervos. Uma noite dessas. Falando de uma biblioteca e de um Viking, não fazia o menor sentido, e, quando eu a perguntei sobre o assunto, saiu a toda do quarto. Uma choradeira só, ela tentou disfarçar. Não é do feitio dela. O que será que houve? O que você acha?

— Você não fazia ideia mesmo do que ela estava falando?

— É uma boa pergunta — diz Stephen, fazendo sua jogada seguinte.

— Eu diria que é a pergunta de um milhão. Sobre o tal "Viking", sei tanto quanto você, mas tem a questão da biblioteca. No dia não dei bola, mas eu estive há pouco tempo numa biblioteca. Mas tenho certeza de que não contei à Elizabeth.

— Que biblioteca? — indaga Bogdan.

— De um amigo meu. Bill Chivers, já ouviu falar?

— Bill Chivers? Não.

— De onde eu conheço você, Bogdan? Onde a gente se conheceu?

— Eu vim fazer um conserto aqui no apartamento. Vi o tabuleiro e a gente começou a jogar.

— Foi isso. Foi isso. É, então você não teria como conhecer Bill Chivers. Ele é livreiro. Não vale um tostão furado, cá entre nós.

Não vale um tostão furado. Bogdan sempre gosta de descobrir expressões novas.

— Só que ele me convidou para ir à casa dele — continua Stephen —, não lembro onde fica, estou com Staffordshire na cabeça, mas não pode ser. Enfim, está lá o ricaço, bem de vida à beça e eu fuxicando, Bogdan, sendo enxerido, você me conhece...

— Nunca se sabe o que se vai encontrar — comenta Bogdan.

— Isso mesmo. Mas, enfim, chegando aonde eu queria chegar, tinha livros na estante dele que não deveriam estar ali.

— Como assim?

— Caros — informa Stephen. — Famosos por serem caros. Não são nem edições originais, e sim edições únicas. Deveriam estar em museus, mas há alguns em coleções particulares. Se somar o valor de todos dá dezenas de milhões. E, no entanto, estavam lá na biblioteca do Bill Chivers. O que pensar disso?

— Numa biblioteca, numa casa grande em Staffordshire? Você viu esses livros?

— Eu tenho a impressão de que vi, sim.

— Você se lembra dos nomes dos livros?

— Claro — diz Stephen. — Pelo amor de Deus, lá tinha o Alcorão timúrida. E um volume da *Enciclopédia Yung-lo Ta-tien*. Não é minha área, mas ele tinha um *First Folio*, de Shakespeare. Então, sim, eu me lembro dos nomes. Não pirei na batatinha.

— Eu sei.

— Lelé da cuca, era como diziam.

Bogdan faz que sim com a cabeça. Elizabeth precisa descobrir a identidade do Viking. Será que isso ajudaria? Seria possível rastreá-lo através dos tais livros? Ele vai contar a Elizabeth assim que ela chegar, e ela terá um plano.

— Não sei quando teria sido isso — continua Stephen. — Mas acho que foi coisa recente. Se bem que tenho a impressão de já não sair mais tanto hoje em dia.

— Você vive andando por aí — diz Bogdan. — Caminhando com a Elizabeth. Vão pra todo canto.

— Tenho outra pergunta que também vai parecer bem boba para você. Me perdoe. Mas eu tenho carro?

Bogdan balança a cabeça.

— Você perdeu a carteira.

— Ah, que droga! — exclama Stephen. — Você tem carro?

— Eu tenho acesso a carros, sim.

— Quando Elizabeth volta?

— À noite — diz Bogdan.

— Certo. Você pode me levar pra dar um pulo em Brighton?

— Em Brighton?

— Um velho camarada meu tem uma loja de antiguidades lá. Bem salafrário...

— Não vale um tostão furado? — sugere Bogdan.

— Exato. Quero perguntar a ele sobre esses livros. Ver como podem ter chegado às mãos do Bill Chivers. Investigar um pouco. Curte a ideia?

Está bem, talvez Bogdan não precise esperar Elizabeth inventar um plano.

— Ah, falando de detetives e de curtir — continua Stephen —, por que a gente não chama sua amiga Donna para ir junto? Estou louco para conhecê-la. Elizabeth ainda não sacou mesmo que vocês dois estão saindo?

— Ela sabe que tem alguma coisa rolando, mas não conseguiu ainda descobrir o quê.

— Ah, Elizabeth... — diz Stephen. — Está vendo por que eu me preocupo com ela?

Bogdan e Stephen trocam um aperto de mãos pelo jogo empatado. Agora é a hora de Stephen trocar de roupa e fazer a barba e então irem a Brighton. Será que Bogdan deveria pedir a permissão de Elizabeth?

Não, ele tem a permissão de Stephen. Vai fazer o que Stephen quer.

51

— Sou um estorvo terrível, peço mil desculpas — diz Elizabeth, esparramada num sofá de um camarim do estúdio de Elstree.

— Não seja boba — acalma-lhe uma paramédica, retirando o medidor de pressão arterial do braço dela. — Sua pressão está normal, mas as pessoas desmaiam por uma série de motivos. Acontece o tempo todo.

— Boba é a melhor definição. Uma velha boba estragando toda a diversão dos outros. Acho que é porque não nos deixaram comer nada. Sou idosa, sabe como é. — Elizabeth tenta se sentar, mas a paramédica não deixa.

— De jeito nenhum — retruca a paramédica, voltando-se para Joyce. — Ela não estragou a diversão de ninguém, estragou?

— Bem, eu estava me divertindo — admite Joyce. — Mas essas coisas acontecem.

— Deve ter sido um choque para você também, não? — pergunta a paramédica. — Ver sua amiga capotar com só vinte minutos de gravação?

— Sim e não — diz Joyce, em seguida encara Elizabeth. — Sim e não.

— Vou deixar vocês um pouco em paz — afirma a paramédica. — Depois eu volto para ver como você está. Com certeza alguém da produção vai vir no intervalo para checar isso também.

— Você foi um amor — elogia Elizabeth e tenta erguer a mão para agradecer. — Eu devia ter comido alguma coisa. Foi culpa minha.

Elizabeth vê a paramédica sair e, assim que ouve a porta bater, retira a toalha fria da testa e se senta.

— Que mulher gentil! — observa Elizabeth. — Gostei de ver.

— Você não podia mesmo ter esperado? — reclama Joyce. — Vinte minutos? Eu mal vi o primeiro bloco.

— Você podia ter ficado lá.

— E dar a impressão de ser uma péssima amiga? Eles não sabem que você finge tão bem assim, não é? E eu lá ia dizer "ah, ela é espiã, faz isso o tempo todo"? Convenhamos, tombar no chão e soltar um gemido? Podia ter me avisado.

— Ah, Joyce — solta Elizabeth, pegando uma banana da fruteira do camarim. — Como iríamos fazer perguntas a ela sentadas na plateia?

— Daqui também não dá. Perdi o show todo.

— Você vai me agradecer quando Fiona Clemence entrar por essa porta para ver como eu estou.

— E por que ela faria isso?

— Joyce, uma senhorinha frágil acabou de desmaiar no set do programa dela. Uma senhorinha frágil que desmaiou porque não a deixaram comer nada. Uma senhorinha frágil que se sentiria melhor só de ver Fiona Clemence espiando pela fresta da porta num intervalo da gravação, querendo saber da saúde dela.

— E aí?

— E aí a gente vai dando um jeito, Joyce. Como sempre damos.

— Aposto metade da minha conta de Bitcoins que a Fiona Clemence não...

Ouve-se uma batida na porta. Elizabeth corre de volta para o sofá e se deita, no momento exato em que um homem de fones de ouvido enfia a cabeça pela fresta da porta.

— Um passarinho me contou que vocês são Elizabeth e Joan?

— Joyce — corrige a própria.

— Somos motivo de piada, eu sei — diz Elizabeth.

— De jeito nenhum. Tem alguém aqui querendo dar um oi — informa o homem. — Caso a senhora esteja disposta.

— Ela está, sim — garante Joyce.

— Muito bem, então — concorda o homem, que desaparece em seguida.

A porta é aberta e Fiona Clemence enfia a cabeça no camarim. O cabelo ruivo, tão famoso pelos anúncios de xampu, o sorriso aberto, tão famoso pelos anúncios de pasta de dente, e as maçãs do rosto tão bem delineadas pela genética e pelos cirurgiões da Harley Street.

— Toc-toc, adivinhem quem é — diz Fiona Clemence. — Vocês devem ser Elizabeth e Joan.

— Somos — garante Joyce.

Elizabeth percebe que a amiga está fascinada.

— Só queria me certificar de que não foi nada sério. — Fiona dá uma risada calorosa, apoiada na soleira da porta, sem botar o pé para dentro. É evidente que ela não planeja ficar. — Antes de eu voltar para o estúdio.

— Será que poderíamos atrasar você só por um instantinho? — pergunta Elizabeth.

— Preciso voltar — responde Fiona, sorrindo. — A chefia fica em cima. Só quis ver se estava tudo bem.

— Será que podemos tirar uma foto? — sugere Joyce.

Boa, Joyce, boa. Elizabeth vê a indecisão nos olhos de Fiona e em seguida a resignação.

— É claro — cede Fiona. — Se for rápido. Desculpem a correria.

Fiona entra no camarim, ainda que de maneira relutante, e se acomoda ao lado de Elizabeth no sofá enquanto Joyce futuca o bolso do cardigã à procura do celular. Fiona já armou seu sorriso fotográfico.

— Agora — começa Elizabeth —, como o tempo é curto, há um monte de informações que eu preciso comunicar a você.

— Perdão? — diz Fiona, ainda com o sorriso armado. Por ora.

— Eu não desmaiei, não estou doente e não quero uma foto com você — declara Elizabeth, apressada. — Também não represento risco algum, não lhe desejo mal algum e, para falar a verdade, até hoje cedo não fazia ideia de quem você era.

— Eu... — diz Fiona, o sorriso começando a se esvair. — Preciso mesmo ir.

— Não vou tomar muito do seu tempo. Eu e minha amiga, que, a propósito, se chama Joyce, não Joan...

— Pode me chamar de Joan — suaviza Joyce.

— ... estamos aqui para investigar o assassinato de Bethany Waites, que, eu sei, você conhecia...

— Certo, eu não sei do que você... — começa Fiona.

— Fiona, Fiona — interrompe-a Elizabeth. — Isso não vai demorar. Podemos esperar e falar com você depois, sem problemas.

— Eu vou chamar a segurança. Francamente, vocês sabem que isso é errado.

— Ah, meu Deus, certo, errado! — exclama Elizabeth. — E daí? Duas velhotas inofensivas e algumas perguntas sobre um assassinato no qual você com certeza não teve participação.

— Ninguém acha que eu tenha algo a ver — defende-se Fiona. — E isso aqui está... estranho.

— Uma colega sua é assassinada e você fica com a vaga dela — aponta Elizabeth. — Ela havia recebido bilhetes ameaçadores. Você seria uma suspeita óbvia, Joyce me convenceu totalmente disso.

— Ei, não, eu não cheguei a falar... — começa Joyce.

— E outra mulher, Heather Garbutt, acabou de ser assassinada — acrescenta Elizabeth. — Nós conversamos com Mike Waghorn, seu antigo colega, e adoraríamos conversar com você. Tive que fingir um desmaio para ter essa oportunidade. O que me diz?

— Digo não — responde Fiona. — É óbvio.

Alguém bate na porta.

— Fiona? Precisamos de você no estúdio, por favor.

— Tenho que trocar de roupa — afirma Fiona, se levantando.

Elizabeth fica de pé junto.

— Fiona, eu não devia contar, mas vou mencionar isso caso você ache interessante. Minha amiga Joyce não falaria nisso por razões óbvias, mas por muitos anos ela integrou os serviços de segurança do Reino Unido e recebeu muitas honrarias.

Fiona encara Joyce.

— Eu sei, olhando para ela ninguém acredita — acrescenta Elizabeth.

— Eu acreditaria, na verdade — comenta Fiona.

— Portanto, nós somos um monte de coisas — insiste Elizabeth. — Um incômodo, sim. Uma pedra desnecessária no seu sapato, com certeza. Uma encheção de saco, acertou em cheio, somos nós. Mas também estamos falando sério, não representamos ameaça alguma e, acredite se quiser, quando você nos conhece melhor, somos bem divertidas.

Outra batida e:

— Fiona?

— Assim, o que eu adoraria — continua Elizabeth — é que você voltasse para lá, acabasse sua gravação, que a Joyce se sentasse na plateia e assistisse e aí, depois disso tudo, que nós três pudéssemos beber alguma coisa e bater um papo para ver se você consegue nos ajudar a solucionar o assassinato da Bethany Waites.

O olhar de Fiona vai de uma para a outra.

— Tem um Wimpy na rua comercial de Borehamwood — sugere Joyce.

— Pode admitir — incentiva Elizabeth. — A gente não parece ser legal? E nós *estamos* investigando dois assassinatos.

Fiona olha para Joyce.

— Você foi mesmo do MI5? — pergunta.

— Não posso dizer — responde Joyce. — Adoraria poder.

— Olha dentro da bolsa dela se não acredita — instrui Elizabeth.

Joyce, compreensivelmente, parece confusa quando Fiona espia dentro da sua bolsa. Lá, bem à vista, em destaque, está a arma de Elizabeth.

— Uau! — exclama Fiona.

— Eu sei — concorda Elizabeth. — Na minha bolsa o máximo que você vai encontrar é uma embalagem de jujubas.

Elizabeth vê Joyce dar uma rápida olhada dentro da própria bolsa. Ao reparar na arma que Elizabeth acabara de depositar ali dentro, ela balança a cabeça e lança à amiga um olhar desesperado.

— E vocês conversaram com Mike Waghorn? — pergunta Fiona.

— É praticamente só o que a gente faz hoje em dia — responde Elizabeth.

Fiona decidiu-se.

— Está bem, combinado. Um drinque rápido depois da gravação. Sempre gostei muito de Mike Waghorn.

— E da Bethany? — aproveita Elizabeth. — Gostava dela, também?

Fiona quase responde, mas pensa melhor.

— Bem, disso a gente fala depois que a gravação terminar, pode ser?

— Você foi muito paciente com a gente, Fiona, obrigada — diz Elizabeth. — Juro que vai gostar da nossa conversa.

— Não duvido — concorda Fiona.

— A não ser que você tenha assassinado Bethany Waites — retruca Elizabeth. — Neste caso, nós seremos o seu pior pesadelo.

— Seria de se imaginar que, se eu tivesse assassinado Bethany Waites e sido sagaz o bastante pra escapar impune esses anos todos — declara Fiona, seu sorriso brilhante voltando a preencher todo o camarim —, talvez fosse *eu* quem viesse a ser o *seu* pior pesadelo.

Elizabeth faz um sinal positivo com a cabeça.

— Bem, devo dizer que estou muito animada para essa conversa. Nos vemos já, já. Merda pra você.

52

— Impossível — declara Kuldesh Sharma, do alto de seus quase oitenta anos, com sua belíssima careca, terno lilás e camisa de seda branca desabotoada revelando mais peitoral que o homem médio se sentiria confiante em mostrar.

— Improvável, sem dúvida — diz Stephen. — Mas não impossível. Eu os vi com os meus próprios olhos. Um livro atrás do outro, ali, dando sopa.

Donna está nos fundos da loja escura, dando uma olhada nas peças.

— Isso aqui é lindo — elogia ela, com uma estatueta de bronze nas mãos.

— Anahita — informa-lhe Kuldesh. — A deusa persa do amor e da guerra.

— Amor *e* guerra, mandou bem, Anahita — comenta Donna. — Amei.

— A não ser que o seu amor valha duas mil libras, vou ter que pedir para botá-la de volta no lugar — solicita Kuldesh.

Donna baixa Anahita, devolvendo-a à estante com todo o cuidado. Em contrapartida, suas sobrancelhas se erguem.

— Cheia de coisa, sua loja — observa Bogdan. — Muito linda. Muito linda.

— A gente vai comprando coisas ao longo dos anos — comenta Kuldesh.

— E se eu investigar tudo o que você comprou, algo aqui levantaria suspeitas? — quer saber Donna.

— Nem desperdice o seu tempo — afirma Kuldesh. — De velharias questionáveis aqui, só o Stephen e eu.

Donna sorri.

— Agora vamos ao que interessa? — diz ela.

Stephen mostra a Kuldesh a lista que escreveu no carro.

— E esses são apenas os que eu consegui identificar. Havia livros por toda parte.

Kuldesh percorre a lista com um dedo, inflando as bochechas.

— A obra sobre os feitos de Sir Gillion de Trazegnies? — pergunta.

— Alguns milhões? — conjectura Stephen.

— No mínimo — responde Kuldesh, continuando a ler. — Essa lista é insana. Tudo isso custaria bilhões. *Monypenny Breviary*? Como Billy Chivers arrumou isso?

Bogdan puxa uma cadeira de madeira para sentar-se com Kuldesh e Stephen.

— Eu não me sentaria nisto — avisa Kuldesh. — Vale catorze mil e você é bem grandão. Tem um banquinho de ordenha solto por aí.

Bogdan localiza o banco e o puxa.

— Talvez seja melhor deixar Billy Chivers pra lá. Outra pessoa pode ter comprado — diz ele.

— Chivers só está tomando conta deles — concorda Stephen.

Kuldesh dobra a lista e a guarda no bolso do terno.

— Eu vou dar uma sondada por aí. Mas isso é coisa grande, até para mim. — Ele se vira para Donna: — Sou apenas um humilde dono de loja, não conheço nenhum criminoso.

— E eu sou a deusa do amor e da guerra — replica Donna, cuja atenção se volta para um tinteiro de estanho em formato de chihuahua.

— Mas quem sabe você não conhece alguém que conheça alguém? — sugere Stephen a Kuldesh.

— Quem sabe? — concede Kuldesh. — Eu gostaria de ajudar.

Donna então se aproxima.

— E o senhor se animaria em algum momento a ajudar a polícia, Sr. Sharma?

Kuldesh dá de ombros levemente.

— Deixe eu lhe contar uma história, Donna. Eu suspeito de que não vai surpreendê-la. Tenho essa loja há quase cinquenta anos. Abri nos anos 1970, Kemptown Curios, propriedade do Sr. K. Sharma, o nome todo bonito ali na janela. Uma loja bem inglesa, sabe? Como as que você vê nos filmes, eu mesmo é que fiz tudo. Logo na primeira noite, arremessaram tijolos na minha vitrine. Consertei, repintei, reabri. No momento em que reabro, mais tijolos pela vitrine. Todas as noites até eles se encherem, até irem perturbar outra pessoa.

— Sinto muito — diz Donna.

— Não há por quê — tranquiliza-a Kuldesh. — Faz muitos anos. Mas creio que você pode imaginar como a polícia de Brighton foi prestativa comigo nos anos 1970.

— Não foi lá de muita ajuda? — chuta Donna.

— Não foi lá de muita ajuda — concorda Kuldesh. — Eu não ficaria surpreso de descobrir que foram eles que jogaram os tijolos. Portanto, de lá para cá mantive distância deles e, de forma geral, eles de mim. E acredito que foi melhor para todos os envolvidos.

Donna assente. Dá para imaginar.

— Stephen — chama Bogdan. — Eu preciso falar com Kuldesh sozinho por um instante, tudo bem?

— Você é quem sabe — aceita Stephen. — Eu pego o carro.

— Quem sabe... — intervém Bogdan. — Quem sabe a Donna não vai até lá com você? Só pra fazer companhia.

Donna pisca para Bogdan e segura o braço de Stephen.

— Obrigado, Kuldesh, meu velho camarada — agradece Stephen. — Sabia que você não nos deixaria na mão. Um beijo na Prisha. A gente janta um dia desses?

— A gente janta um dia desses — concorda Kuldesh, levantando-se e abraçando Stephen. — Vou contar à Prisha que nos encontramos e tenho certeza de que o rosto dela logo vai se iluminar de alegria.

— Você deu uma sorte danada com aquela ali — diz Stephen.

Donna leva Stephen para fora. Bogdan e Kuldesh esperam até que o sino da loja pare de reverberar.

— Prisha faleceu, imagino? — pergunta Bogdan.

— Já faz quinze anos. Mas eu vou falar para ela que estive com o Stephen e ela vai sorrir.

Bogdan assente.

— E eu dei uma sorte danada, nisso ele tem toda a razão. Qual é a gravidade do caso dele? Está piorando? Não tenho nem palavras para descrever como Stephen foi gentil comigo ao longo de todos esses anos. Lucrativo também, mas o grande tesouro dele é a gentileza.

— O que ele lembra ele lembra. E, por enquanto, não sabe de fato do que ele esquece.

— É uma bênção. Por enquanto.

— Você pode ajudar com a lista do Stephen? — pergunta Bogdan.

— Se uma pessoa é dona desses livros todos, talvez eu possa, sim, descobrir quem é. Difícil. Aposto que não é Bill Chivers, certo?

— Não, não é Bill Chivers. É alguém que quer matar a esposa do Stephen.

— Elizabeth?

Bogdan concorda.

— Elizabeth.

— Vou descobrir, então — garante Kuldesh. — Prometo. Espero que ela continue a toda...

— Quase a toda. Desculpa trazer uma policial pra sua loja. Mas é só a Donna.

— Amiga do Stephen é amiga minha. Mesmo uma de uniforme. Me dá alguns dias para eu ver o que consigo descobrir.

Kuldesh cumprimenta Bogdan e começa a levá-lo até a porta. Mas Bogdan parece relutante em sair.

— Posso ajudar em mais alguma coisa? — pergunta Kuldesh.

Bogdan muda o peso de um pé para o outro. E então indica os fundos da loja com a cabeça.

— A estátua que a Donna gostou — diz Bogdan. — Quanto fica pagando em dinheiro?

53

Joyce

Conheci Fiona Clemence hoje, essa é a minha grande novidade. E ainda carreguei uma arma na bolsa, o que, em qualquer outro dia, provavelmente teria sido a grande novidade. Em terceiro lugar, a estação de Blackfriars tem a menor filial da WHSmith que alguém verá na vida.

Mas que dia. Saímos de casa por volta das dez e já passava das sete da noite quando voltamos. Viktor ainda não chegou da visita a Jack Mason. Os papéis dele estão espalhados por todo o chão. Os registros financeiros. Hoje cedo perguntei a ele se já tinha dado alguma sorte e ele respondeu que não era questão de sorte, eu disse que ok, eu só estava jogando conversa fora, e ele disse que sim, era só isso mesmo, e pôs a chaleira para esquentar. A gente se dá bem.

Em geral, Alan faria a festa com toda essa papelada. Mastigaria, rasgaria tudo. Mas estava apenas pisando em cima, todo educado. Viktor explicou a importância dos papéis para Alan e pediu a ele que tomasse muito cuidado. Viktor tem um tom bastante persuasivo. Por exemplo, me fez assistir à Fórmula 1 no outro dia, apesar de estar passando um episódio de *Poirot* no mesmo horário. Ele consegue fazer você achar que tudo foi ideia sua, não dele. Alan e eu só ficamos concordando com a cabeça metade do tempo.

Agora, antes de eu entrar no apartamento, sempre preciso bater na porta de um jeito específico para Viktor saber que sou eu. São só quatro batidas rápidas. Diz Viktor que, se ele ouvir a porta sendo aberta sem a batida, eu vou encontrá-lo armado atrás do sofá. "Não quero atirar em você por engano", avisou ele, "mas atiro".

Elizabeth e eu fomos ver a gravação do *De Olho no Relógio*. Gravaram três episódios e eu vi o segundo e o terceiro. O primeiro foi interrompido pela Elizabeth fingindo ter um desmaio. Tudo por uma boa causa, no fim das contas. O casal no segundo episódio ganhou duas mil e setecentas libras. Vão se casar e vai tudo para pagar a festa. Ele deve ser uns quinze anos mais velho que ela. Sei que a gente não deve julgar, mas francamente. Minha vontade foi de gritar para a noiva: "Sai dessa enquanto dá!"

Entre fingir um desmaio e exibir-lhe uma arma, Elizabeth convenceu Fiona a conversar com a gente depois da gravação. Ficamos no camarim dela e alguém que deve ter acabado de sair do colégio trouxe chá para todas nós. Tomei um de camomila e framboesa porque foi o primeiro que me ofereceram e meu cérebro desliga quando alguém fica me listando coisas.

Pois bem, não desgostei de Fiona Clemence, que fique claro. Ela só não é calorosa como se imagina ao vê-la na TV. Aquilo é em parte para as câmeras, mas ela não foi grossa, apesar de que teria todo o direito de ser depois do desmaio e da arma.

Ela só tinha meia hora. Dali, sairia para entrevistar o Bono. Elizabeth e eu nos revezamos nas perguntas. Todas as relativas a Bethany Waites eu deixei com a Elizabeth, pois provavelmente não terei outra chance de estar com Fiona Clemence e queria aproveitar a oportunidade ao máximo.

A coisa toda foi mais ou menos assim.

ELIZABETH: Me conte do seu relacionamento com Bethany Waites.
FIONA: Nós não gostávamos uma da outra.
EU: Qual o máximo de dinheiro que alguém já ganhou no *De Olho no Relógio*?
FIONA: Não sei. Acho que foi perto de vinte mil.
ELIZABETH: Por que vocês não gostavam uma da outra?
FIONA: Ela não gostava de mim porque me achava uma cabeça de vento. E eu não gostava dela porque ela me achava uma cabeça de vento.
EU: Algumas semanas atrás no programa você estava usando um par de sapatos vermelhos, não sei se você lembra. Eu fiquei curiosa para saber de onde eram.
FIONA: Não sei, desculpa.
ELIZABETH: Você estava ciente de que talvez fosse a próxima da fila para apresentar o programa caso Bethany saísse?
FIONA: Eu tinha feito um teste de cena. Sabia que gostavam de mim. Mas, e você vai me desculpar, Joyce, ser uma coapresentadora do *Boa Noite, Sudeste* não era exatamente uma ambição minha.
ELIZABETH: Mas mal não fez...
FIONA: Ok, eu matei ela só para poder apresentar o noticiário local.
EU: As pessoas falam com você por um ponto de ouvido durante o programa?

FIONA: Falam.

EU: E o que elas dizem?

FIONA: Todo tipo de coisa. Me lembram dos placares, me dizem para dar uma animada, me avisam caso alguém na plateia desmaie.

ELIZABETH: Onde você estava na noite em que a Bethany morreu?

FIONA: Cheirando cocaína num hotel com um câmera.

EU: Recentemente compramos dez mil libras em cocaína. Quem é a pessoa mais agradável que você já entrevistou?

FIONA: Tom Hanks.

ELIZABETH: O que você sabe sobre os bilhetes que a Bethany recebia antes de morrer? No trabalho.

FIONA: Que tipo de bilhetes?

ELIZABETH: "Vai embora." "Todo mundo te odeia." Esse tipo de coisa.

FIONA (rindo): Ela também recebia? Achei que fosse só eu.

ELIZABETH: Você recebia bilhetes iguais? Tem alguma ideia de quem mandava?

FIONA: Não faço ideia, mas ninguém me empurrou de um penhasco, não é?

EU: O que o Tom Hanks tem de especial?

ELIZABETH (cansada de mim, me pareceu): Você consegue pensar em mais alguém que pudesse ter motivo para matar a Bethany?

FIONA: Alguém que tenha algum apreço por moda, quem sabe?

EU: Sabe no Instagram, onde você faz vídeos ao vivo e todo mundo pode assistir e comentar? Como é que faz? Eu não encontro o botão.

FIONA: Se chama "Lives", é só procurar.

ELIZABETH: Mais alguém com quem devamos falar que trabalhava lá na época?

FIONA: Carwyn, o produtor. Mesmo que não tenha sido ele, aquele cara devia ser preso. E a maquiadora do Mike. Pamela, um nome desses. Sempre me passou uma impressão meio esquisita.

ELIZABETH: Pauline?

FIONA: Pode ser.

EU: Você participaria da *Dança dos Famosos*?

FIONA: Só se fosse como apresentadora.

Portanto, vejam, ela não foi exatamente grossa, levando-se em consideração as circunstâncias, mas também não foi a simpatia em pessoa. Acabei de procurar como fazer aqueles vídeos ao vivo no Instagram, mas não entendi bulhufas daquilo. Acho melhor ficar nas fotos mesmo. Hoje o Ron me fez postar uma foto do Alan com duas bolas na boca. Joanna curtiu, o que nunca tinha acontecido.

Cortamos caminho até a estação pelo Wimpy e tirei um cochilo no trem. Disse a Elizabeth que ela podia cochilar, eu ficaria de olho na nossa parada, mas ela quis se manter alerta.

Quando será que o Viktor volta? Espero que tenha dado sorte com Jack Mason. Elizabeth parece confiar muito nele. Perguntei a ela se eles já tinham dormido juntos e ela disse que sinceramente não se lembra, mas é provável que sim. Contei a ela que eu carrego comigo fotos de todo mundo com quem eu já dormi. Aí abri a bolsa, mostrei que a única foto ali era do Gerry e ela falou: "É, Joyce, eu já tinha entendido de cara."

Fico pensando se Viktor se lembra se já transou com a Elizabeth. Imagino que a pessoa se lembraria.

54

Os três homens estão sentados na varanda de Jack Mason à luz do luar, com um aquecedor elétrico e uma dose de uísque a acalentá-los. Luzinhas piscam ao longe, no mar. Ron sente a bebida aquecer o peito e as pálpebras ficando pesadas. Prefere mil vezes isso a uma massagem, sem dúvida.

Dia agradável. Churrasco no pátio aquecido, sinuca, baralho. Melhor, impossível. Viktor pressionando aqui e ali, Jack evitando as perguntas.

Chega de sinuca por hoje. Foi só o primeiro dia de muitos, ou assim todos esperam. Três velhos, três novos amigos. O gângster, o coronel da KGB e o líder sindical.

— Deve ser um fardo, Jack — diz Viktor.

— Do que você está falando? — pergunta Jack.

— Esse seu esquema — explica Viktor. — Era para ser tudo muito metódico. Aí a Bethany morre. Agora morre a Heather. Deve ser um fardo para você. O papel que teve nisso tudo.

Jack assente e ergue seu copo.

— Eu não mato gente, Viktor — garante ele. — Tem quem mate, mas nunca achei a menor graça. Gosto de desrespeitar a lei, gosto de ganhar dinheiro, gosto de passar a perna nos outros.

— Você é dos meus — comenta Viktor. — Talvez seja o tipo de coisa que assombre você. Um pouquinho.

— Um pouquinho — concorda Jack.

— Eu entendo. E você deve sentir raiva, ao menos é o que eu sentiria, do assassino, não?

— Foi estúpido. Desnecessário.

— Só de visualizar Bethany caindo no precipício... — insiste Viktor. — Você não perde o sono às vezes?

— Não. Aí você está enganado.

— Às vezes eu me engano — concede Viktor. — Só queria entender por que eu estaria enganado nessa questão. É o tipo de cena que me incomodaria.

— Senhores — diz Jack, com um sorrisinho —, posso contar uma coisa para vocês? Tirar um pequeno peso das minhas costas?

Está começando a parecer que vão cair em um papo desconfortável sobre sentimentos, pensa Ron, mas ele entende que é dessa maneira que Viktor trabalha. E, como estão investigando um crime, o jeito vai ser aguentar.

— Isso não é para chegar à polícia — declara Jack. — É para ficar entre nós três. O que escolherem fazer com a informação, aí é com vocês.

— Ninguém aqui vai falar com a polícia — garante Ron. — Continua, Jack.

— *Não tinha* ninguém no carro quando ele despencou do penhasco — informa Jack Mason, tomando mais um gole de uísque. — Bethany Waites já estava morta fazia horas.

Agora, sim, Ron está acordado. Olha para Viktor, ciente de que o oficial da KGB pode saber fazer perguntas melhores do que as suas.

— Ora, essa é uma informação interessante — comenta Viktor. — Isso é um fato, Jack? Tem certeza?

— É um fato. Tenho certeza. Eu sei quem a matou, sei o motivo e sei onde está enterrada. Sei onde fica o túmulo dela.

— Está parecendo muito que foi você, Jack. Você não acha?

— Acho — concorda Jack. — Mas é para passar essa impressão mesmo, não é? Senhores, mais uísque?

Viktor e Ron concordam que mais uísque viria bem a calhar. Jack Mason os serve e volta a se recostar.

— Vocês estão esquecendo de alguém — ressalta Jack. — Mais alguém que fazia parte do meu esqueminha.

— Homem? Mulher? — indaga Viktor como quem não quer nada.

— É, ou um ou outro — responde Jack Mason.

Se for para resistir ao interrogatório de um oficial da KGB, alguém acostumado a trabalho pesado pode ser um bom candidato, pensa Ron.

— Então, essa pessoa — tenta Ron. — Deve ser um homem, digamos. Foi ele quem matou Bethany Waites?

— Foi o seguinte — diz Jack Mason. — O esquema estava desmoronando. Bethany Waites estava em cima da gente. Aí você tem que saber a hora de jogar a toalha, né?

— É crucial, sim — concorda Viktor.

— Eu imaginava que estivesse numa posição segura. O que quer que ela tivesse descoberto não chegava a mim. Eu podia simplesmente desistir de tudo e partir pra outra.

— Mas e esse seu parceiro?

— Já estava mais preocupado. E ficava em cima de mim. Eu não tinha cometido nenhum grande erro, mas essa pessoa sim. Meu parceiro... estou dizendo "parceiro" no masculino, mas não saiam tirando conclusões, não sou nenhum amador... meu parceiro se preocupava que eu ou a Heather pudéssemos dar com a língua nos dentes.

— Você jamais daria com a língua nos dentes — declara Ron.

— Nunca daria, nunca darei — concorda Jack.

— Você está fazendo isso agora, Jack — observa Viktor, com muita delicadeza.

Jack faz um gesto de "nada a ver".

— Então — diz Ron —, esse seu parceiro matou a Bethany Waites?

— Antes que ela causasse mais problemas — responde Jack. — Matou, foi até o Shakespeare Cliff com o carro e o empurrou do penhasco. Meu parceiro não era disso, mas entrou em pânico. Acontece.

— Mas por que o corpo não estava no carro? — pergunta Viktor. — Tem uma explicação para isso?

— Aí é que está — diz Jack Mason. — Aí está o grande problema, no qual ninguém está prestando atenção. Meu parceiro me procurou, me contou que matou a Bethany Waites, me falou até pra ligar a TV no jornal para conferir. Eu liguei e era verdade mesmo. E não gostei.

— E quem gostaria? — comenta Ron.

— Quem gostaria, de fato — concorda Jack. — Fiquei puto, lógico, e perdi um pouco as estribeiras. Ninguém precisava ter morrido, era só a gente ter caído fora do esquema, e ele me deu um sorrisinho e falou que ninguém ia cair fora e eu comecei a achar que ele ia me matar também. O que é meio forçação de barra, mas essas coisas acontecem.

Ron e Viktor fazem um sinal afirmativo com a cabeça, juntos.

— Aí ele disse: "Quer ver o corpo?" Eu perguntei se o corpo não estava no carro e ele respondeu: "Não, está enterrado num lugar seguro."

— Deus do céu! — exclama Ron.

O uísque começa a lhe dar dor de cabeça. As luzes que piscam à distância, no mar, agora lhe parecem frias e solitárias.

— E olha só o que ele fez — continua Jack. — Matou a Bethany, a enterrou e me informou o local exato. E, aí é que vem a espertza, tenho que reconhecer, ele enterrou a Bethany com um celular com as impressões digitais da Heather Garbutt, com quem eu tinha um histórico de chamadas para um dos meus celulares pessoais. E matou a Bethany com uma arma que está enterrada em algum outro canto, também cheia de impressões digitais da Heather.

Viktor se ajeita na cadeira, inclinando-se para a frente.

— Então a Bethany estava morta e não tinha mais como interferir. E o seu parceiro armou para cima da Heather e ainda associou você ao crime como cúmplice.

— Agora você está sacando tudo — diz Jack Mason. — Ele disse à Heather que a fraude ia a julgamento e precisava que ela se declarasse culpada, admitisse tudo, mas que não desse um pio a respeito da pessoa para quem trabalhava.

— Ou então ele levaria a polícia ao túmulo da Bethany?

— Onde todas as evidências apontavam para a Heather. E aí, o que a pessoa iria escolher? Dez anos em cana ou prisão perpétua? É pura chantagem, enterrada a sete palmos.

— E todo esse tempo que a Heather esteve presa, a ameaça estava pairando sobre ela? — pergunta Ron.

— Ela nunca disse uma palavra e nunca ganhou um centavo — garante Jack Mason. — Ficou quieta e cumpriu a pena, sabendo que bastaria um movimento em falso para virar uma assassina.

— Esperou esse tempo todo — diz Ron. — E aí vem alguém e a mata também. Mas que azar do cacete.

Todos assentem, como se fossem os três macacos sábios da parábola.

— E o que ele queria de você? — pergunta Viktor.

— Queria o dinheiro dele — informa Jack Mason. — Eram uns dez milhões, mais ou menos, e ele não tinha acesso à quantia.

— E você tinha?

— No fim das contas, não. As regras mudaram em 2015, tudo passou a ter que ser declarado, surgiram obstáculos. E depois mais e mais obstáculos foram sendo criados, nunca vi nada do gênero. Vocês entendem bem de lavagem de dinheiro?

— Eu entendo — responde Viktor.

— A gente lavava o dinheiro com tanto cuidado que não havia o menor rastro dele. A Heather era muito boa no trabalho dela. Mas quando nós precisávamos começar a trazer o dinheiro de volta, já devidamente limpo, algumas das coisas de que nós precisávamos para esse processo de recuperação já não eram mais lícitas. E uma parte do dinheiro tinha simplesmente sumido. Nós tínhamos escondido tão bem que não conseguíamos mais achar.

— Então continua por aí, perdido em algum lugar? — pergunta Viktor.
— Seria de se imaginar que sim — responde Jack Mason.
— Alguma chance de você nos contar quem era o seu parceiro? — tenta Ron.
— Claro que não. Eu nem deveria ter contado tudo isso, mas, se conseguirem descobrir, desejo sorte a vocês.
— A gente vai descobrir — garante Ron.
Ele ouve o carro se aproximar à distância.
— Ela não deveria ter morrido — comenta Jack Mason. — Foi culpa minha. E a Heather não deveria ter morrido também, mais uma que foi culpa minha.
— Eu gostaria de discordar, Jack — diz Ron. — Mas não posso.
Jack concorda e olha ao redor, para sua casa, seus jardins, a vista.
— Nada disso era necessário — acrescenta ele.
Os faróis do Daihatsu de Ron cortam o gramado. Bogdan chegou.
Jack se levanta para desejar boa viagem aos amigos. Mas Viktor tem uma última pergunta.
— Por que você mesmo não desenterrou o corpo? Resolvia o problema.
— Eu tentei encontrar o corpo — responde Jack Mason. — Ao longo dos anos. Pode acreditar, eu bem que tentei. Eu sabia onde estava, e cavei e cavei, mas...
— Você nos diria onde ela está enterrada? — tenta Viktor.
— Já contei o bastante para vocês conseguirem se virar. O resto vocês descobrem sozinhos.
— Sua sinceridade foi admirável — elogia Viktor.
Jack apoia o braço nos ombros de Viktor.
— Acho que essas revelações acabaram tirando um pouco do brilho da sua vitória na sinuca hoje. E também da performance impressionante do Ron.
— Você ainda assim pretende nos convidar de novo? — pergunta Viktor.
— Não consigo pensar em nada mais divertido — admite Jack Mason. — Uns amigos, um copo de uísque, um jogo de sinuca. O resto é só ego e ganância. Levei muito tempo para perceber isso.
— Você ainda deve dez paus ao Viktor pela vitória — lembra Ron.
— Mais uma entre as minhas muitas dívidas — diz Jack Mason, com uma reverência. — Mais uma entre as minhas muitas dívidas.

55

Elizabeth está totalmente desperta e pensativa.

Viktor voltara tarde, cheio de novidades e de uísque. Ron não estava por ali, o que vinha se tornando cada vez mais frequente. Um breve conselho de guerra se estabelecera na casa de Ibrahim. Joyce e Alan haviam comparecido, ambos animados por estarem fora de casa tão tarde.

O caso ganhara novíssimos contornos.

Bethany Waites então jamais estivera no carro acidentado. Havia sido enterrada pelo assassino em outro lugar, para seu corpo ser usado como uma garantia. Enterrada com evidências que ligam tanto Heather Garbutt quanto Jack Mason à sua morte.

A artimanha foi perfeita. Ninguém estava procurando o corpo, presumira-se que tivesse sido levado pelo mar muitos anos antes. Mas, se algum dia passasse pela cabeça de Jack ou de Heather colaborar com a polícia, bastaria ao assassino — ou à assassina — lembrá-los de que tinha o seu futuro nas mãos. Fiquem quietos quanto ao meu envolvimento ou vocês vão ter que lidar com as consequências. Mas tinha que haver uma falha em algum lugar. Um erro fatal.

Na volta para casa, Elizabeth percebera um plano se formando em sua mente. Seus olhos também estavam alertas por conta do Viking. Seria uma péssima hora para ser morta, logo quando as coisas começavam a ficar interessantes.

De Jack Mason não extrairiam mais nada, disso Elizabeth tinha certeza. O trabalho de Viktor com Jack havia acabado. Restavam assim duas opções:

Dar mais uma olhada nos registros financeiros, dessa vez sabendo do envolvimento de um parceiro. Tinham o nome "Carron Whitehead", é óbvio, mas nada além disso para vincular a pessoa ao crime. Havia ainda o nome Robert Brown Msc. Mas haveria outros? Viktor voltaria a averiguar na manhã seguinte. Ainda não fizera um progresso significativo.

A segunda opção, tão difícil quanto, mas na qual Elizabeth pelo menos poderia ajudar, era encontrar o túmulo mencionado por Jack Mason. O consenso era de que poderia estar em qualquer lugar. Mas era raro Elizabeth se pautar pelo consenso.

Uma questão que a perturba há algum tempo voltou à tona. Por que Jack Mason comprara a casa de Heather Garbutt? O dinheiro fora direto para o governo em vez de ser lavado, portanto não foi como se tivesse comprado o silêncio de Heather. Ele não se mudara para lá, não alugara a casa, não a reformara, tampouco a vendera para lucrar.

Sendo assim, parece que Jack Mason comprara a casa apenas para impedir que qualquer outra pessoa fosse morar lá. Fosse morar lá e, digamos, trocasse o piso do pátio interno ou resolvesse de uma hora para a outra cavar o terreno para criar um lago ou dois. Elizabeth pondera se não seria proveitosa uma pequena sessão de escavação no jardim de Heather Garbutt. Bogdan teria uma pá.

Mas como sair cavando no jardim de alguém sem ter permissão? Certamente, Jack Mason não os convidará a irem à propriedade se o corpo estiver lá.

Deitada na cama, a mão de Stephen entrelaçada à sua, Elizabeth se lembra de alguém que talvez possa ajudá-la.

E, pensando bem, a mesma pessoa talvez possa auxiliá-la com seu outro problema. Deter o Viking. Stephen acorda e a abraça. Diz que amanhã deve encontrar seu amigo Kuldesh e vai levar o carro caso ela não pretenda usá-lo, tudo bem? Elizabeth concorda que parece ser uma ótima ideia e acaricia o cabelo dele até o marido adormecer de novo.

— Mas eles devem ter comentado alguma coisa no caminho de volta — diz Donna.

Ela repousa a cabeça no colo de Bogdan. Ele quer assistir ao Biatlo Internacional no Eurosport, pois alguém da sua época de colégio vai competir. Biatlo é esqui intercalado com tiro com rifle. Ela está começando a curtir.

— Eles me fizeram jurar não falar nada — comenta Bogdan. Ele gesticula para a televisão. — Jerzy está se ferrando bonito.

— Mas pra *mim* você pode contar — argumenta Donna.

— Sem polícia.

— Eu não sou polícia. Sou sua namorada.

— Você nunca tinha dito que era minha namorada.

Donna vira a cabeça para ele.

— Bem, prepare-se pra ouvir muito essa palavra.

— Então eu sou seu namorado?

— Sinceramente, não sei por que as pessoas acham que você é um gênio. Sim, isso, você é meu namorado.

Bogdan abre um sorriso contente.

— Nós somos a Donna e o Bogdan.

— Somos — concorda Donna, acariciando o rosto dele. — Ou o Bogdan e a Donna, para mim tanto faz.

— A Donna e o Bogdan soa melhor — diz Bogdan.

Donna se apoia na cama e o beija.

— Donna e Bogdan, então. Agora me conta o que o Ron e o Viktor descobriram.

— Não — recusa-se Bogdan.

A televisão volta a distraí-lo.

— Esse lituano tá roubando.

— Me conta só uma fofoca — diz Donna. — Me dá uma colher de chá!

— Está bem. O Ron não voltou pra casa hoje. Foi dormir na Pauline.

— Uôôôu..... Gostei. Você está perdoado.

Bogdan balança a cabeça, contrariado, olhando para a TV.

— Se o Jerzy não ficar entre os quatro primeiros, não se classifica para os confrontos diretos do torneio europeu, em Malmö.

— Coitado do Jerzy. Para de enrolar, cara. Onde ela mora?

— Hã? — Bogdan não está prestando atenção.

— A Pauline — insiste Donna, com sono. — Ela mora por aqui?

Bogdan faz que sim com a cabeça.

— Perto da Rotherfield Road, naquele condomínio grande. Juniper Court.

— Juniper Court?

— É. Já ouviu falar?

Donna com certeza já ouvira falar. Porque Pauline mora no prédio que Bethany Waites visitou na noite em que foi assassinada.

57

A sala tem tons quentes e um carpete vermelho-sangue. Uma pintura grande de um cachorro com uma medalha chama a atenção de Elizabeth. Assim como uma placa emoldurada com a frase O CRIME NÃO COMPENSA. Ao longo dos anos, ela aprendeu que isso é bobagem. A cobertura de Viktor é um ótimo exemplo de que compensa, sim.

Conseguir um horário para falar com o chefe de polícia pode ser difícil. Esse tipo de gente costuma ser ocupada, ter uma agenda cuidadosamente planejada. Experimente ligar para o número da emergência e pedir para falar com o chefe de polícia. Veja só o que acontece.

Elizabeth telefonara naquela manhã para a sala de Andrew Everton dizendo ser uma agente literária, ter lido e amado todos os romances de Mackenzie McStewart, e será que ele teria um tempinho para se encontrar com ela?

A ligação com a resposta veio um minuto depois, informando-lhe que uma brecha se abrira como que por um passe de mágica na agenda dele daquela mesma tarde. Quaisquer que fossem os planos de Andrew Everton, incluindo talvez a captura de um *serial killer*, eles poderiam esperar.

Elizabeth percebera a decepção no olhar dele ao vê-la entrar. Ele a reconhecera da leitura. Por um breve instante, a esperança dele se renovara ao considerar que, sim, *era* a velha da leitura do outro dia, mas quem sabe ela não seria de fato uma agente, alguma grande dama do mundo literário? Porém bastou ela dizer "na verdade, eu não li seus livros, embora saiba que Joyce está gostando de um" para ele murchar. Só que, àquela altura, Elizabeth já havia se sentado e sabia que era uma questão de pura e simples educação que ele lhe respondesse algumas perguntas.

— Bethany Waites — começa Elizabeth. — Você se lembra do caso dela?

— Eu me lembro do caso — responde Andrew Everton. — O que eu não lembro é de ter pedido a você para vir até aqui conversar comigo a respeito.

Elizabeth nem dá bola.

— Todos pagamos impostos, não pagamos? Há algo que possa me dizer? Alguém foi considerado suspeito na época?

— Hum. Você está ciente de que a polícia tem protocolos?

— Estou, muito — diz Elizabeth.

Andrew Everton começa a tamborilar na mesa com uma caneta.

— E, com base no seu conhecimento, esta conversa parece estar de acordo com os protocolos policiais?

— Vou lhe dizer o que me parece. Me parece que você é o chefe de polícia de Kent. Me parece que você pode me contar o que bem entender. Me parece ainda que você não conseguiu solucionar o caso Bethany Waites...

— Não era um problema diretamente meu — defende-se Andrew Everton. — Para ser justo. Eu era peixe pequeno naquela época.

— De fato. Ainda assim, um caso que chama atenção e não foi resolvido. Eu estou lhe oferecendo ajuda e me parece justo que você me ofereça ajuda em troca.

— O que você está me oferecendo?

— Tudo a seu tempo — rebate Elizabeth. — Você deve saber que Heather Garbutt está morta. Ela era a sua principal suspeita?

— Ela era uma das suspeitas. Vou repetir: que ajuda você pode me dar? O que você sabe que eu talvez não saiba?

— E Jack Mason? — pergunta Elizabeth. — Era um dos suspeitos também?

— Nós falamos com ele. Tinha um álibi, mas isso de pouco nos adiantava, já que ele não é do tipo que cometeria o crime ele próprio. Continuo sem entender por que estamos tendo esta conversa.

— Mais alguém? — insiste Elizabeth. — Estamos esquecendo de alguém?

— E quem faz parte deste "estamos"?

— Meus amigos e eu. Pessoas de quem você gostaria. Acredito que você já tenha conversado com o Ibrahim, por exemplo.

— Ah, sim. Ibrahim Arif. Amigo de Connie Johnson, não é?

— Ele tem uma relação profissional com ela. Temos os nossos contatos, chefe de polícia. Você com certeza nos consideraria úteis.

Andrew Everton a está avaliando. Elizabeth já passou por isso incontáveis vezes. Pessoas que tentaram decifrá-la. Uma perda de tempo.

— Ok — cede Andrew Everton. — Vou entrar na sua. Connie Johnson teria algo a dizer sobre a morte de Heather Garbutt? É essa a informação que você tem?

— Ela acha que Heather Garbutt estava com medo de alguém.

— Bem, com todo o respeito, isso nós podemos concluir só com o bilhete. Não é exatamente uma informação inédita. Preciso de algo melhor do que isso. Ela falou de quem tinha medo?

— Sinto muito, mas essa informação eu não tenho. Mas você vai adorar saber que posso ajudá-lo com relação ao bilhete — diz Elizabeth. — Era falso.

— Falso?

Elizabeth nota como Andrew Everton considera a informação sob diferentes perspectivas, refletindo a fundo. A experiência lhe avisa que ele não tem nada de bobo. Pode de fato vir a ser útil.

— Não foi escrito por ela? — Andrew Everton ainda parece confuso. — Então quem foi?

— Estamos tentando descobrir. Mas, enquanto isso, tenho uma outra pergunta. Onde você acha que está o dinheiro? Se não há meios de encontrar o corpo de Bethany Waites, será que ao menos dá para achar o dinheiro?

— Você sabe que nós tentamos — responde Andrew Everton. — Não somos tapados. Contadores forenses checaram cada página de cada arquivo. Os culpados encobriram os rastros.

Elizabeth ri.

— Se quer saber de uma coisa, nós descobrimos mais sobre o dinheiro em duas semanas do que vocês na investigação inteira.

— Duvido — declara Andrew Everton.

— Pode duvidar o quanto quiser, meu bem. Isso não muda os fatos. Vocês não encontraram as quarenta mil libras pagas a Carron Whitehead. Vocês não encontraram as cinco mil libras pagas a Robert Brown Msc. Vocês não encontraram a ligação com as construtoras de Jack Mason. Vocês não encontraram foi nada.

Andrew Everton tenta concatenar uma resposta.

— Eu... eu vou precisar desses nomes. Das informações detalhadas. De onde você as encontrou.

— Eis aí a resposta à sua pergunta sobre como nós podemos ajudá-lo, e... — Elizabeth tira uma pasta da bolsa e a deposita sobre a mesa dele — ... podemos começar com isto.

Andrew Everton olha para a pasta à sua frente.

— Está tudo aqui?

— Está. E é todo seu. Mas eu vou precisar de dois favores em troca.

— É, você tem jeito de quem pede esse tipo de coisa — comenta Andrew Everton. — Se eu puder ajudar, ajudo.

— Jack Mason comprou a casa de Heather Garbutt. E pagou acima do valor de mercado. Por que você acha que ele fez isso?

Andrew Everton não tem resposta.

— Sinceramente? Eu nem estava sabendo disso.

— Talvez devesse, não é?

— Talvez devesse — admite Andrew Everton. — Podemos concordar nisso.

— Agora que já sabe, o que seu instinto de detetive diz?

— Que talvez ele estivesse escondendo algo lá? Ou que sabia que a Heather estava escondendo algo lá?

— É o que o meu instinto me diz também — concorda Elizabeth. — Creio que não seria de todo mal ir até lá cavar para checar. Você tem como providenciar isso?

Andrew Everton pensa por um instante. Elizabeth suspeita que haveria uma infinidade de formulários a preencher para viabilizar isso. Questões de protocolo.

— Acho que é possível — diz Andrew Everton. — Acho que a ideia me parece muito boa. Vamos ver o que encontramos.

— Vamos ver o que encontramos. Sabia que nos daríamos bem.

— Qual era o outro favor?

— Há um homem que lava dinheiro tentando me matar — declara Elizabeth. — Não só a mim, mas Joyce também, porém esse detalhe fica entre nós. Será que você poderia nos ceder alguns policiais para montarem guarda por algum tempo?

— Um homem que lava dinheiro?

— Dizem que é o melhor do mundo. Vamos torcer para que, como assassino, não seja tão bom assim.

— Vou averiguar — informa Andrew Everton. — Para isso talvez seja bem difícil arrumar uma desculpa.

— Tenho certeza de que você fará o seu melhor. E, nesse meio-tempo, pode acabar capturando o maior responsável por lavagem de dinheiro do mundo. Seria bom para a sua carreira, imagino.

Andrew Everton sorri.

— Esse encontro foi um prazer inesperado.

— Prepare-se, então — diz Elizabeth. — Da próxima vez que nos encontrarmos, espero que você esteja com uma pá na mão.

Elizabeth se levanta para ir embora. Deu tudo muito certo. Se há alguém capaz de obter a permissão para escavar o jardim de uma residência, é um chefe de polícia. Andrew Everton se levanta junto.

— Antes de você ir embora — acrescenta ele —, tenho uma pergunta.

— As pessoas em geral têm alguma pergunta. — Elizabeth percebe que Andrew Everton está nervoso. — Fique à vontade.

— Preciso de uma resposta sincera.

— Se eu puder dar uma resposta sincera, darei.

— Sua amiga Joyce... — começa Andrew Everton.

— O que tem ela?

— Ela disse *mesmo* que estava gostando do meu livro?

58

Donna não demorou a entender que uma das principais funções da sala de maquiagem de um estúdio de TV é a de central de fofocas.

Apesar de que, nesse caso, ela terá que ser sutil.

Donna está de volta ao *Boa Noite, Sudeste* para discutir fraudes on-line. E-mails suspeitos ou mensagens que teoricamente são de bancos. Perfis falsos em aplicativos de namoro. Qualquer uma das inúmeras formas pelas quais alguém pode pôr a mão no seu dinheiro sem nem precisar encontrá-lo ao vivo. Passou a tarde toda pesquisando o assunto.

— Um passarinho me contou que você mora no Juniper Court — comenta Donna.

Pauline interrompe o trabalho por um instante. Donna tem que pegar o mais leve possível. Haviam checado todas as placas de todos os carros. O Peugeot branco com as labaredas desenhadas na placa pertence a Pauline.

Pauline continua arrumando o cabelo de Donna.

— O passarinho não seria o Bogdan, seria?

— Talvez. A gente vem sendo discreto.

— É impossível esconder alguma coisa de uma maquiadora. Você deu uma sorte danada, ô homem gostoso. Se eu fosse você, não largava mais.

Donna sorri.

— Você mora lá faz muito tempo? — continua o papo.

— No Juniper Court? Ih, já perdi a conta. Dá para vir a pé para o estúdio, é perfeito.

Aí está. A informação que ela queria. Pauline mora há anos no Juniper Court. Ou seja, já morava lá na noite em que Bethany morreu. E isso, por sua vez, pode torná-la a principal suspeita do assassinato de Bethany Waites. As coisas se encaminham desconfortavelmente rápido para Donna.

Pauline bate de leve na testa dela.

— Relaxa, você está franzindo a testa. A cadeira de maquiagem não é lugar para pensar.

— Desculpe — diz Donna.

Ela olha bem de relance para Pauline no espelho. Pauline sorri de volta, um sorriso tranquilizador.

Que razão Pauline teria para matar Bethany Waites? O que estaria enterrado no passado? E os bilhetes? Teriam sido escritos por Pauline? Chris e Donna mantêm esta nova linha de investigação oculta do Clube do Crime das Quintas-Feiras. Por uma série de motivos óbvios. Mas se Bethany visitara Pauline naquela noite, não daria para manter o segredo por muito mais tempo. Seria coincidência demais Bethany ter ido logo ao prédio onde Pauline morava. Alguma ligação tinha de existir.

— Foi por isso que eu me mudei para o Juniper Court, aliás — retoma Pauline, mais alto que o barulho do secador de cabelo. — Uma galera da equipe mora lá. Câmeras, técnicos de som, todo tipo de gente. A produção até tem uns dois apartamentos por lá. Sabe como é, quando uns freelancers vêm trabalhar com a gente por alguns meses, são acomodados lá. Mike também tinha um apartamento lá alguns anos atrás. Aquilo é que nem alojamento de universidade.

Donna faz aceno sinal positivo com a cabeça. Bem, agora complicou. Se for verdade. Um monte de gente que Bethany teria conhecido. Um monte de gente que ela poderia ter visitado. Donna precisa de mais informações.

— Bethany costumava aparecer por lá? — pergunta Donna.

Ela tenta agir como quem não quer nada enquanto compete com o som do secador de cabelo.

— Como assim?

— Bethany teria visitado o Juniper Court em algum momento?

— Imagino que sim. Lá era sempre um entra e sai de gente. Fiona Clemence ficava com um dos operadores de câmera que moravam lá. Ali era *open house*.

— Ela visitou você alguma vez?

— Se ela me visitou? Não — responde Pauline, desligando o secador. — Acho que nem sabia que eu morava ali.

— Seria de se imaginar que vocês teriam se esbarrado por lá. Em algum momento. Se ela ia tanto assim lá.

— Eu sou um pouco mais reservada do que algumas das outras pessoas — comenta Pauline, dando de ombros.

Donna tinha muito a repassar a Chris. A boa notícia: Pauline já morava no Juniper Court quando Bethany Waites desapareceu. A má: todo o resto da equipe também: Bastante conveniente para Pauline. Conveniente demais?

— Prontinho, querida — diz Pauline. — Você parece uma obra de arte!

Donna olha para si no espelho. Perfeito mesmo. Pauline é muito, muito boa.

59

Ele achou que talvez fosse preciso matar o cachorro, mas, no fim das contas, não houve necessidade. Desde o momento em que arrombou a porta, o cão pareceu feliz da vida em vê-lo. Chegara a lamber sua mão enquanto ele carregava a arma. Estava apagadíssimo até a chave girar na fechadura pela primeira vez. O Viking adoraria ter um cachorro, mas eles dão trabalho demais. Tem que passear, essa coisa toda. E às vezes acontece algum problema com eles. E se acontecesse alguma coisa e ele não reparasse? O Viking jamais se perdoaria. Já ouviu dizer que gatos são mais fáceis. Quem sabe ele não adota um gato?

A primeira pessoa a entrar é Joyce, ele a reconhece da fotografia. Ela carrega uma sacola de compras. Faz um leve gingado e assovia uma melodia alegre. Para de assoviar ao reparar na arma, e isso faz o Viking se sentir culpado, mas poderoso. Acima de tudo, culpado, mas não dá para negar que poderoso também. Deve ser por isso que os fracos gostam tanto de armas, pensa ele. Não que ele seja fraco.

O cachorro salta para recebê-la e Joyce lhe acaricia o pelo sem tirar os olhos do homem de barba e arma na mão que se materializou em sua sala.

— Saudações — diz Joyce. — Você deve ser o Viking.

O Viking fica confuso.

— O Viking?

— Foi você quem sequestrou a Elizabeth. E o Stephen, o que foi uma covardia. Abaixa essa arma, eu tenho setenta e sete anos, você acha que vou fazer o quê?

O Viking abaixa o braço até o lado do tronco, mas continua a segurar a arma. São umas sete da noite e está escuro lá fora. Ele já fechou as cortinas. Joyce está menos assustada do que ele achou que ela estaria. Até dá comida ao cachorro. "Alan", é o nome dele. Oferece chá ao Viking, mas ele recusa, por medo de ser envenenado. Ela se senta à sua frente enquanto Alan come, arrastando ruidosamente a tigela de metal contra o piso da cozinha.

— Você veio matar o Viktor, não foi? Ele saiu.

— Vim matar o Viktor, sim. Mas também vim matar você.

— Ah! — reage Joyce.

— Não contaram pra você?

— Não me contaram. Mas que rebuliço horroroso. Espero que seja por causa de algo muito importante.

— Negócios. Eu disse à Elizabeth para matar o Viktor. Ela não matou. Eu avisei a ela que mataria você se ela não me obedecesse.

— Bem, isso ela não me contou. Você já matou alguém antes?

— Já — responde o Viking. Sua voz nem sequer vacila. Está impressionado consigo mesmo.

— E, no entanto, você precisava que a Elizabeth matasse o Viktor para você. Fala a verdade, você já matou alguém mesmo?

— Não — admite o Viking. Como é que ela percebeu? — Nunca precisei. Mas agora preciso. E vou matar, sim.

— E logo eu vou ser a primeira? Olha lá como você está começando. Com uma aposentada.

O Viking dá de ombros.

— Talvez só mate o Viktor, então.

— Seria melhor se não matasse nenhum de nós. Eu me apeguei a ele. Assiste a uma quantidade absurda de programas sobre trens, mas todo mundo tem seus defeitos. Qual é a sua desavença com ele? Você tem certeza de que não quer um chá? Nós vamos ter que esperar algum tempo até que o Viktor chegue, e prometo que não vou envenenar você. A última coisa de que eu preciso é de um sueco desacordado.

O Viking pondera, um chá até que não cairia mal. Agora que está aqui, de arma em punho, com uma velhinha mirrada lhe fazendo perguntas educadas, seu plano não lhe parece nada certo.

— Está bem, quero, sim, por favor. Só com leite. Eu tenho um conflito com o Viktor.

Joyce atravessa a passagem em arco que dá acesso à cozinha.

— Que tipo de conflito? — pergunta ela.

— Eu lavo dinheiro — explica o Viking. — Por meio de criptomoedas. O Viktor aconselha os clientes dele a manterem distância de mim. Diz que é muito arriscado. Isso está me causando um tremendo prejuízo. Se eu matar o cara, meus problemas acabam.

— Ah, coitadinho de você, deve ser difícil mesmo. Alan, eu acabei de te dar comida, literalmente.

— Quando ele deve chegar?

— Não faço ideia — responde Joyce, sua colher de chá tilintando na caneca. — Ele foi à ópera, acredita nisso? Melhor esperar sentado. Você se incomoda se eu fizer uma pergunta?

— Você não vai me convencer a não matar o Viktor. É o meu destino.

— Não, não — diz Joyce, voltando à sala com duas canecas de chá, uma com o desenho de uma moto, a outra com uma paisagem floral. — Qual caneca você quer?

— A com a moto, por favor.

Joyce se senta e solta um suspiro de satisfação.

— Qual é a sua pergunta?

— Criptomoedas — começa Joyce. — Não é tão arriscado assim, é?

— É muito arriscado. Mas para lavagem de dinheiro isso não é um problema.

— Até Ethereum? — pergunta Joyce. — É arriscada também?

O Viking toma um gole do chá.

— Você conhece Ethereum?

— Investi quinze mil libras em Ethereum — comenta Joyce. — Todo mundo no Instagram parece tão confiante.

— Pode me mostrar a sua conta?

Sério, amadores o levam à loucura. Criptomoedas são um negócio complicado. Um dia, será algo muito importante, mas hoje é uma terra de ninguém. Velhinhas não deveriam estar investindo em Ethereum.

Joyce abre uma página no laptop e o entrega a ele.

— Uso o laptop só para investimentos e para escrever meu diário. Hoje à noite você estará nele, caso não me mate.

— Não vou matar você — declara o Viking, ciente de que ainda não tem certeza disso. Ele checa a conta de Ethereum de Joyce, cujo extrato indica menos de duas mil libras. — Posso mexer em algumas coisas aqui? Vou precisar da sua senha.

— É Poppy82, com *p* maiúsculo. Fique à vontade. Se você prometer não matar o Viktor, ofereço uns biscoitos também.

— Desculpe, mas já estou decidido — declara o Viking, tomando mais um gole do chá e conduzindo o laptop de Joyce para um dos recantos mais infames da deep web.

Mexer no computador o acalma um pouco, pois é onde se sente em casa. Sua frequência cardíaca diminui e ele percebe o quanto estava nervoso. O cachorro começa a lamber sua mão. Com delicadeza, ele afasta Alan e esfrega os olhos com a mão não lambida.

O Viking movimenta o dinheiro de Joyce para duas contas separadas. Ainda há pechinchas disponíveis se a pessoa souber onde procurar. Ainda há ouro cintilando sob as águas, mas não onde todo mundo está peneirando. O Viking acredita ser o mínimo que pode fazer depois de ter arrombado o apartamento de Joyce. Se ele não a matar, ela terá um belo lucro. Joyce está falando alguma coisa, mas não faz muito sentido. Ele está com sede de novo. Olha para Joyce, mas sua cabeça pesa. Dá início a uma frase.

— Você me arranja um... — Arranjar o quê? Qual era a palavra? — Ééé... Alan agora lambe o seu rosto. Por que ele está no chão?

60

Ron está ciente de que vivemos em um mundo novo e brilhante quando o assunto é sexualidade.

Um arco-íris de gêneros e orientações sexuais, além de liberdades inimagináveis para a geração dele. Ron é totalmente a favor disso. Quando deixamos as pessoas serem quem elas são, nós as deixamos desabrochar. Mas, mesmo nestes tempos mais felizes, se você pede a um homem para escolher entre a caneca com o desenho de uma moto e a caneca com as flores, ele vai escolher a da moto. E que sorte: se os comprimidos de Viktor foram capazes de derrubar o Viking, sabe Deus o que teriam feito a Joyce.

— Você podia ter matado ele, Joyce — comenta Elizabeth.

— Com remédios para dormir e vermífugos? Duvido — retruca Joyce.

O Viking começa a se mexer. Bogdan o amarrou a uma das cadeiras da sala de jantar de Joyce. Depois que ele caíra no sono, Joyce chamara a cavalaria e ali estavam todos.

Bogdan, por ser forte, Viktor, de volta da ópera ("Primorosa. Transcendental, quase"), para confrontar o homem que desejava matá-lo, e Elizabeth, que acabara de ter que explicar por que não contara a Joyce que o Viking planejava matá-la também. Ron e Ibrahim estão presentes, presume Ron, de tanto que azucrinariam Joyce e Elizabeth caso não tivessem sido convidados.

Pauline está presente porque, bem, porque nos últimos tempos ela vivia por lá. Seja em Coopers Chase, seja no Juniper Court, ela e Ron gostam de estar juntos. Ela veio direto do trabalho. Bogdan estava sumido no momento.

Viktor tem na mão a arma do Viking. Ron havia pedido para segurá-la um pouco. Apontara-a para a parede, fechara um olho, dissera "Pou!" e a devolvera.

O Viking está com uma aparência lamentável. Barba enorme. Semiconsciente. Ron tentara deixar a barba crescer muitos anos atrás, mas acabou não dando certo. Alguns homens simplesmente não têm pelos o suficiente, e ninguém deve tirar conclusões equivocadas a partir disto. Nem por isso eles são menos homens.

Joyce fez chá para todos após lavar com afinco a caneca com a moto.

— Ei, bela adormecida — cumprimenta Viktor, enquanto o Viking acorda. — E aí?

O Viking abre um pouco os olhos. E os fecha de novo, incapaz de aceitar de primeira o que está vendo.

— Tudo bem — diz Viktor. — Pode abrir os olhos. Quer uma água?

O Viking os abre de novo e tenta focar no carpete de Joyce. Com esforço, levanta a cabeça e se vira para ela.

— Você me drogou.

— Droguei — admite Joyce.

— Você disse que não faria isso — fala o Viking.

— Me perdoe. Você ia matar o Viktor. E você é bastante intimidador.

— Bela barba — elogia Ibrahim. — Como é que você consegue que ela cresça deste jeito? Usa algum óleo?

— Talvez seja uma pergunta para outra hora, Ibrahim — opina Viktor.

— Qualquer um pode deixar a barba crescer — diz Ron.

Viktor fica de cócoras. Ron se lembra da época em que ele também conseguia fazer isso. Viktor dera sorte com o estado dos seus joelhos.

— Qual é o seu nome, Viking? — questiona Viktor.

— Ninguém nunca vai saber o meu nome.

— Bem, isso a gente vai ver — duvida Viktor.

— Ninguém nunca vai dizer o meu nome — garante o Viking, soltando um rugido.

— Olha, alguém acordou — diz Joyce.

Alan aparece, vindo do quarto, para checar que barulheira era aquela.

Ron dá uma piscadela tranquilizadora para Pauline. Ela se senta inclinada para a frente, curtindo o espetáculo.

— Melhor encontro de todos os tempos, Ron — comenta ela.

— Vamos falar sobre por que você quer me matar tanto assim — retoma Viktor. — Pode ser?

— Você vai se arrepender disso — ameaça o Viking. — Vocês todos vão se arrepender.

— Eu dou prejuízo para você, disso eu sei — retoma Viktor. — Me recuso a recomendar os seus serviços. Mas você entende o porquê? Criptomoedas são uma coisa arriscada.

— Não, não são — contesta Joyce. — Alguém aqui andou lendo a imprensa tradicional. — Ela bagunça o pelo de Alan. — Não é, Alan? Andaram lendo, *sim*.

— Você está vivendo no passado — diz o Viking.

— Tem uma certa dose de verdade nisso — confessa Viktor. — Eu vivo dentro do que é confortável para mim. Vivo onde residem as minhas habilidades. Você vai ser igual a mim daqui a trinta ou quarenta anos. Vai estar falando de criptomoedas enquanto os mais jovens riem de você. Mas sabe o que é bom para você nessa situação? Eu vivo no passado porque eu sou velho. Sou velho, meu amigo Viking, e sabe o que isso significa? Significa que você não precisa me matar, é só ter paciência. As células do meu corpo estão se atrofiando agora mesmo, enquanto conversamos. Todos os que você vê aqui nesta sala vão estar mortos já, já.

— Pega leve, Viktor — intervém Pauline.

— Então eu sou um bobo. Sou um obstáculo, dou prejuízo a você. — Viktor dá de ombros. — Você está indo bem, já ouvi falar da sua casa. Continua na sua. Você é bom no que faz, disso eu sei. Sabe por que ninguém me matou até hoje?

— Por quê?

— Porque eu nunca mato ninguém — explica Viktor. — Para ser sincero, uma vez que você entra nessa, ferrou, vai ter que continuar matando.

— É igual a manteiga de cacau — diz Pauline. — Depois que você começa a usar, os lábios ressecam, daí o jeito é continuar usando.

Viktor gesticula na direção de Pauline como quem diz "está aí a prova".

— Então, eis a minha sugestão. Continua lá com a sua vida, lava o seu dinheiro, curte a sua casa, sem matar ninguém. E eu continuo com a minha vida, faço o meu trabalho e, dentro de uns cinco a sete anos, se você der sorte, morro de causas naturais.

— E se eu discordar? Se continuar a achar que você me dá prejuízo demais?

— Então me mata — declara Viktor. — Eu espalho hoje para os meus muitos amigos e parceiros que você quer me matar. E, quando o meu corpo for encontrado, eles tiram as próprias conclusões, rastreiam e matam você.

Eles ouvem alguém girando a chave na porta de Joyce. Viktor se joga no chão, apontando a arma naquela direção. A porta é aberta, Bogdan entra e Viktor devolve a arma ao coldre. Atrás de Bogdan vem Stephen, muito elegante de terno. A atenção do Viking, porém, está concentrada em Viktor.

— Seus amigos não vão me achar — afirma o Viking. — Ninguém me conhece. Olha só pra você, um coronel da KGB, e não descobriu nada sobre mim. E você — ele se vira para Elizabeth —, uma agente do MI6, não descobriu nada sobre mim. Eu sou um fantasma. É impossível matar um fantasma.

Enquanto o Viking faz seu discurso, Ron repara que Stephen está se sentando em uma das cadeiras da sala de jantar de Joyce. Tira do bolso um bloco de notas. Ron percebe que as mãos de Stephen tremem. Mas não de medo.

— Fantasma, é, chefe? — repete Stephen, tamborilando no bloco de notas.

De imediato, a sala toda se volta para ele.

— Bom ver você de novo, aliás. Então esse era o tal Viking de que você estava falando, Elizabeth.

— É, meu bem — concorda Elizabeth. — Ele mesmo.

— Henrik Mikael Hansen, nascido em Norrköping no dia 4 de maio de 1989 — lê Stephen do bloco de notas. — Filho de uma confeiteira e de um bibliotecário. O que você tem a dizer sobre isso?

— Você está errado — nega Henrik Mikael Hansen, de Norrköping. — Não teria como você estar mais errado. Sueco eu sou, mas fora isso... Não tem confeiteira nenhuma.

— Você ama livros, Henrik — retoma Stephen. — Eu também. Sua coleção é incrível. Tem itens raros. E quando se trata de livros raros, em geral dá para se encontrar um registro de venda. Hoje em dia você compra todos os seus através de uma holding, mas quando começou a coleção usava o seu próprio nome e foi assim que descobrimos quem você é. Foi uma edição original de O vento nos salgueiros que entregou a sua identidade.

— Não — diz Henrik. — É impossível.

— Longe disso, Henrik. Ao menos é uma maneira admirável de ser capturado. Uma vez que conseguimos o nome, o resto todo foi moleza. Sua irmã está esquiando agora, por exemplo — informa Stephen. — Isso descobrimos pelo Facebook.

— Stephen — chama Elizabeth. — Stephen.

— Só estou fazendo a minha parte — replica ele. — Quem fez a maior parte foi o Kuldesh, na verdade. Nós devemos um jantar a ele.

— Você foi mesmo encontrar o Kuldesh?

— Eu disse que ia — responde Stephen.

— É, eu... — diz Elizabeth.

— Fomos de carro — admite Bogdan. — Era segredo.

Elizabeth encara Bogdan.

— Você está cheio de segredinhos ultimamente, hein, Bogdan?

Todos os demais já estavam voltados para Henrik Hansen.

Ron está feliz por ter sido convidado a testemunhar a cena. Houve uma época em que Elizabeth e Joyce teriam lidado com o assunto sozinhas e ele só ficaria sabendo na manhã seguinte. Está ciente de ainda não ter ajudado em nada, mas grato por estar presente.

— Não sou Henrik Hansen — diz Henrik Hansen.

— Acho que deve ser, sim — observa Elizabeth. — Meu marido não é de se enganar.

— Henrik, nós podemos ser amigos — propõe Viktor. — Ou, se não amigos, conhecidos que optam por não matar um ao outro. Se você me deixar em paz, garanto a você que meus muitos clientes também vão deixar você em paz.

— Não, eu não sou Henrik — retruca Henrik de novo, com uma raiva crescente. — Vocês estão todos errados e vão acabar todos mortos. Cada um de vocês.

— Henrik — diz Joyce com delicadeza —, você não conseguiu nem *me* matar.

— Então não vou matar todos. Vou matar um — declara Henrik. — Isso. Como uma lição para os outros. No segundo em que vocês me soltarem, a caçada começa.

Os olhos de Henrik vasculham o ambiente, à procura da sua presa. Fixam-se em Ron.

— Você — decide Henrik. — Vou matar você.

Ron revira os olhos.

— Sempre eu.

— Você vai ser pego de surpresa — diz Henrik.

Pauline se levanta, lenta e calmamente. Ela caminha na direção de Henrik e põe uma mão em cada lado do seu rosto. A sala cai em silêncio absoluto.

— Henrik, meu querido, me escuta com atenção. Já conheci mil homens como você e sei que, com gente assim, só soletrando. Então vou soletrar. Se você sequer pensar em tocar num fio de cabelo do Ron, eu mato você. Aquele homem está sob a minha proteção, e, se acontecer qualquer coisa com ele, eu encho os seus joelhos de balas, depois seus ombros e aí, quando estiver cansada de ouvir você gritar, o que vai levar muito, mas muito tempo, enfio uma bala na sua cabeça e acabo com a sua raça. Aliás, se o Ron acordar com uma *tosse* que seja, eu acho você, arranco o seu coração e como. E ainda envio um vídeo como prova para a sua mãe, a confeiteira. Estamos minimamente entendidos?

Henrik logo desanima. Aponta agora para Ibrahim.

— Mato ele, então.

Pauline aperta seu rosto com ainda mais força.

— É o melhor amigo do Ron. E isso faz dele meu melhor amigo também.

Ron nunca vira Ibrahim corar antes.

— Ninguém vai morrer aqui hoje — continua Pauline. — Viktor foi bastante razoável, vê se para de pagar de psicopata.

— Mas eu sou psicopata! — protesta Henrik.

— Querido — começa Pauline, soltando o rosto dele —, um psicopata teria matado o Alan.

Alan late feliz. Gosta de ouvir o próprio nome.

Henrik parece derrotado.

— Achei que isso ia ser mais fácil — comenta.

— Vou pegar uma água pra você — oferece Joyce. — Vai ser pura, prometo.

— Obrigado, Joyce — diz Henrik. — Eu devia ter escolhido a caneca com as flores. Assim que escolhi a da moto, pensei: "Ah, peraí, mas que clichê!"

— Somos todos programados — aplaca Joyce. — Joanna me fez assistir a um vídeo no YouTube sobre o assunto.

— Vou soltar você agora — informa Viktor. — Posso confiar em você, né? Mesmo que não possa, eu tenho uma arma e imagino que Elizabeth também. Talvez até Pauline tenha uma.

Viktor afrouxa o arame farpado em torno dos punhos de Henrik, que balança as mãos para se libertar por completo. Joyce volta com a água e Henrik aceita a oferta.

— Obrigado, Joyce.

— Posso tomar um gole antes, se você quiser — diz Joyce.

A sala cai em um silêncio momentâneo, satisfeito. Pauline é quem o quebra, mais uma vez.

— Posso fazer uma observação?

Ron fita Pauline, que, novamente, tem a atenção da sala. Deus do céu, que mulher fantástica ele foi arrumar.

— Adoro uma observação — comenta Ibrahim. — Sempre bota lenha na minha fogueira. Em especial quando ela vem de uma boa amiga como você, Pauline.

— Então, eu vejo a situação assim — opina Pauline. — E faz pouco tempo que conheço vocês. É só minha opinião, e quem sou eu para dizer qualquer coisa? Mas cada um aqui nesta sala, cada um de vocês, cada um a seu jeito, é completamente maluco, maluco de pedra.

Joyce olha para Elizabeth. Elizabeth olha para Ibrahim. Ibrahim olha para Ron. Ron olha para Joyce. Viktor e Alan olham um para o outro.

Stephen dá uma olhada no ambiente.

— Errada, ela não está — conclui.

— Conheço vocês faz pouco mais de duas semanas e já estive dentro de uma cova com um coronel da KGB, vi uma velhinha drogar um Viking e dividi a cama com o homem mais bonito de Kent. Durante três ou quatro anos, na década de 1980, eu tomei cogumelos mágicos aos montes. Uma vez em Bratislava experimentei LSD com o Iron Maiden. Mas nada, nada que eu já tenha feito, se compara com alguns dias na companhia de vocês. O que mais vão aprontar?

— Bem — responde Elizabeth —, amanhã vamos escavar um jardim com o chefe de polícia de Kent, à procura de um corpo e de uma arma.

— O corpo da Bethany? — pergunta Pauline. De repente, ela fica séria.

— O corpo da Bethany — confirma Elizabeth. — Mas, Henrik, eu queria saber se você não quer ficar por aqui mais um ou dois dias. Ibrahim tem um quarto vago, se ele não se importar.

— Seria um prazer — concorda Ibrahim. — Henrik teve um dia longo e traumático.

— Só quero ir pra casa — diz Henrik.

— Tudo a seu tempo, Henrik — retruca Elizabeth. — Antes há uma tarefa com a qual você talvez possa nos ajudar.

Joyce

O inspetor Gerry Meadowcroft acendeu um cigarro e tragou profundamente. Uma nuvem de fumaça se espalhou diante de seus penetrantes olhos azuis. Olhos que já haviam visto muita matança, muito sangue, muitas viúvas. Ele sentia o peso da arma no bolso. Será que teria que usá-la?

Gerry era capaz de matar. Já matara antes e mataria de novo se fosse preciso. Mas não por escolha, jamais por escolha. A cada vez que matou, Gerry Meadowcroft perdeu um pedaço de sua alma. Quantos ainda lhe restariam? Gerry não estava a fim de descobrir.

Lembrou-se da época no Centro de Treinamento de Policiais de Ashford. Nem todo mundo era treinado em Hendon, aquilo era um equívoco.

O que acham? Comecei a tentar escrever. Há um concurso de contos do *Evening Argus*, e o primeiro lugar ganha cem libras e participa de uma conversa por Zoom com uma agente literária. Eu não falaria com ninguém por Zoom mais do que o estritamente necessário, mas poderia doar as cem libras ao abrigo de animais do Alan. E também pode acabar sendo divertido, não?

O nome do meu detetive é em homenagem ao Gerry, embora os olhos do meu Gerry fossem castanhos. Afinal, temos que mudar algumas coisas. Meu Gerry também tinha rinite alérgica. Isso eu também mudei. Não dava para colocar exatamente o meu Gerry tentando resolver crimes. Este Gerry, portanto, tem olhos azuis e uma arma, enquanto o meu tinha olhos castanhos e um cartão de doador de órgãos. Mas meu Gerry vivia dizendo "Aí é fácil", e vou tornar esta frase o bordão do detetive também.

No momento, o conto se chama "Banho de sangue canibal", mas talvez eu mude porque entrega demais a trama.

62

Eles acham que sabem onde Bethany está enterrada. Enterrada. Não faz sentido algum. Ah, Bethany, com que diabo você se meteu?

Mike Waghorn se serve de sidra. Ele não bebe sidra em público, não fica bem. Em público, toma champanhe, um bom vinho, o tipo de coisa que se espera de alguém como Mike Waghorn. Ou uma cerveja, caso esteja querendo se enturmar com a rapaziada em um evento corporativo.

Mas quando Mike era adolescente só bebia sidra. E, à medida que envelhece, se vê retornando a ela. Já bebeu sidra cara. Hoje tem disso. Tem um supermercado que vende uma de fabricação própria, mas, quando o assunto é sidra, quanto mais fuleira, melhor. A que bebe neste momento vem numa garrafa plástica de dois litros. Serviu-se dela usando um decantador pesado de cristal só para disfarçar, mas devia parar até mesmo com isso. Quer enganar quem? Não tem ninguém por perto, só está enganando a si próprio.

Ele bota para dentro seus comprimidos para artrite, seus betabloqueadores e o remédio para gota. Não devia misturar álcool com nada disso, mas ninguém vai impedi-lo.

Está assistindo a *De Olho no Relógio* numa TV enorme. Fiona Clemence está linda. Ele achou que deveria dar uma chance ao programa depois que Joyce o mencionou. Admitir um quê de inveja profissional, engolir um pouco do orgulho que tem de sobra e assistir uma vez. Ver se Fiona Clemence prestava. Torcia para que não fosse o caso.

O irritante é que bastou um episódio para se viciar. Fiona é razoável, simpática o suficiente, boa na leitura em voz alta, mas o quiz é incrível. Mike imagina o que poderia ter feito no lugar dela. Sempre que um concorrente diz algo, Mike pensa como responderia. Uma vez ou outra Fiona Clemence diz o mesmo que ele pensara, e aquilo o incomoda um pouco, mas de maneira geral ele acha que seria um pouco melhor.

Mas o problema não é exatamente esse, Mike? Você pode pensar o que quiser, mas nunca botou em prática. Nunca se arriscou. Filmou um piloto certa vez, ali pelo final dos anos 1980. Foi bem, todos concordaram, a ITV adorou, encomendou uma temporada, mas pediu só uma mudança. Será que podiam arrumar um apresentador diferente? Alguém mais novo, alguém (e aquelas palavras permaneceram gravadas na sua mente por muito tempo) "mais *autêntico*, mais *real*".

Mike nunca mais deu a cara tão bem retocada a tapa, nunca mais saiu da toca, por mais atraído que tenha se sentido pelo mundo lá fora. "Mais autêntico, mais real." Por anos se debateu com aquele insulto. Mike *era* real, Mike *era* autêntico — e se alguns moleques de vinte e poucos anos de Londres com cortes de cabelo e tênis da moda não enxergavam isso, problema deles, não de Mike.

E assim passou anos atrás da bancada informando as pessoas de Kent e Sussex sobre incêndios em lares de idosos, assaltos a empresas de crédito imobiliário em Faversham ou um morador de Hastings que alegava ter o maior castelo inflável do mundo. E, para as pessoas de Kent e de Sussex, ele era real o suficiente e autêntico o suficiente, ponto. Basta andar pelas ruas de Maidstone ou East Grinstead e perguntar quem acha Mike autêntico. Todo mundo.

Houve mais uns dois flertes com emissoras de alcance nacional, nunca nada concreto nem animador, mas ainda assim flertes. Mas Mike se recusou a sequer considerá-los. Estava feliz no seu canto, obrigado.

Só que não, não estava feliz, percebe Mike em retrospecto, ao estudar sua sidra naquele ridículo decantador. Ele tinha consciência disso na época? Não, a bebida e a adulação local vinham em quantidades suficientes para mantê-lo sedado, para manter o trem nos trilhos. Havia começado a se irritar com mais facilidade, é verdade, a exigir um pouco mais daqueles com quem trabalhava, talvez a ser menos agradável de se lidar. Mas, em sua mente, aquilo não passava de profissionalismo, num mundo em que as pessoas ao seu redor haviam começado a se tornar cada vez mais jovens. À medida que as equipes com as quais estava habituado a trabalhar começavam a partir para empreitadas maiores em Londres ou, num caso particularmente exasperante, Los Angeles.

Mas Mike não estava feliz. E a razão pela qual Mike não estava feliz era que Mike não era autêntico e Mike não era real.

E quem lhe ensinara aquela lição?

Bethany Waites.

Que idade tinha ele quando Bethany chegou? Ela havia começado na equipe de pesquisa. Talvez em 2008? A Wikipédia dirá que Mike Waghorn tinha cinquenta e seis anos em 2008, porém na verdade ele já tinha sessenta e um. Bethany tinha seus vinte e poucos, supõe ele, vinha de Leeds e era formada em Estudos de Mídia, ainda por cima. Ela lhe fazia chá, ele lhe dizia que perda de tempo era um diploma de Estudos de Mídia, ela lhe trazia matérias que os seus colegas mais experientes não haviam conseguido, ele saía para tomar uma cerveja com ela depois do trabalho, ela o desafiava, o incitava, o encorajava e ele se certificava de que ela entrasse num táxi em segurança ao final da noite.

Quando Bethany tinha cerca de um ano de casa, Mike comentou que ela deveria estar no ar. Naturalmente, ela não discordou. Começou a gravar boletins. De vez em quando, aparecia no estúdio para discuti-los. Dali em diante, sempre que a parceira de mesa de Mike tirava férias de forma irresponsável, Bethany a substituía. Não demorou muito até Mike e Bethany serem a dupla oficial do *Boa Noite, Sudeste*.

Certa noite, estavam tomando uma cerveja nas proximidades do estúdio, como sempre faziam, e havia um exemplar da *Kent Matters* no bar. Era uma revista local que trazia apenas fotos de eventos, anúncios de spas e casas de luxo, essas coisas. Havia uma foto de Mike na revista, com ar sofisticado, de smoking, em algum evento de negócios ou algo do gênero. Talvez o Kent Accountancy Awards. Ele se lembrava do nome pois, logo no início da noite, cometera o erro fatal de pronunciar errado o nome da premiação e a plateia permanecera firme ao seu lado desde então.

Havia levado Pauline como acompanhante, o que era frequente na época. Ela gostava de beber. Ele gostava de ter alguém com quem conversar que não fosse um contador de Sevenoaks que jamais ouvira falar dele mas mesmo assim exigia uma selfie.

Bethany chamara sua atenção para a foto, o braço dele em torno da cintura de Pauline, e Mike sorrira e lhe contara sobre a gafe do nome da premiação. Bethany então iniciara o longo processo de fazer de Mike um homem melhor e mais feliz.

— Você devia ter levado seu namorado — dissera ela.

Assim, sem mais nem menos, pondo as cartas na mesa de uma vez só, na frente dele. Mike ainda consegue escutar a voz dela e visualizar a cena.

Tomaram mais uma cerveja, e mais uma, e mais outra. Mike nunca havia falado sobre ser gay. Não abertamente, num pub, com uma colega de trabalho. Era velho o bastante para ter mantido sua sexualidade escondida, um segredo bem no fundo de um bolso. Ela nunca vira a luz do dia antes.

E por quê? Bem, por cem razões. Mil razões. Mas todas amarradas num mesmo feixe com o laço da vergonha. O mesmo laço que Bethany começara a desatar. Ela se recusava a permitir que Mike sentisse vergonha. Vinha de uma geração diferente. Uma que Mike inveja. Ele os vê às vezes pela rua. Mike tem certeza de que eles têm suas inseguranças e vulnerabilidades, de que ainda têm muito pelo que lutar, mas a alegria com que escolhem se expor o deixa ao mesmo tempo muito orgulhoso e invejoso.

O processo não foi rápido e não foi fácil, mas Bethany esteve o tempo inteiro ao seu lado. Mike se assumiu para os amigos. Assumiu-se para os colegas de trabalho. Lembra da primeira vez em que mencionou aquilo para Pauline. Estava todo sério, todo solene quando contou seu segredo. Pauline lhe deu um grande abraço e disse somente: "Até que enfim, meu amor. Até que enfim."

Mike às vezes se pergunta por que não foi Pauline quem o instigou, mas, de novo, gerações diferentes.

Mike nunca se assumiu oficialmente para o público, embora quem quisesse de fato descobrir tivesse como saber. E ainda comparece a eventos com Pauline de vez em quando, mas também com Steve, Greg ou qualquer um dos outros homens com quem tenha relacionamentos passageiros.

E pouco a pouco ele reconheceu que estava mudando. Sua aparência continuava ótima, sem dúvida, ainda usava ternos, laquê e flertava com as mulheres, porém começara a se tornar ele mesmo. A ser autêntico, a ser real. E a felicidade veio com isso.

Tornou-se um homem melhor, um amigo melhor, um colega melhor, um apresentador melhor. Se a ITV tivesse filmado agora aquele piloto, Mike conseguiria o cargo, sem dúvida.

A ironia seria que Mike não o quereria mais. O *Boa Noite, Sudeste* já não era mais onde ele se escondia, mas onde brilhava. Os assaltos a empresas de crédito imobiliário, os castelos infláveis e os gatos de vinte e cinco anos. Ele os noticiava porque se importava. Consigo mesmo e com sua comunidade. E, por tudo isso, Mike agradecia a Bethany.

Ainda era um babaca de vez em quando? Óbvio. Ainda podia ser difícil? Podia, ainda mais quando estava com fome. Mas já conseguia se olhar no espelho sem querer virar a cara.

Mike toma mais um gole de sidra. Está esperando o início da luta de boxe e neste momento tem de encarar uma infinidade de anúncios de empresas de jogos de azar. Um dos quais apresentado pelo filho de Ron, Jason Ritchie. Um bom lutador, ele havia sido.

Mike recebeu a mensagem de Pauline cerca de uma hora atrás. Amanhã vão começar a escavar em busca do corpo. Do corpo de Bethany. Sua amiga maravilhosa, talentosa e teimosa. Ela poderia ter conquistado qualquer coisa, poderia ter sido quem quisesse ser. Seu nome teria sido reconhecido mundo afora.

Bethany salvou a vida de Mike, e Mike nunca conseguira pagar essa dívida enquanto a amiga estava viva. Mas agora ele faria isso. Com a ajuda do Clube do Crime das Quintas-Feiras. Encontraria o assassino, ficaria em paz. Heather Garbutt? Jack Mason? Outra pessoa em quem ainda não haviam pensado? Mike sente estar prestes a descobrir.

E este é o mínimo que ele poderia fazer por Bethany Waites.

63

A casa de Heather Garbutt fica numa rua feia com um nome bonito. Na frente, a entrada de carros ladeada por cercas vivas, no momento sem poda alguma, faz um desvio para longe da rua, escondendo a casa do movimento. Seria possível passar por ali todos os dias sem notar o lento declínio de uma casa outrora bela. Nos fundos, há um jardim e depois um bosque, separando-a de um campo de golfe municipal.

A casa em si é um bangalô. Já havia sido um lugar aprazível: eles procuraram no site da corretora de imóveis as fotos da última vez em que fora posta à venda. Quatro quartos, uma grande sala de estar com vista para o jardim, uma cozinha que, segundo os corretores, "precisava ser modernizada", mas da qual Joyce havia gostado mesmo assim. Talvez não fosse a casa de uma pessoa rica, mas a de alguém que trabalhava para uma pessoa rica. Confortável, em todos os sentidos. Fora anunciada por 375 mil libras, embora uma rápida busca por preços de casas tivesse revelado que Jack Mason pagara 425 mil por ela. Era evidente se tratar de um comprador muito motivado, como Joyce imagina que ela mesma seria se houvesse provas enterradas no jardim capazes de mandá-la para a cadeia.

O lugar está um caos agora. Jack Mason pode tê-lo comprado, mas pelo jeito não o visita nunca. Ron havia ligado para Jack na noite passada para lhe pedir as chaves, mas o outro não atendera. Será que já se arrependeu de ter contado a Ron e a Viktor a respeito do corpo? Não dissera o nome de seu comparsa, mas, fora isso, chegara perigosamente perto da deduragem. Ron sabe que isso não teria ocorrido de forma natural. E se eles acharem de fato alguma coisa, o que isso significará para Jack?

Dois policiais abrem a porta à força, empurrando-a a duras penas contra a pilha de correspondências. Como é que o correio ainda passa por aqui?, pensa Joyce. Quem é que olha para esta casa, perceptivelmente abandonada, devolvida à natureza, e entrega um panfleto de pizzaria? Joyce vê uma revista do National Trust no alto da pilha. Suspeita que ela teria gostado bastante de Heather Garbutt.

Elizabeth deu a volta pela lateral da casa com o chefe de polícia Andrew Everton. Joyce, no entanto, entra pela porta da frente porque quer ser enxerida. E o mais legal de se investigar um crime é a permissão para ser enxerida e chamar isso de trabalho. No entanto, fica decepcionada porque não há muito para ver. Todo e qualquer rastro de Heather Garbutt se foi. A única pista de que ela algum dia estivera ali está nos quadrados desbotados do papel de parede, marcas de onde houvera quadros pendurados. Ao menos não é necessário ser cuidadosa, andar na ponta dos pés e não encostar em nada. Joyce tem liberdade total. A casa já fora vasculhada anos antes e quaisquer provas que nela houvesse já não estão lá faz tempo.

Mas ninguém fizera uma busca no jardim. E por que fariam? Se o corpo fora levado pelo mar, cavar à procura de quê? Joyce entra na sala de estar, onde as belas portas do pátio interno emolduram a vista de uma grande escavadeira amarela, o cordão de isolamento agitando-se ao vento e o chefe de polícia Andrew Everton, de quepe e casaco fluorescente, no comando da operação. Um dos policiais abre as portas, Joyce as atravessa e segue até o deque do pátio. Caminha com todo o cuidado: a madeira escorrega, pedra é muito melhor. Tem de admitir, porém, o bom estado do deque em comparação com o jardim sem poda e a casa depauperada.

A escavadeira chegou às oito da manhã. O jardim, e até alguns trechos de mata adiante, estão salpicados de buracos. Dois homens de capacete começaram há pouco a desmontar o deque. Minúsculas bandeiras coloridas marcam os pontos já escavados e aqueles ainda por vir. Joyce avista Elizabeth. Está monopolizando o chefe de polícia. Mas que surpresa.

— Que monte de buracos! — observa Joyce. — E eu tinha razão sobre a cozinha, mesmo neste estado é bastante habitável. Muito espaço para guardar coisas.

— Os buracos não são todos nossos — defende-se Andrew Everton. — Alguém, vamos supor que seja o Jack Mason, tem escavado por conta própria ao longo dos anos. Em especial mais lá para perto da mata.

Joyce observa o bosque atrás do jardim. Há policiais uniformizados cavando com suas pás.

— Quantos policiais — diz ela.

— Eu sou o chefe de polícia — declara Andrew Everton. — As pessoas tendem a correr para me atender quando peço alguma coisa. Pelo que me relataram, o único esqueleto achado até agora é de um porquinho-da-índia.

— Certa vez nós estávamos escavando em Vladivostok — comenta Elizabeth —, não me lembro mais o motivo, um desses comandantes militares tinha escondido alguma coisa. Enfim, nós descobrimos um alce pré-histórico. Intacto, com chifres e tudo. Pretendíamos tapar o buraco todo, mas o diretor do Serviço Russo na época era do conselho do Museu de História Natural e acabamos libertando um espião russo que estava preso em Belmarsh em troca do alce. Está lá exposto se você for visitar.

— Ok — diz Andrew Everton.

— Depois de certo tempo você para de prestar atenção — garante Joyce. — Ela está sempre cavando alguma coisa ou incomodando os russos. Você acredita nessa história do Jack Mason? Que ele tem um parceiro?

Andrew Everton reflete sobre a pergunta.

— Não é comum alguém inventar esse tipo de coisa. E, se ele estiver mentindo, é porque tem um motivo para tal, e eu não me importaria de descobrir qual é.

— Houve retorno quanto à morte da Heather Garbutt? — indaga Elizabeth. — A perícia falou algo?

Andrew Everton dá de ombros.

— Sabe qual é o problema de procurar impressões digitais numa cela de prisão? Vai haver centenas. E a maioria delas de gente com ficha policial.

Elizabeth bufa.

— Pode ignorar ela, por favor — diz Joyce.

Uma mulher entra no jardim vinda da lateral da casa. Veste um macacão branco, com os sapatos envoltos em plástico. Perícia. Exatamente o que Joyce queria. Vai esperar que a técnica se instale e então abordá-la. Perguntar não ofende, não é?

Há certa atividade na mata e um policial de uniforme enlameado emerge das árvores e corre na direção deles.

— Senhor — chama o policial. — Encontramos uma coisa.

Andrew Everton assente.

— Bom trabalho. — Ele se vira para Elizabeth e Joyce. — Vocês duas, me esperem aqui.

Dessa vez são as duas que bufam.

64

— Não sei se alguma vez já houve tanta testosterona nesta sala — diz Ibrahim, trazendo uma bandeja de chá de hortelã para todos.

Na mesa de jantar, Viktor e Henrik estão debruçados sobre os registros financeiros do julgamento de Heather Garbutt. Ron, sentado no sofá, assiste a alguma coisa no celular, e Alan olha pela janela se perguntando quando Joyce volta. De vez em quando, vê alguém um pouco parecido com ela e se anima.

— Cinco rapazes — continua Ibrahim, servindo o chá. — Henrik, como está essa sua fúria assassina? Diminuiu?

— Esquecida — diz Henrik. — Sob uma perspectiva estratégica, foi uma besteira.

— Encontraram alguma coisa? — pergunta Ron.

— Nada — responde Viktor.

— Achei que o Henrik era o melhor do mundo quando o assunto é lavagem de dinheiro!

— E sou mesmo — declara ele. — Há provas disso.

— Bem, a Bethany Waites encontrou alguma coisa aí que você deixou passar — rebate Ron.

— Alguma coisa que acabou sendo a causa da morte dela — completa Ibrahim.

— Neste momento, então, você não passa de um sujeito de barba.

— Ron, Henrik é nosso convidado — repreende-o Ibrahim.

— Convidado? — retruca Ron, sem tirar os olhos do celular. — Ainda ontem ele queria matar a Joyce, agora é um convidado.

— E queria me matar também — relembra Viktor.

— Gente, foi um erro — defende-se Henrik. — Eu queria ser durão. Não posso ficar pedindo desculpa o tempo todo.

— Não precisa, contanto que descubra quem matou a Bethany Waites — indica Ron.

— Nós vamos descobrir — garante Henrik.

— Bethany Waites contou alguma coisa a alguém sobre o que ela descobriu? — pergunta Viktor.

— Nada — responde Ron.

— Nada sobre "Carron Whitehead" ou "Robert Brown Msc"?

— Nada sobre ninguém — garante Ron. — Pelo que a gente sabe. Henrik, você tem dinheiro suficiente para comprar um time de futebol?

— Já sou dono de um.

Ibrahim se senta à mesa de jantar.

— Bem, ela disse, sim, uma coisa. A alguém.

— O que ela falou? — pergunta Viktor.

— Ela mandou uma mensagem ao Mike Waghorn — comenta Ibrahim. — Algumas semanas antes de desaparecer.

— Você tem essa mensagem? Pode ser importante — observa Viktor.

— Acho que não havia nada nela — diz Ibrahim. — Mas poderíamos pedir à Pauline para pedir ao Mike.

— Os dois estão chegando para almoçar daqui a pouco — avisa Ron.

— Você está caidinho pela Pauline, Ron — opina Viktor.

— Bem, e você pela Elizabeth — retruca Ron.

— Eu sei — admite Viktor. — Só que eu não tenho nenhuma chance. Você tem toda a chance do mundo. Sortudo.

Ron dá de ombros, um pouco constrangido.

— Nós somos amigos.

— Amor é algo muito precioso — diz Viktor, tomando um gole do chá de hortelã.

— Será que eu poderia pedir para você colocar um porta-copos de renda embaixo da sua xícara? — diz Ibrahim. — É para não deixar marca na madeira.

— Posso usar o banheiro? — interrompe Henrik. — Esqueci de passar hidratante hoje cedo e já estou sentindo a pele ressecar.

Ron olha para Ibrahim e comenta:

— Quanta testosterona numa sala só, meu amigo. Quanta testosterona.

Alan late para um pássaro.

65

Encontraram a arma embrulhada num pano azul esmaecido, enterrada a uns dez metros mata adentro. Elizabeth dera uma olhada antes de a polícia levá-la embora para ser examinada. Ao ouvir a palavra "arma", imaginara que fosse um revólver ou uma pistola. Mas era uma arma de assalto, uma semiautomática. Andrew Everton pareceu tão surpreso quanto ela. Afinal, era uma arma e tanto. Sem munição, mas acompanhada de uma caixa de metal que parecia conter em torno de cem mil libras em dinheiro.

Talvez tivessem achado a arma do crime e, enfim, parte do lucro da falcatrua. O tempo e a perícia vão confirmar. A perita criminal responsável deveria estar prestes a partir, mas por ora está sendo alugada por Joyce. Estão sentadas juntas sobre a capa de chuva de Joyce, estendida em um banco musgoso. Do que estão falando, só Deus sabe. Elizabeth está saindo do bosque com Andrew Everton.

— Pelo jeito você nos deve uma — diz Elizabeth.

— Vou dever uma a vocês quando nós encontrarmos o corpo da Bethany — retruca Andrew Everton. — Vamos começar concentrando a busca no mesmo local.

— Me parece que isso seria o suficiente para prender Jack Mason — opina Elizabeth. — Fazer algumas perguntas a ele, quem sabe?

— Deixa isso comigo — garante Andrew Everton. — Você não pode fazer tudo.

Há controvérsias, mas Elizabeth não está no clima para discutir.

— Só nos mantenha informadas.

Andrew Everton faz uma reverência, um tanto sarcástica para o gosto de Elizabeth.

— Senhora — despede-se ele.

Elizabeth segue na direção de Joyce e da perita criminal. Ao se aproximar, ouve a conversa.

— Mas digamos que três corpos sejam deixados num porão por muitos anos — está dizendo a amiga. — Quando o cheiro desapareceria?

Estaria Joyce perguntando sobre o caso de Rye?

— Há ferimentos nos corpos? — indaga a perita criminal.

— Foram desmembrados por uma serra elétrica.

Não parece o caso de Rye.

— Bem, se esvairiam em sangue muito rápido. Sendo assim, o processo de putrefação também seria bem acelerado. O cheiro seria horrível nos primeiros, vamos dizer, dois meses, e depois as coisas aos poucos voltariam ao normal.

— De repente jogando um spray antiodor de vez em quando — sugere Joyce.

Elizabeth chega ao banco e se dirige à perita criminal.

— Minha amiga está incomodando? Às vezes acontece.

— Nem um pouco — garante a perita. — Estou a ajudando com o conto.

— Conto? — Elizabeth olha na direção de Joyce, que não a encara.

— Achei que não custava tentar — diz Joyce para o canteiro de flores. — Você sabe que eu gosto de escrever.

— Três corpos num porão — comenta Elizabeth. — Soa familiar.

— É permitido se basear em casos reais — defende-se Joyce. — Andrew Everton faz isso o tempo todo.

— E as serras elétricas?

— Você também tem que criar um pouco por conta própria — responde Joyce.

— E você teve a ideia das serras elétricas?

Joyce faz um sinal afirmativo com a cabeça e sorri de leve. Elizabeth se pergunta, e não é a primeira vez, o quanto de fato conhece a amiga.

— Vamos para casa, ver como os rapazes estão se saindo? — sugere Elizabeth. — Contar a eles que encontramos uma arma?

Pauline e Mike chegaram para o almoço.

Alan literalmente não acredita na sorte que deu. Mais gente ainda! Se Joyce também estivesse aqui, seria perfeito. Ela deve voltar logo. Pauline coça a barriga dele enquanto Mike Waghorn se acomoda.

— Esse é o Henrik — apresenta Ibrahim. — Ele é sueco e empreendedor de criptomoedas.

Mike junta as mãos.

— Namastê, Henrik — diz.

— Henrik também é muito bom em lavagem de dinheiro — continua Ibrahim. — E esse é o Viktor, um ex-coronel da KGB.

— Pauline me falou muito de você, Viktor — diz Mike.

— Ah, é? — pergunta Ron, e Pauline lhe sopra um beijo.

— Prazer, Mike Waghorn — cumprimenta Viktor. — Devo admitir que duas semanas atrás eu não sabia quem você era, mas agora já estou bem familiarizado com seu trabalho. Se bem que é difícil entender tudo o que você diz porque a Joyce tem o hábito de fazer comentários em tempo real.

— Alguma novidade na busca? — pergunta Mike.

— Ainda estamos esperando — diz Ron.

Pauline lhe contou que Mike recebera muito mal a notícia da busca no jardim. Era uma história extraordinária. O corpo enterrado como chantagem. O assassino, algum cúmplice desconhecido. Mike deseja que o crime seja solucionado, mas será algo bem definitivo para ele.

— Contudo, vocês chegaram num momento oportuno — observa Ibrahim. — Você teria à mão a mensagem que Bethany te mandou? Sobre as novas informações? O Viktor e o Henrik gostariam de ler a mensagem inteira. Talvez desvende alguma coisa.

Mike pega o celular e passa o dedo pela tela até achar a mensagem. Dirige-se a Viktor e Henrik. *Capitão. Novas infos. Não posso dar detalhes, mas são mais explosivas que dinamite. Tô chegando perto do xis da questão.*

Viktor assente.

— Era normal ela chamar você de "capitão"? Nenhuma pista aí?

— Completamente normal — diz Mike.

— E ela diria "infos" em vez de "informações" e "tô" em vez de "estou"? — tenta Henrik. — Ela costumava ser informal?

— Em geral eu recebia emojis e palavrões, para ser sincero — relembra Mike.

— Agora, quando ela diz...

Alan começa a pular na janela e a latir histericamente, como se tivesse visto algo além das suas possibilidades de compreensão.

Viktor rola para fora da cadeira, ajoelha-se atrás de um sofá e saca sua arma. Mike arqueia uma sobrancelha. Henrik espera um momento e então cutuca o ombro de Viktor.

— Viktor — chama ele. — Você tem que parar com isso. Quem estava tentando matar você era eu. E eu estou aqui.

Viktor pensa por um instante, aceita a observação e coloca a arma de volta na parte de trás das calças.

— Ainda bem que eu não tentei matar você — admite Henrik, olhando para a arma.

— Ainda bem mesmo — concorda Viktor, acomodando-se de novo na cadeira. — A essa hora, eu estaria jogando o seu corpo de uma balsa no Mar do Norte.

Ibrahim aperta o botão para abrir a porta e Elizabeth e Joyce entram na sala. Alan pula em cima de Joyce, que o afaga.

— Alguma novidade? — pergunta Mike.

— Nada de corpo — responde Elizabeth. — Por ora. Mas Jack Mason disse que haveria uma arma e de fato havia. Uma bem grande.

— Era a arma do crime? — questiona Ibrahim.

— Era a arma do crime, sim, Ibrahim — responde Elizabeth. — O pessoal da polícia deixou a arma comigo e eu fiz uma perícia completa no táxi, no caminho até aqui.

Ibrahim se vira para Mike.

— Ela está sendo sarcástica — informa.

Mike lhe agradece.

— Logo a gente vai saber — retoma Elizabeth.

— E encontraram dinheiro também — acrescenta Joyce. — Calculam que seja em torno de cem mil. Enterrados dentro de uma lata.

— Andrew Everton acha que, com o que eles têm, dá para intimarem Jack Mason — explica Elizabeth. — Dinheiro e uma arma no jardim dos fundos da casa dele. Talvez seja o bastante para fazer ele confessar. Nos contar quem enterrou tudo isso ali.

— Quero só ver — replica Ron.

Henrik está ignorando a conversa, digitando algo o tempo inteiro em seu computador.

— Ahn... Ok, encontrei uma coisa — avisa ele.

Toda a sala se volta para ele, que sente o rosto corar.

— Bem, *talvez* eu tenha encontrado alguma coisa.

— Sabia que você nos seria útil — elogia Elizabeth. — Desembucha. A gente decide se é mesmo alguma coisa ou não.

— Mike — diz Henrik —, a Bethany, na mensagem dela, diz que as notícias são "mais explosivas que dinamite". Ela gostava de jogos de palavras?

— Posso dizer que ela adorava me deixar com cara de bobo de vez em quando — admite Mike.

— Porque o que ela achou não era "mais explosivo que dinamite" — diz Henrik. — E sim "Absolute Dynamite".

— Absolute Dynamite? — repete Mike.

— Bem lá no início dos rastros financeiros, 115 mil libras são pagas a uma "Absolute Construction", no Panamá — informa Henrik. — Pelo que consegui checar, o dinheiro continua lá. E eu consigo checar bem a fundo, porque sou muito bom nesse tipo de coisa.

— Já não é tão bom assim em matar aposentadas — interrompe Joyce.

— É verdade, é verdade — concorda Viktor.

— Quando a "Absolute Construction" foi criada — retoma Henrik —, parece que uma rede de subsidiárias foi criada junto, mas nenhuma delas recebeu dinheiro algum e por isso nós as ignoramos até aqui. Existe uma "Absolute Demolition", uma "Absolute Cement", uma "Absolute Scaffolding" e, em Chipre, uma empresa chamada...

— "Absolute Dynamite" — chuta Ron.

Elizabeth olha ao seu redor. Ela coloca uma das mãos no ombro de Mike e pergunta:

— E quando você procura "Absolute Dynamite" aparece o quê?

— Dois diretores — responde Henrik. — Um é o nosso velho amigo Carron Whitehead, o que não nos diz nada. Mas surge também um nome novo. O outro diretor é alguém chamado Michael Gullis.

— Michael Gullis? — repete Elizabeth. — Pauline, Mike? O nome significa alguma coisa para vocês?

Eles se entreolham, encaram Elizabeth e negam com a cabeça.

— Tinha um Michael *Gilkes* que jogava no Reading — lembra Ron. — Meio-campo.

— Obrigada, Ron — diz Elizabeth.

Pauline dá um tapinha na mão de Ron.

O silêncio volta a tomar conta da sala, a não ser pelo ruído do teclado de Henrik e da respiração ofegante de Alan, que vai, animado, de pessoa em pessoa, atrás da merecida atenção.

— Elizabeth — chama Joyce —, posso falar um instante com você lá fora?

Elizabeth assente e as duas vão para o corredor do andar de Ibrahim.

— Me pergunta — pede Joyce.

— Perguntar o quê?

— Me pergunta se eu conheço o nome Michael Gullis — diz Joyce.

67

A equipe que está escavando o jardim da antiga casa de Heather Garbutt desenterrara a arma de tarde. Continuavam a cavar, agora sob holofotes, à medida que a noite caía e o céu escurecia. Andrew Everton achou que tinham provas suficientes para, no mínimo, interrogar Jack Mason. Chris e Donna haviam recebido as instruções.

— Você se saiu tão bem de novo! Estou falando sério — elogia Chris, comentando a mais recente participação de Donna no *Boa Noite, Sudeste*.

Ela havia falado sobre fraudes on-line e flertado com um pároco que estava no estúdio, arrecadando dinheiro para uma rampa.

Chris cogita ultrapassar outro carro numa curva sem qualquer visibilidade, mas se lembra de que estão no breu da noite e de que é policial.

— O negócio é ser você mesma — declara Donna. — Ignorar as câmeras.

— Nunca fui bom em ser eu mesmo — admite Chris. — Não saberia por onde começar.

— Minha mãe disse que você chorou ontem à noite vendo *Sex & the City*.

— Chorei — confessa Chris.

— Bom, não comece por aí.

Chris adora seu Ford Focus hoje em dia, agora que não há mais pacotes vazios de comida no chão, na frente do banco. Mandou até lavar o carpete outro dia. Isso é ser ele mesmo?

— Como você acha que Jack Mason vai encarar isso tudo? — pergunta Chris. — Com um rifle de assalto e cem mil, fica difícil se sair bem só na lábia.

— Ele é profissa. Vai jogar charme. Mas já vai ficar mais difícil se encontrarem o corpo da Bethany.

— Ele vai escapar impune. Duvida? Não interessa se é o dono da casa. Depois de tanto tempo, não vai haver provas periciáveis.

— Eu vi um filme polonês em que desenterram um corpo depois de uns trinta anos, e havia marcas de uma tatuagem num osso da perna — diz Donna.

— Você foi ver um filme polonês?

— É aqui à esquerda.

Já fazia algum tempo que haviam deixado o GPS de lado. A casa de Jack Mason ficava numa rua particular que começava dentro de uma propriedade privada na qual se entrava por uma pequena trilha que começava como um desvio de uma estrada rural. Propositalmente difícil de achar, ainda mais naquele breu total. Eles não param de errar o caminho, o que faz Chris pensar que seria mais fácil chegar de barco e escalar o penhasco.

Isso sem contar que Jack Mason conseguiria ver qualquer um se aproximando a um quilômetro e meio de distância. Será que já avistou os faróis do Ford Focus amarelo? Estaria à espera deles? Saberia o que o aguardava?

Finalmente alcançam um portão de ferro, que continua fechado apesar da aproximação deles. Chris se estica para fora da janela e tenta o interfone. Por cerca de trinta segundos, o aparelho toca sem parar e sem resposta alguma. Talvez Jack os tenha visto se aproximar, então.

O velho Chris teria voltado a se acomodar no banco e contornado o muro da propriedade em busca de uma forma de entrar, resmungando o caminho inteiro. Mas o novo Chris, o Chris esguio, atlético, já começa a escalar o portão. Com isso, Donna sai do carro. Ele sente o prazer dos músculos ardendo ao escalá-lo, a gratificante resposta de músculos prontos para trabalhar. Devo estar muito bem, pensa ele — no instante exato em que sua calça se prende numa estaca de ferro e rasga. Donna escala o portão atrás dele, duas vezes mais rápido, solta-o, e os dois passam por cima do topo e saltam para a entrada de carros de Jack Mason. Luzes de segurança novas piscam quase que a cada passo dado.

O rasgão na calça de Chris é irremediável e Donna consegue ver direitinho a cueca samba-canção do Homer Simpson.

— Convenhamos — diz ela, enquanto os fundilhos da calça de Chris tremulam ao vento —, esse é o exemplo perfeito de você sendo você mesmo. Foi minha mãe quem escolheu essa cueca?

— Não, eu esqueci de tirar a roupa da máquina de lavar ontem à noite. Essa é a minha cueca de emergência. Vamos nos concentrar em prender o Jack Mason, está bem?

Enquanto Chris avança pela entrada de carros, Donna se abaixa para amarrar o cadarço. Ele continua a caminhar até ouvir um clique.

— Donna, você tirou uma foto da minha bunda?

— Eu? Não... — responde Donna, devolvendo o celular ao bolso.

Logo veem a casa, uma silhueta em meio às luzes de segurança. É enorme. Chris nunca viu uma residência particular desse tamanho. Na única vez em que vira uma propriedade como aquela, o lugar contava com uma loja de souvenirs e um salão de chá.

O vento sopra pelo traseiro de Chris. Será que Jack teria um kit de costura? Dá para pedir um emprestado a alguém que você acaba de prender?

Eles sobem os degraus de pedra que levam à porta da frente de Jack Mason, Chris se certificando de estar um passo atrás de Donna. Ao se esticar para apertar a suntuosa campainha, repara que a porta está entreaberta e a luz interna vaza para a escuridão da noite por uma pequena fresta. Ele e Donna se entreolham.

Donna empurra a porta, revelando o vasto hall de entrada. Há sofás e mesinhas, retratos de homens com peruca, um armário trancado cheio de espingardas, uma armadura num pedestal.

E, no carpete do hall, o corpo de Jack Mason.

Donna sai correndo e o alcança primeiro. Ele está de costas e tem um buraco de bala na cabeça. Na mão, uma arma pequena. O corpo está gelado, mortíssimo.

Donna começa a isolar a cena do crime enquanto Chris dá os telefonemas necessários. Terão uma longa espera na companhia do corpo.

Chris o observa com mais atenção. A arma é de fato *bem* pequena. Chris afasta o pensamento que lhe ocorre.

— Está tudo bem? — pergunta ele a Donna.

— Claro. E com você?

Chris contempla o corpo.

— É, sim, tudo bem também.

Ambos estão bem, mas de qualquer forma abraçam um ao outro.

Chris está pensando. O Clube do Crime das Quintas-Feiras começa a investigar o caso Bethany Waites e, de repente, os dois principais suspeitos do assassinato morrem. É uma baita de uma coincidência. Ele olha de relance para Donna. Tem a impressão de que ela está pensando o mesmo.

— Eu estava pensando... — diz ela. — A gente devia fazer alguma coisa quanto a essa sua calça antes que o circo chegue aqui.

68

Fiona Clemence achava que nunca mais ouviria falar de Elizabeth Best.

Com suas perguntas sobre Bethany Waites. Com suas acusações.

Como estava errada...

Não era segredo algum que Fiona e Bethany não se davam. E daí? Isso não significa que você vá empurrar o carro da outra de um penhasco, não é?

E daí se Fiona não tinha chorado no programa em homenagem a Bethany? O *Evening Argus* havia publicado duas cartas a respeito daquilo, o que, para os padrões do *Boa Noite, Sudeste*, equivalia a um frenesi no Twitter. Mas isso não queria dizer nada. Todo mundo chora por tudo hoje em dia. Conta pontos a favor. Fiona fingira chorar no BAFTA, por exemplo, e dera supercerto. A manchete da edição on-line do *Mail* havia sido: "Fiona: Estrela da TV exibe lágrimas e corpo escultural em um vestido justo."

Ainda existe quem chore de verdade ou é sempre para chamar a atenção? Sua mãe havia chorado quando seu pai morrera e uma semana depois estava num iate com um dentista do seu clube de golfe. Poupe-nos desse showzinho.

Poderiam apontar o dedo o quanto quisessem para Fiona, mas não conseguiriam o que queriam.

Fiona Clemence ainda está tentando entender como Elizabeth conseguiu o seu número. É possível que a amiga dela, Joyce, o tenha rastreado através de contatos no governo. De qualquer forma, a mensagem chegara na noite anterior.

Será que você poderia nos ajudar, querida?

Mais algumas mensagens e Fiona já estava inteirada.

Se ela confia em Elizabeth e Joyce? Não. Se as duas sabem *mesmo* quem matou Bethany Waites? Fiona duvida muito. Se vai ajudá-las? Por razões que não saberia explicar bem no momento, sim, provavelmente vai.

Fiona tem um comercial de iogurte para gravar hoje de manhã. Ou de cereal. Não se lembra direito do que é. Sabe que terá de lamber seus famosos lábios e dizer "Que delícia!", mas não foi atrás de mais detalhes. Está sentada em uma cadeira de plástico num estúdio cavernoso enquanto as luzes são ajustadas e grupos de homens de óculos se reúnem, coçando a barba enquanto gente bem mais jovem lhes leva café.

Fiona checa seu Instagram. Três milhões e meio de seguidores. Prometera a seu consultor de Instagram, Luke, que vai postar um story hoje. Ele é muito rígido, mas, como lhe consegue vinte e cinco mil libras por cada vez que posta sobre suas férias de graça nas Maldivas, ela deixa. Porém é tudo muito disciplinado e chato. Agora ela é uma marca e todo mundo quer lhe dizer o que deve fazer. E, pior, o que *não* deve fazer. Será que não deveria resistir um pouco mais a tudo isto? Ao seu lado, um homem vestido de banana come uma banana. Ela vê a hora. Acabou de dar onze da manhã. Hora de se decidir, Fiona.

De forma geral, Elizabeth não está nem pedindo muito. Ainda assim, Fiona tem uma série de objeções. A princípio, dissera a Elizabeth para falar com seu agente ("Ah, minha querida, acho que isso nós não vamos fazer, não é?"). Elizabeth se superara para persuadi-la. Qual é a pior coisa que pode acontecer?, argumentara a mulher. Bem, muita coisa, essa é a verdade. Por isso Fiona continua indecisa.

Passa uma mulher vestida de pote de iogurte. Deve ser um anúncio de iogurte, então. Fiona nunca mais comeu iogurte desde que Gwyneth Paltrow disse alguma coisa a respeito no TikTok.

Estaria ela caindo numa espécie de armadilha? Será que deveria apenas rejeitar o pedido e pronto, fim de papo? Por que sequer considera a ideia?

Elizabeth e Joyce haviam despejado todo tipo de perguntas sobre ela no dia em que se conheceram e, verdade seja dita, Fiona se divertira muito. Se divertira muito ao ser acusada de assassinato por uma mulher que fingira um desmaio e outra com um revólver na bolsa.

Pois bem, se querem a ajuda dela, sem problema. Quem sabe. Talvez. No mínimo, chamará atenção. Tudo por conteúdo novo. Tudo por novidades. Fiona se pergunta o que será que o *Mail* dirá desta vez na capa.

Um dos homens de óculos e barba se aproxima dela.

— Oi, Fiona. Meu nome é Rory. Acabamos de dar uma mexidinha de nada no roteiro e eu queria ver se você topa que a gente coloque um pouquinho de iogurte no seu nariz. Achamos que pode funcionar muito bem. Sabe, pra ficar engraçado?

Fiona abre seu sorriso mais radiante para Rory.

— Eu não vou colocar iogurte no nariz, Rory.

Rory assente.

— Claro, claro, ótimo. A gente faz sem o iogurte no nariz. Adoro a ideia.

Ele desaparece. O homem vestido de banana pede uma selfie com ela e Fiona o informa, com toda a delicadeza, que ele não está sendo profissional.

Ela volta ao celular e digita a informação solicitada por Elizabeth. Pela última vez, pergunta-se por quê. Talvez por diversão? Para ter algo novo e interessante para fazer? Para ver o que vai acontecer, com certeza.

E talvez... *talvez*... por Bethany?

Fiona balança a cabeça. Ela não é do tipo sentimental. Está fazendo aquilo para ter mais seguidores. Só pode ser essa a explicação.

Clica em *enviar*. Agora já foi.

Chris tem dificuldade em ouvir o que Andrew Everton diz. Há muito movimento no local e conversas animadas por todos os lados. É um dia de semana, as pessoas estão bebendo e esta sensação inebriante preenche o ambiente. A caminho da mesa, Andrew Everton fala bem no ouvido dele.

— Suicídio?

— Foi o que pareceu — diz Chris.

— Não confio em nada relativo a este caso — opina Andrew Everton. — Uma amiga sua veio me visitar.

— Ah, é? — diz Chris, falando direto no ouvido de Andrew Everton.

— Uma mulher chamada Elizabeth.

Quem diria.

— Desculpe por ela — responde Chris, quando chegam à mesa.

— Sem problema.

Chris procura o cartão com o seu nome. Graças aos céus, o puseram ao lado de Patrice. Às vezes separam casais neste tipo de evento.

— Ela tem um serviço para mim — continua Andrew Everton.

— Bem típico da Elizabeth.

— Posso confiar nela?

— Meu Deus, não! — exclama Chris, mas sua risada o contraria, e Andrew Everton faz um sinal de concordância com a cabeça.

Chris puxa a cadeira para Patrice se sentar.

— Eu não me importaria se tivesse que vir a esse tipo de coisa mais vezes — diz Patrice a Andrew Everton. — Quem o Chris precisa prender para ser convidado de novo ano que vem?

Andrew Everton ri.

Chris e Donna receberão as medalhas de "Alta Honraria no Cumprimento do Dever". São folheadas a ouro. Terry Hallet tem uma e já mostrou fotos a Chris. Andrew Everton se dirige a Chris e a Patrice.

— Querem ver a medalha?

— Pode mostrar — aceita Patrice. — Professoras não costumam ver muitas medalhas.

Andrew Everton enfia a mão no bolso e retira dele uma pequena bolsa de veludo. Afrouxa o cordão e puxa a medalha de ouro.

— Vale uma graninha no eBay, isso aí — brinca Patrice.

À frente dos dois, há duas cadeiras vazias. Donna vai trazer Bogdan. Ela acabou precisando abrir o jogo. Aham, cinema polonês. Patrice ainda não o conheceu, só viu fotos e, para o gosto de Chris, está um pouquinho entusiasmada demais.

Porém, no fim das contas, Bogdan faz Donna muito feliz, e isso é tudo o que importa para Chris.

Patrice dá um beijo nele.

— Animado?

— Nunca ganhei nada antes — responde Chris.

— E o meu coração?

— Não posso colocar seu coração no banheiro do andar de baixo para me gabar para as visitas, posso? Animada para conhecer o Bogdan?

— Ai, meu Deus! — exclama Patrice. — Superanimada!

Mais uma vez, um pouco entusiasmada demais. Chris suspeita de que ter Bogdan como namorado da enteada será competição dura. Mas ainda tem um monte de casamentos por acontecer para que isso se concretize. Ou melhor, dois casamentos. Para de pensar em casamentos, Chris. Diga alguma coisa para impressionar Andrew Everton.

— Não como um Toblerone há três meses.

— Sério? — diz Andrew Everton.

Deus do céu, Chris.

O mestre de cerimônias, um comediante que Chris já viu na TV, Josh não sei das quantas, dá início ao evento com um monólogo. Muito engraçado, tira sarro de todo mundo, lida bem com os impropérios bêbados que lhe dirigem. Chris vê Donna chegando pela porta lateral do salão. Sozinha. Ô-ôu. Ele e Patrice a observam se aproximar e se sentar, a expressão parecendo um penhasco numa tempestade sombria. Ao lado dela, uma cadeira vazia.

— Bogdan não vem? — pergunta Chris.

— Elizabeth precisou dele.

Bem, aí estava uma questão recorrente se desenvolvendo.

Estariam eles por fora de alguma novidade?

PARTE TRÊS

Por dentro das novidades

70

Joyce

Estou em Staffordshire. Quase todos estamos, na verdade. Todos os que precisam estar, pelo menos.

Elizabeth e Stephen estão aqui: instalados no fim do corredor, apesar de ainda não terem saído do quarto esta manhã. Ron e Pauline estão na ala leste. Esta casa tem alas. Ibrahim os trouxe de carro, e está ficando na casinha dos seguranças no fim da estrada particular.

Henrik está aqui, é óbvio, já que a casa é dele. É igual a Downton Abbey, mas tem um fliperama e uma jacuzzi.

Mike Waghorn também está com a gente. Sugeri que se juntasse a nós para tomar um brandy na biblioteca ontem à noite, mas ele quis dormir cedo pois lhe incumbimos de uma tarefa para hoje. Ele está levando a coisa a sério.

Acabou que ficamos só eu e Ibrahim, sentados, bebendo e conversando. Ele está todo prosa porque desvendou a identidade de "Carron Whitehead". Matou a charada no carro, a caminho daqui. Quando me contou, chequei e rechequei a informação, mas ele estava certo.

Ele pode ser bem esperto, de fato. Porém continuo a reivindicar o crédito por "Michael Gullis". Foi isso o que de fato solucionou o caso.

Falei para Joanna que eu havia desvendado o caso e ela respondeu "Muito bem", e pareceu estar falando sério. Mandou até um emoji com o polegar para cima.

Quanto a "Robert Brown Msc", continuamos sem qualquer pista, mas isso já não importa muito. Estou confiante de que vamos descobrir mais cedo ou mais tarde.

Stephen teve direito a um tour guiado da biblioteca quando chegamos. Parecia um menino, olhos arregalados, sorriso ainda mais aberto. O peso dos anos se esvaiu dele.

Viktor está tomando o café da manhã em seu quarto e fazendo anotações para mais tarde. É interessante ver como ele planeja essas coisas.

Andrew Everton também está a caminho. Ontem à noite era a cerimônia de premiação da polícia de Kent e ele não podia perder. Chris e Donna iam ganhar uma honraria. Vi no Instagram da Donna. Acho que Bogdan deveria ter ido com ela à cerimônia, mas ele teve de trazer Elizabeth e Stephen até aqui. Será que Donna se importou? Parece que ninguém mais se deu conta de que eles estão namorando, mas Pauline e eu fofocamos discretamente a respeito há pouco. Deu para notar que Donna não estava sorrindo nas fotos.

Quem não está aqui é Fiona Clemence, porém não significa que ela não esteja envolvida.

Alan ficou em casa.

Falando assim parece que foi escolha dele, como se ele tivesse optado por continuar lá para resolver algumas pendências. Se estamos todos aqui em Staffordshire, quem está tomando conta dele, vocês querem saber?

Há um novo morador em Coopers Chase. Chama-se Mervyn e é galês. Sempre tive uma queda por galeses. Era diretor de escola. Dá para perceber. Rígido, porém justo. Cabelo grisalho, bigode escuro, vocês conhecem o tipo. Não é lá uma visão agradável. Mostrei-o a Pauline de longe e ela fez sinal de aprovado. Achei que ela pudesse ter ficado um pouco chateada com a forma como eu a interroguei durante nosso chá da tarde, mas não foi nem um pouco o caso. Pelo jeito, ela queria que a verdade fosse revelada tanto quanto todos nós.

Pois Mervyn tem uma cairn terrier chamada Rosie, e nos esbarramos há alguns dias numa caminhada. Alan cheirou Rosie todinha e ouso dizer que, se fôssemos perguntar a ele, Alan diria que eu fiz o mesmo com Mervyn. Resumo da ópera: a gente conversou e na mesma tarde deixei um bolo Bakewell de cereja para ele, como um presente de boas-vindas. Mervyn vai dar comida e passear com Alan enquanto eu estou aqui. Falei que eu ficaria muito grata e ele deu um sorrisinho.

E, antes que vocês perguntem, sim, Mervyn é heterossexual. Já teve duas esposas e cinco filhos e tem um DVD do *Top Gear* numa prateleira.

Devemos ficar aqui por apenas vinte e quatro horas, mais ou menos, a não ser que algo dê muito errado. Aliás, lembrei agora que preciso garantir que Ibrahim tire o carro da frente da casa e o estacione nos fundos. Bogdan não precisou que ninguém o lembrasse disso, o carro dele já está escondido.

Planejamos começar tudo ali pela hora do almoço. Acredito que todos saibam o que terão que fazer. Eu não tenho um papel em si, vou só assistir.

O que imagino ser um direito meu, considerando que descobri quem foi o assassino de Bethany Waites.

Muito em breve o mundo todo saberá.

Dei a Mervyn o meu número. "Caso você queira me mandar uma foto do Alan, sabe?" Mas até agora ele não entrou em contato. Continuo checando o celular, mas nada.

71

Que afronta isso de largarem a pessoa no portão com uma venda nos olhos. Mas, se é esse o preço da entrada, que seja. Nesse contexto, a paranoia é de se esperar.

A chegada à casa é de encher os olhos. Uma longa subida de cascalho, com sebes ornamentadas, fontes, estátuas de leões. Mas hoje não há funcionários tomando conta de nada. Nenhum jardineiro ou chofer enxerido que pudesse ver algo e contar. Bem como prometido. Nas janelas à frente, também não há movimento algum. Há que se considerar a possibilidade de ser uma armadilha, mas por ora não parece.

A casa em si é grande demais. Um excesso se este homem, o Viking, morar aqui sozinho. Levando em conta o segredo em torno de toda a operação e a natureza monossilábica da troca de e-mails, é bem provável. Serão só os dois, e o desenrolar dos acontecimentos terá que ser perfeito. É alcançar o objetivo e ir embora. Não vai ser fácil, não vai ser nada fácil, mas a recompensa valerá a pena.

Um toque na campainha e o som reverbera fundo no interior da casa isolada. Quanto o Viking teria pagado pelo imóvel? Vinte milhões? No mínimo.

Passos se aproximam e a enorme porta da frente de carvalho é aberta. Aqui está ele, o homem em pessoa. Qual a altura desse sujeito? Dois metros? Barba enorme, camiseta do Foo Fighters colada a um tronco descomunal.

Uma mão estendida, um cumprimento.

— Você deve ser o Viking.

— E você — diz o Viking — deve ser Andrew Everton. Deixe-me levá-lo à biblioteca.

Andrew Everton segue a figura imensa, cruzando o hall de entrada de mármore e entrando num corredor acarpetado. Cada parede é coberta por obras de arte, quase todas modernas demais para o gosto do chefe de polícia, mas há um ou outro navio ou igreja normanda para compensar. O Viking o conduz a uma biblioteca, um casulo de madeira escura, couro vermelho e iluminação suave. Andrew Everton pensa na placa na parede do próprio escritório, O CRIME NÃO COMPENSA. Veremos.

O Viking aponta para as paredes, repletas de livros, do chão ao teto.

— O senhor lê, chefe de polícia?

— Amo escrever livros mais do que ler, pra ser sincero — admite Andrew Everton, sentando-se na poltrona indicada pelo anfitrião. — Se importa de pular o papo furado? A casa é linda, a viagem foi agradável, não preciso usar o banheiro e não quero água.

O Viking assentiu.

— Está certo. — Ele se senta num sofá de couro de dois lugares, ocupa-o quase por completo, e acende o abajur ao seu lado. — O que quer de mim, Sr. Andrew Everton?

72

Joyce

O abajur é a grande jogada.

Assim que ele é aceso, liga as câmeras e os microfones. Estamos todos na cozinha dos funcionários, nos fundos da casa, sem dar um pio, e agora assistindo à gravação ao vivo de dentro da biblioteca. Não vemos Henrik, pois ele não quis aparecer na câmera. Por causa do seu império do crime, não por ser tímido. Apesar de que eu o acho bem tímido.

A propósito, cheguei minha conta de cripto outro dia e agora vale cinquenta e seis mil libras. Obrigada, Henrik.

Andrew Everton parece muito cheio de si. Não faz ideia do que o espera. Elizabeth deu-lhe uma dica ("totalmente entre nós, Andrew") sobre o Viking. O criminoso que lavava dinheiro e estava tentando matar todos nós. "Posso conseguir um encontro entre vocês dois, não me pergunte como nem onde, só me agradeça. Talvez você possa lhe fazer uma visita."

E uma visita é justo o que Andrew Everton está fazendo agora. Não para colher evidências nem para prendê-lo, mas apenas porque ele é um homem que precisa muito de um especialista em lavagem de dinheiro.

Pois Andrew Everton é o cérebro por trás da fraude envolvendo o IVA. Foi Andrew Everton quem matou Bethany Waites e chantageou Jack Mason e Heather Garbutt para que permanecessem em silêncio.

No livro *Depoimento prestado*, acho que falei dele aqui, o personagem principal é um gângster chamado Big Mick. Sabem qual o nome verdadeiro de Big Mick?

Michael Gullis.

Um erro estúpido bem no início do esquema. Todos erramos.

E, se vocês estão pensando que pode ser uma coincidência, o nome da outra pessoa que foi paga bem lá no começo também está num dos livros de Andrew Everton.

Eu falei que Ibrahim desvendou "Carron Whitehead". Era bastante simples, aliás.

Um anagrama de "Catherine Howard". A detetive dura na queda. É bem esperto, o Ibrahim.

Nossa aposta foi que Andrew Everton, que ainda não conseguira botar a mão no dinheiro da fraude, poderia querer ter uma conversa a sós com o Viking.

E essa "conversa a sós" é a que estamos acompanhando neste exato momento.

73

— Sou policial — diz Andrew Everton. — Você está ciente disto, não está?

— Estou — responde o Viking. — Desde que você não esteja filmando nem gravando, tudo bem.

— Digo o mesmo. Apesar de que, se estiver gravando, os tribunais não aceitariam uma palavra sequer como prova. Você estaria perdendo seu tempo.

— Não tem gravação nenhuma. Não é assim que eu trabalho. Você disse que precisava da minha ajuda?

Andrew Everton inclina-se para a frente.

— Eu tenho dez milhões de libras espalhadas por várias contas mundo afora. Atualmente não tenho como mexer nesse dinheiro sem levantar suspeitas. A minha esperança é que você possa me ajudar.

— Dez milhões? Consigo, fácil — garante o Viking. — O que eu ganho com isso?

— Meio milhão — oferece Andrew Everton.

O Viking ri.

— E um chefe de polícia na sua folha de pagamento — continua Andrew. — Uma mão lava a outra.

O Viking assente.

— Preciso saber de onde vem o dinheiro. Dependendo da origem, eu não me meto.

— Uma fraude relativa ao IVA, de uns dez anos atrás. Celulares no porto de Dover. Dinheiro fácil.

— Ideia sua?

— Lógico — responde Andrew Everton. — Estava escrevendo um livro. Eu escrevo. É minha sina. E inventei esse esquema só para efeito da trama mesmo. Daí, de tanto pensar nele, cheguei à conclusão de que, quer saber? Não vou colocar isso no livro. Vou pôr em prática.

— Esperto.

— Bem, às vezes eu aproveito crimes de verdade nas minhas tramas. Desta vez, usei uma das minhas tramas para um crime de verdade.

— Como você fez? — pergunta o Viking.

— Na época, eu não era chefe de polícia, mas conhecia algumas pessoas. Conversei com um homem chamado Jack Mason. Ele tocava todo tipo de atividade suspeita, mas era sempre inteligente demais para ser pego. E era justamente disso que eu precisava. Contei a ele o plano e nos tornamos parceiros.

— E você ganhou dez milhões?

— Por aí — confirma Andrew Everton.

— Parou por quê?

— Uma jornalista estava investigando, começando a se aproximar demais. Conseguiu mandar uma pessoa da nossa equipe para a cadeia. Foi então que nós desistimos.

— E a jornalista também?

— Bem, não — diz Andrew Everton. — Ela morreu.

74

Joyce

Elizabeth e Viktor parecem bem felizes com o rumo que a coisa está tomando.

Temos que tirar o chapéu para Henrik. "Ideia sua?" "Como você fez?" "E você ganhou dez milhões?" "Parou por quê?" Todas as perguntas que eles martelaram na cabeça dele. A confissão perfeita.

Elizabeth sabia que Andrew Everton seria totalmente sincero. Ele precisa que o Viking confie nele e o ajude, éególatra o bastante para querer o crédito pelo esquema que criou e, como ele mesmo disse, nada gravado poderia ser usado num tribunal.

Mas claro, não precisa ser. Essa é a beleza do plano de Elizabeth. Andrew Everton será considerado culpado bem antes de pisar num tribunal.

Mike anda de um lado para outro da cozinha, ensaiando suas falas para mais tarde.

75

Fiona Clemence recebe inúmeras mensagens de amigos preocupados.

> Fi te hackearam
> Insta hackeado!
> Já viu seu Insta?
> Fi, que porra é essa???

Fiona pede a alguns amigos influentes que espalhem a notícia.

> Gente, @FionaClemClem foi hackeada. Não assistam!
> Tem alguma coisa estranha rolando lá na @FionaClemClem.
> Algum hacker maluco!

De uma hora para a outra, mais de 250 mil pessoas começaram a assistir à sua live no Instagram. O número aumenta a cada segundo. E o que todos estão assistindo não é Fiona Clemence comprando maquiagem nem dando dicas de hot yoga.

Em vez disso, todos estão assistindo ao chefe de polícia de Kent admitir a autoria de uma fraude multimilionária numa live.

Não dá para ver com quem ele está falando, mas estão em algum tipo de biblioteca e ele fala de celulares e de fazer negócios com criminosos. A audiência aumenta à medida que cresce o boca a boca. Insta, Twitter, TikTok, até os pais das pessoas já estão compartilhando no WhatsApp. Todos assistindo, comentando e pedindo a cabeça desse tal de Andrew Everton.

Até o cabeleireiro vem lhe mostrar o celular durante o alisamento da manhã, perguntando:

— Você viu isso?

Do nada, Fiona vê também seu número de seguidores no Instagram passar dos quatro milhões enquanto a saga se desenrola em sua conta "hackeada". No momento, o chefe de polícia contempla o ambiente ao seu redor e dá para ouvir alguém digitar algo num teclado. Os comentários estão em polvorosa.

Foi apenas o que Elizabeth pedira. O login e a senha do Instagram de Fiona.

— Só por uma horinha, querida, por aí — dissera ela. — Tenho certeza de que você não vai nem notar.

76

Andrew Everton espera, com paciência, o Viking digitar alguma coisa em seu laptop. Até agora tudo bem. Gosta do Viking e o Viking parece gostar dele. E o mais importante: confia no Viking e se sente seguro nesta sala aconchegante de uma casa no meio do nada. Andrew Everton tem a sensação de que sairá daqui consideravelmente mais rico do que quando entrou.

O Viking fecha o laptop.

— Você matou alguém?

— Não — responde Andrew Everton.

— Tem certeza?

— Escuta, eu ganhei dinheiro, infringi a lei, fiz coisas ruins. Mas não matei ninguém.

E se o Viking começar a achar tudo arriscado demais?

— Aqui diz que a jornalista se chamava Bethany Waites — diz o Viking. — E que ela trabalhava no *Boa Noite, Sudeste*. Foi essa a jornalista que revelou o seu esquema?

— É, foi ela.

— Ela morreu — declara o Viking. — Alguém matou?

— Matou. Mas não tive nada a ver com isso. Não precisa se preocupar.

— É, mas talvez eu me preocupe, sim. Essa mulher que foi presa, ela se chamava Heather Garbutt?

— Essa mesma.

— Morreu também?

— É, morreu também. De novo, não tive nada a ver com isso. Ela se matou. É trágico, mas...

— E seu cúmplice, Jack Mason?

— Vamos parar por aí — diz Andrew Everton. — Sim, ele morreu também.

— Muita gente morrendo ao seu redor. Isso me preocupa.

— Lógico, com certeza, deveria mesmo — concorda Andrew Everton.

— Preciso que você seja sincero comigo. Estamos só nós dois aqui, e eu tenho que confiar em você. Você matou eles todos?
— Não — responde Andrew Everton.
— Talvez tenha matado um ou dois?
— Não matei nenhum deles — garante Andrew Everton.
— É uma grande coincidência.
— É. É mesmo uma grande coincidência. Mas pode confiar em mim.

77

Joyce

Ibrahim está com tudo aberto à frente dele. Milhares de pessoas assistem à live na conta "hackeada" de Fiona. "Bethany Waites" é o assunto mais comentado do momento no Twitter. As pessoas estão compartilhando vídeos dela, postando artigos de jornal da época em que desapareceu. O rosto dela está por toda parte.

O de Andrew Everton também. O pessoal está se esbaldando nos comentários com o "Pode confiar em mim". O Departamento de Polícia de Kent teve que desativar a própria conta no Twitter. O assunto já foi parar até na Sky News. Eles não podem mostrar imagens, mas estão descrevendo-as ao público.

Então ele admitiu a fraude, admitiu ser o parceiro de Jack Mason, mas até agora não admitiu os assassinatos. Não posso dizer que estou surpresa. Mesmo quando são apenas duas pessoas numa sala, ninguém quer admitir ser um assassino, não é?

Mas é isso o que todos queremos. Que Andrew Everton confesse. Que conte ao mundo a verdade. Que a justiça seja feita para Bethany.

Elizabeth e Viktor estão num canto, deliberando. Ele está concordando com o que quer que ela esteja dizendo. Acredito que é hora de mandar a Bala!

78

Atrás do Viking, uma porta é aberta. Um homem entra na biblioteca. É baixo, careca e usa óculos grandes demais para o rosto. O que está acontecendo aqui?

— Não — diz Andrew Everton ao Viking. — Não. Tem que ser só você e eu.

— Este é o meu sócio — apresenta o Viking. — O nome dele é Yuri.

— Prazer em conhecê-lo, senhor chefe de polícia — cumprimenta Viktor. — O senhor tem estado ocupado.

— Eu não concordei com isto — opõe-se Andrew Everton.

— Peço apenas um minuto seu. Se não gostar do que eu tenho a dizer, vou-me embora e o senhor também pode ir. O senhor está em total segurança.

— Um minuto — concede Andrew Everton, os olhos à procura da saída.

— Meu amigo aqui, as pessoas o chamam de Viking... Ele é o gênio entre nós. Apesar de que você talvez seja um gênio também, Andrew. Posso chamar você de Andrew?

— Claro, Yuri — aceita Andrew Everton.

— Está na cara que você é muito inteligente, Andrew. Um chefe de polícia, parabéns. Um autor aclamado também, sob o pseudônimo Mackenzie McStewart. Li há pouco e gostei muito de *O direito de permanecer calado*. Um *tour de force*, na minha opinião. Me lembrou os livros do John Grisham. Para além dessa lista de feitos, descobrimos agora que você é um mestre do crime. Policial, autor de *thrillers*, mestre do crime. Há uma pequena interseção entre as habilidades necessárias para cada um desses projetos, não é?

Andrew Everton faz um sinal afirmativo com a cabeça. Esse homem tem alguma coisa que Andrew valoriza. E tem razão a respeito de *O direito de permanecer calado*. É bem na linha de Grisham.

— Bem, você é quase um mestre do crime, digamos. Conseguiu realizar o roubo de forma muito simples e elegante, mas ainda precisa botar a mão no dinheiro. E é aí que nós entramos. Temos como rastrear seu dinheiro? Sim, temos. Ou, pelo menos, meu amigo tem. Se gostaríamos de fazer negócios com você? De novo: sim, gostaríamos, você é um homem poderoso e acredito que seria capaz de nos ajudar em diversas áreas. Você estaria disposto a isso?

— Eu estaria disposto, sim — responde Andrew Everton. — Ponham esses dez milhões nas minhas mãos e eu dou o que vocês quiserem.

— Está vendo, pensamos parecido — comenta Viktor. — Imaginei que seria o caso. Nós dois gostamos de dinheiro, disso não há dúvidas, mas nós dois somos homens com moral. Quebramos regras aqui e ali, tudo bem, mas as regras não são para todos, concorda?

— Concordo, concordo — diz Andrew Everton.

Vai conseguir seu dinheiro, ele pode sentir. Tantos anos trabalhando duro e enfim colherá os frutos. Uma casa na Espanha, um quarto só para escrever com vista para o mar. Ele fingirá ter assinado um contrato lucrativo de publicação, um bastante sigiloso, e largará de vez o emprego. Este homem de óculos grandes demais é a peça final do quebra-cabeças.

— Mas eu também preciso confiar em você — retoma Viktor. — Sinto que vou. Sinto que somos homens semelhantes. Que acreditamos em coisas parecidas sobre esse mundo difícil em que nós vivemos.

— Nem precisa dizer — rebate Andrew Everton.

Ele viu na internet um imóvel na Costa Dorada. Meu Deus do céu, tinha *duas* piscinas.

— Por isso, preciso que você me diga a verdade — pede Viktor. — Sobre a jornalista. E sobre os seus dois amigos. Três mortes, todas ligadas à sua fraude. Eu quero confiar em você, por isso preciso que abra o jogo comigo. Você matou eles, não foi? Está tudo bem.

Andrew Everton pondera sobre a reação do homem. O que ele quer ouvir? Que Andrew matou todos? Que não matou? Qual seria a resposta "moral" aqui? Ele se decide.

— Eu não matei ninguém — declara. — Não sou assassino.

Viktor assente.

— Então todos eles simplesmente morreram?

Andrew Everton assente.

— Sim, todos... simplesmente morreram.

— Estou decepcionado, meu caro chefe de polícia — lamenta Viktor. — Eu esperava a verdade.

Andrew Everton se vê num beco sem saída. Será possível este homem saber a verdade? Pesa as diferentes mentiras que poderia contar. Está muito perto de conseguir o que quer. Não vai estragar tudo agora. Tem que aguentar firme, isso vai lhe garantir o respeito do homem.

— Eu não matei ninguém.

Viktor faz uma cara de desgosto.

— Andrew, para mim é difícil ouvir isso. Levando-se em conta as informações que eu tenho.

— Que informações? — pergunta Andrew.

Só pode ser um blefe. É só um teste. Continue a negar, continue a negar e, quando vir, já estará na Espanha.

— De que você matou Bethany Waites. Enterrou o corpo dela no jardim de uma casa em Sussex e usou isso para chantagear seus outros comparsas, Jack Mason e Heather Garbutt, para fazer os dois ficarem quietos a respeito da fraude. E de que você mandou matar Heather Garbutt na prisão de Darwell e, ainda, que assassinou Jack Mason duas noites atrás. — A parte referente a Jack Mason é um chute, mas isso Andrew Everton não precisa saber.

Andrew Everton está atordoado, paralisado. Como esse homem poderia ter descoberto sobre o corpo de Bethany e a chantagem? Era impossível. Jack Mason jamais o teria dedurado, nem em um milhão de anos. E Heather Garbutt tinha medo demais do que ele poderia fazer. Então *como* ele sabia?

— Só fala a verdade, Andrew — diz Viktor. — Aí vamos ter certeza de que sabemos com o que estamos lidando. Aí podemos seguir em frente na base da confiança.

Andrew Everton precisa tomar uma decisão importante. Confessar? Como poderia manter sua versão da história se esse Yuri parece saber toda a verdade? Confiar em Yuri, confiar no Viking? Dizer tudo aquilo? São apenas três homens numa sala, a quilômetros de distância do resto do mundo. Ele está plenamente ciente de que a próxima frase a sair da sua boca pode lhe valer dez milhões de libras.

— Está bem — cede Andrew Everton. — E vocês me garantem que essa informação nunca vai sair dessa sala?

— Ninguém está vendo — responde Viktor. — E ninguém está ouvindo.

Andrew Everton une as pontas dos dedos das mãos, como se fizesse uma oração, um pedido de perdão.

— Eu assassinei Bethany Waites.

79

Connie Johnson assiste aos desdobramentos da situação na sua TV de tela plana. Pela primeira vez, o wi-fi está funcionando direito e ela assiste a um feed dos acontecimentos no YouTube.

Então pronto, tudo explicado, tudo amarradinho. Andrew Everton enquadrado. O chefe de polícia. Ela estivera com ele algumas vezes, parecia gentil. Mas assassino? Quem teria imaginado? E vem a calhar para Connie.

Alguém que ele com certeza não matara havia sido Heather Garbutt.

Connie encontrara o corpo de Heather quando fora visitá-la para mais uma conversinha. Com as agulhas de tricô e tudo. Havia um bilhete de suicídio ao lado do corpo, algumas despedidas finais etc. Heather Garbutt estava com muito medo de alguma coisa e, vendo Andrew Everton na tela, Connie ao menos sabe agora do quê.

Connie pensara rápido. Ibrahim e seus amigos estavam no encalço do assassino de Bethany Waites e, acreditava Connie, acabariam o encontrando. Estava certa quanto a isso, não estava? E imaginou que não faria mal se envolver. Ajudar. O tribunal talvez fosse um pouco mais leniente caso ela tivesse ajudado a capturar um assassino.

Sendo assim, ela rasgara o bilhete de Heather (*Adeus, não aguento mais*, alguma coisa do gênero, Connie só lera por alto) e escrevera ela mesma outro. Fizera Heather parecer uma vítima de assassinato e se pusera no papel de alguém bem informada. Uma salvadora.

Agora que Connie já sabe que Andrew Everton matou Bethany Waites, ela pode colocar em prática a segunda parte do plano. Só precisa inventar alguma prova que o aponte como o assassino de Heather Garbutt também. O cara do prédio administrativo, o do Volvo, que apagara as fitas nas quais Connie aparecia entrando na cela de Heather naquela noite... Ela aposta que esse cara poderia se lembrar de ter visto Andrew Everton indo à cadeia algumas horas antes. E Connie sem dúvida se lembrará de algo que Heather lhe disse. Algo inócuo sobre a polícia. "Isso envolve gente importante", uma bobagem dessas. Vai ser divertido inventar uma lembrança.

Everton será condenado e Connie terá alguns anos descontados da sua pena por colaborar com as autoridades. Lindo. E, quanto mais cedo sair, mais cedo acertará contas com Ron Ritchie.

Tinha que tirar o chapéu para Ibrahim, ele de fato se superara.

Apesar de que Connie se lembra de ele ter falado que ela se importava com Heather Garbutt. E o fato de se importar era prova de que ela não era uma sociopata.

Tudo isso enquanto o bilhete de suicídio de Heather Garbutt estava em pedaços no seu bolso.

Terapia é mesmo um processo fascinante. Ela mal pode esperar por mais.

Joyce

Vocês podem imaginar a algazarra que foi aqui quando ele falou aquilo.

"Viktor ataca de novo", foi o que Elizabeth disse. "A Bala nunca erra o alvo."

Agora já são mais de três milhões de pessoas assistindo à live no Instagram da Fiona. Todos acabaram de ouvir a mesma coisa e estão bem à vontade para dar pitacos. Todos querem saber o que vai acontecer.

Estou digitando enquanto assisto. Agora está um clima bem relaxado, os três só conversando sobre contas bancárias. Viktor está servindo uma dose de uísque para cada um.

Ron estava contando há pouco a história de um policial em Yorkshire que bateu nele com um cassetete. Perguntei se naquela época muita gente batia nele e Ron me confirmou que sim.

Até para nossos padrões, foi um baita de um trabalho em equipe. Decifrar os nomes nos registros financeiros, conseguir que Jack Mason abrisse um pouco o jogo, fazer amizade com Fiona Clemence. "Amizade" talvez seja forçado, apesar de que, se julgarmos pelo número de seguidores dela agora no Instagram, talvez isso esteja no nosso futuro. Henrik fazendo a sua parte, o adorável Viktor obtendo a confissão. E Pauline e Mike ainda por vir. Pauline está reaplicando a maquiagem em Mike Waghorn porque ele chorou. Acabei de avisá-lo que três milhões de pessoas estão assistindo. Ele garantiu estar pronto.

Mais cedo, perguntei ao Bogdan como estava a Donna e ele respondeu "como assim?", eu retruquei com "eu que pergunto como assim" e ele me deu um sorriso muito fofo e fez um sinal de tudo bem.

A propósito, acabo de receber uma mensagem de Mervyn. Fiquei animada quando vi o nome dele no celular, e estava quase tremendo ao abrir a mensagem.

Alan ok.

Bem, podemos ajudá-lo a melhorar. Todos acabamos de desejar boa sorte ao Mike. Hora de voltar ao batente.

81

Donna e Chris estão assistindo no computador dela. Todo mundo no escritório está assistindo. Todo mundo na delegacia de Fairhaven está assistindo. Todo mundo em Fairhaven está assistindo. Todo mundo está assistindo, ponto.

É garantido que hoje Andrew Everton é o mais novo "homem mais odiado do Reino Unido", apesar de Donna ter notado que *O direito de permanecer calado* ocupa o topo da lista de produtos em alta na categoria "livros" da Amazon.

Que golpe de mestre de quem quer que tenha hackeado o Instagram de Fiona Clemence. As especulações correm à solta sobre quem pode ter sido. Como se Chris e Donna não soubessem direitinho os responsáveis.

O último desdobramento para o grupo que se amontoa atrás do computador de Donna, todos rezando para não serem convocados a resolver algum outro crime, é que aquele velho, o apresentador do *Boa Noite, Sudeste*, Mike Waghorn, acabou de entrar na biblioteca do Viking.

— Olha ali o seu amigo, Donna! — exclama Terry Hallet.

— Ele era meu amigo antes — rebate Chris. — Eu fiz teste do bafômetro nele!

Na tela, Mike pega uma cadeira e se senta em frente a um Andrew Everton incrédulo. Mike olha direto para qualquer que seja a câmera oculta a filmar a cena.

— Olá. Sou Mike Waghorn, direto para o *Boa Noite, Sudeste*...

— Mike, o que você... — começa Andrew Everton, mas Mike faz sinal para que ele cale a boca.

— Eu gostaria de dizer algumas palavras aos milhões de pessoas que estão assistindo a esta live. Os milhões que acabam de ouvir as confissões do chefe de polícia Andrew Ev...

Andrew Everton salta da cadeira e quase sai do quadro. É pego e contido por um braço musculoso. Ninguém saberia a quem o braço pertence a menos que reconhecesse as tatuagens. Donna as reconhece de imediato.

Então era lá que ele estava na noite passada. "Confia em mim", dissera. Quem sabe ela não deveria começar a desenvolver o hábito de confiar nele? Será que estão todos por lá?, pergunta-se Donna. Claro que estão.

Mike Waghorn, profissional de estirpe, espera que os gritos abafados de Andrew Everton desapareçam ao longe antes de continuar.

— Esse vídeo virou a sensação do momento, eu compreendo. Ver um homem confessar crimes terríveis. Ver um *chefe de polícia* admitir ter cometido fraude, corrupção, chantagem e assassinato. Sem dúvida gerou a comoção que esperávamos. Em algum momento haverá um julgamento. E as cenas que vocês acabaram de testemunhar o tornarão mais complicado. Mas, no mínimo, o caso irá a julgamento. Andrew Everton vai para a prisão, disso nós podemos ter certeza, até mesmo com o sistema jurídico leniente e às vezes muitíssimo complacente que, pelo jeito, temos hoje no país. Mas não vamos nos demorar nisto. Vamos encerrar esta transmissão daqui a pouco e devolver o Instagram de Fiona a ela. Fiona, obrigado do fundo do coração pela ajuda que nos prestou hoje. Não consigo pensar numa homenagem melhor que você pudesse prestar a Bethany. Logo vocês todos voltarão ao trabalho, vão jantar, assistir a um pouco de TV, o que quer que tenham planejado para hoje. Vão falar sobre o que viram, tenho certeza disso. E ainda vão falar a respeito amanhã, embora um pouco menos. E talvez mencionem o ocorrido no dia seguinte, mas depois o deixarão de lado. É como funciona o ciclo das notícias. Outros assuntos cativarão vocês e tomarão o lugar deste. Talvez uma das Kardashian tenha um bebê. Em suma, estou ciente de que tenho a atenção de vocês por tempo limitado. Alguns já devem estar se dispersando, pois o grosso do que tínhamos a fazer já está feito: Andrew Everton está sendo algemado no corredor à minha esquerda e a polícia de Staffordshire já está a caminho. Mas, se puder pedir a vocês só mais um minutinho, garanto que será rápido. Queria falar de uma amiga minha, Bethany Waites, assassinada quase dez anos atrás. Se não tivesse sido morta, eu tenho certeza de que vocês já conheceriam o nome dela. A Bethany era trabalhadora, alguém que fazia acontecer, não recebia nada de mão beijada. Era capaz de debater a noite inteira, ninguém a superava numa queda de braço ou numa mesa de bar. Como todo mundo nascido no Norte, era durona. Bethany Waites era uma boa jornalista, mas, acima de tudo, era uma boa amiga, e eu a amava. Na verdade, eu não a amava, eu a amo. E assim, quando a atenção de vocês se dissipar, quando for capturada pela próxima notícia fresquinha, só peço que se lembrem do nome dela de vez em quando. Bethany Waites. Pois ela merece continuar a ser lembrada muito depois de Andrew Everton ser esquecido. Bem, isto é tudo no seu noticiário da tarde de hoje. Aqui, eu, Mike Waghorn, me despeço. Obrigado por assistirem, cuidem-se e cuidem uns dos outros.

82

Kent inteira está tiritando de frio e o Natal está logo ali.

— A gente já conversou sobre isso — diz Donna. — Você está perdoado.

— Mas era importante — argumenta Bogdan. — Era um prêmio. E se você nunca mais ganhar nenhum?

— Obrigada pelo voto de confiança. A regra básica é a seguinte: se eu estiver concorrendo a um prêmio, é pra você estar lá comigo, a menos que você esteja participando da captura de um assassino a partir da transmissão da confissão dele numa live no Instagram de uma apresentadora de TV famosa. Se for esse o caso, você está perdoado.

Carwyn Price acaba de ser indiciado por intimidação. Donna o viu colocar um bilhete dentro da sua bolsa. Estava escrito: *Todo mundo te odeia. Você é uma piada.* Um homem que não reage bem à rejeição. Bethany, Fiona, Donna, provavelmente inúmeras mulheres ao longo dos anos. Não levará mais que um puxão de orelha, mas aos estúdios do *Boa Noite, Sudeste* ele não volta.

Contudo, o mistério do Juniper Court não fora solucionado. Será que ela e Chris haviam entendido tudo errado desde o início?

Bogdan estaciona com cuidado. O Comitê Administrativo do Estacionamento de Coopers Chase continuava todo-poderoso. Talvez até mais do que antes, após uma recente tentativa fracassada de golpe. Elizabeth está indo hoje a um penhasco e Bogdan prometeu visitar Stephen. Sabe que ele ficará feliz em ver Donna também.

Antes de sair do carro, Bogdan se vira para ela.

— Eu tenho um prêmio para você.

— Você tem um prêmio para mim?

— Tenho. Estou me sentindo culpado.

Bogdan enfia a mão numa bolsa de viagem no banco de trás e presenteia Donna com a estátua de Anahita, deusa do amor e da guerra.

— Donna, lhe concedo esta honra.

— Bogdan!

— Eu quis gravar o seu nome, mas parece que isso não é permitido.

Donna mal consegue acreditar no que tem em mãos.

— Bogdan, isso custou dois mil! Dava pra gente ter tirado duas semanas de férias na Grécia com esse dinheiro.

Bogdan sorri.

— Kuldesh me vendeu por uma libra. E disse para eu te falar para continuar a se esquivar dos tijolos.

Donna olha para sua estátua, seu prêmio. E se vira para Bogdan.

— Por que ele te vendeu por uma libra?

— Bem — começa Bogdan, abrindo a porta do carro. — Ele me perguntou se eu estava apaixonado por você. E eu disse que estava.

83

A sugestão havia partido de Ron, que tinha seus próprios motivos para querer que fizessem aquilo, e agora todos estavam ali. Um frio de rachar, sem dúvida, mas ele estava certo. Encontram-se bem no alto do Shakespeare Cliff, de onde o Canal da Mancha se estende até onde a vista alcança. Ondas ferozes atingem a base do penhasco, centenas de metros abaixo, e o barulho chega até eles como o som abafado de uma discussão num apartamento alguns andares abaixo.

Bethany não morreu ali, eles já sabem disso, mas é o melhor lugar disponível para brindarem em sua memória.

Andrew Everton continua em silêncio sobre o caso. Até aí, nenhuma surpresa. Portanto, eles ainda não sabem o que de fato aconteceu naquela noite. Para onde fora Bethany? Onde Andrew Everton a matara? De quem eram as duas silhuetas avistadas no carro dela quando ele se aproximava deste exato penhasco? Outro mistério que ninguém desvendara: "Robert Brown Msc." Ibrahim estudara anagramas até quase ficar louco.

Outras perguntas, contudo, haviam sido respondidas. Um dos guardas da prisão diz que Andrew Everton visitou Heather Garbutt na noite em que ela morreu. O próprio nega, mas era de se esperar.

E Jack Mason. Ron andou pensando na sua última noite juntos. A culpa da qual Jack havia falado.

Cada um trouxe uma rosa para atirar no mar. Elizabeth e Joyce, Ibrahim, Mike e Pauline. Até Viktor veio prestar suas homenagens. Henrik foi convidado, mas disse: "Não entendo, eu não a conhecia, por que atiraria uma rosa no mar?" Até que era um argumento válido. Nem todo mundo quer fazer parte de um grupo, não é?

Um a um, eles atiram suas rosas. A de Joyce acaba direto na cara dela, tomada por uma rajada de vento, e o jeito é tentar de novo. Não há nuvens no céu. Se Bethany estiver num ponto de onde possa olhar para baixo, verá todos eles. Ron não tem muito espaço na cabeça para esse tipo de pensamento, mas há espaço de sobra em seu coração.

Mike Waghorn diz algumas palavras, várias das quais têm de ser repetidas, pois o vento só aumenta. Então sugere uma curta caminhada ao largo do alto do penhasco. Ron sabia que ele iria propor isso.

— Essa eu passo — diz Ron. — Sabem como é o meu joelho.

Algumas sobrancelhas se arqueiam, todos sabem que Ron não é de falar sobre seus joelhos. Mas a frase os cala e logo saem andando. Pauline se senta com ele, como Ron sabia que ela faria.

— Tudo bem, bonitão? — pergunta ela.

— Nada mal. Só pensando no meu banheiro.

— Você está sempre me surpreendendo, Ronnie. Pensando em comprar um spray aromatizador?

Ron sorri, mas é uma expressão com um quê de tristeza.

— Não, é só que não estou habituado a ter uma mulher por perto. Toda a tralha, sabe como é, os cremes, a maquiagem e sei lá mais o quê.

— Estou me espalhando demais, é isso? Ficou sem espaço para o seu desodorante?

— Eu adoro, pra ser sincero. Dá um clima mais íntimo, não dá? Sempre fui sincero com você, sabe, Pauline?

— Eu sei, meu querido — concorda Pauline, com cara de preocupação. — Por que você está falando isso?

— Você sempre foi sincera comigo?

— Lógico. Às vezes eu fumo quando você não está olhando, mas de resto fui.

— Robert Brown Msc — diz Ron.

— O que tem ele?

— Eu sei que eu não sou o mais inteligente aqui. Mas já estava na hora de eu desvendar alguma coisa.

— Ron?

— É a maquiagem. Estava ali no banheiro o tempo todo. Ali, bem debaixo do espelho onde eu faço a barba. Debaixo do meu nariz.

Ron olha para Pauline. Não quer falar, mas precisa.

— Seu rímel — continua ele. — Bobbi Brown, o seu favorito. Bobbi Brown Mascara. "Robert Brown Msc."

Donna e Bogdan se beijam fora do carro, se beijam no corredor, se beijam diante da porta do apartamento de Elizabeth e Stephen. Bogdan não está acostumado a demonstrar afeto em público. E se alguém o vir? Sem contar que carrega uma sacola cheia de comida que precisa ir para a geladeira.

Mas está apaixonado e entende que esse estado traz alguns desafios. Bogdan bate na porta e a abre, chamando por Stephen.

Ele está sentado no sofá de pijama, o que não é nada incomum.

— Olha aí o casal feliz — comenta ele. — Olhem só vocês dois.

— O casal muito feliz — diz Donna. — Oi, Stephen.

Donna ainda segura a estatueta. Stephen se apoia nas mãos para se levantar e caminha até ela para dar uma conferida.

— Nossa velha amiga Anahita — observa Stephen, os olhos brilhando. — Deusa do amor e da guerra. Bem apropriado.

Donna sorri e vai para a cozinha esquentar a chaleira.

Bogdan adora ver os olhos de Stephen faiscarem. Adora ver a inteligência naquele olhar. Bogdan tinha visto a lista que Stephen fizera dos livros de Henrik. Tão detalhada, tão linda. Vai fazer a barba dele mais tarde e então passar uma boa loção pós-barba. Depois, um creme hidratante. Stephen jamais fora submetido a uma rotina de cuidados com a pele antes ("Água e sabão, garoto"), mas nunca é tarde para isso. Será que deveria começar também a lhe dar vitaminas? Elizabeth se oporia àquilo? De início, só vitaminas C e D. Ele não pega muito sol.

— Por falar em combate — diz Bogdan, sentando-se em sua cadeira próxima ao tabuleiro de xadrez. — Um joguinho hoje?

Stephen o dispensa com um gesto.

— Sem jogo hoje? — pergunta Bogdan.

Será que vão assistir a um filme? Ou apenas contar histórias? Bogdan vai preparar uma paella.

— Eu não, meu caro — diz Stephen. — Elizabeth é quem joga xadrez por aqui.

— Elizabeth?

— Eu tentei jogar algumas vezes — acrescenta Stephen. — Nunca peguei o jeito. Você joga?

— Sim, eu jogo.

— Joga bem? — pergunta Stephen.

— Depende — responde Bogdan, tentando impedir as lágrimas de se formarem. — No xadrez, o seu nível de habilidade depende da pessoa com quem você está jogando.

Stephen assente e olha para o tabuleiro. Bogdan se pergunta o que ele estará vendo.

— Você é um homem melhor do que eu — diz Stephen. — Difícil pra diabo, esse jogo.

Donna volta com duas canecas de chá. Stephen se anima.

— É disso que eu gosto — comenta ele. — Um chazinho. É disso que eu gosto.

85

Ron já consegue ver os outros voltando. Mas ainda estão longe e a caminhada é uma boa subida. Ainda vão demorar um pouco a chegar. Joyce está de braço dado com Mike Waghorn.

— Toda a verdade? — pergunta Pauline.

— Acho que eu mereço — diz Ron.

— Também acho, Ronnie. Mas eu não quero que os outros saibam. Não quero que o Mike saiba.

Ron dá de ombros discretamente. Seria assim que tudo terminaria? No alto de um penhasco, diante de um mar agitado?

— Eram umas dez e meia — começa Pauline, que mal consegue encará-lo. — Eu estava quase indo para a cama, acredite se quiser, ia acordar cedo no dia seguinte. O interfone tocou. Ignorei. Nada de bom aparece à noite a não ser que você tenha pedido. Continuou a tocar, sem parar, até eu me encher, xingar, olhar a câmera da entrada e ver que era ela.

— Bethany Waites?

— Bethany Waites. Abri o portão e esperei ela bater na porta. "Entra", falei, "qual é o motivo da visita?". Dava para ver que tinha algo estranho, senão eu teria mandado ela cair fora. Estava usando um casaco *pied de poule* e calça amarela, parecia que tinha acabado de comprar aquela roupa num bazar de igreja. Sem maquiagem. Ela se sentou, disse "Pauline, preciso de um favor", eu respondi "às dez e meia da noite?", e ela me pediu para sentar e escutar uma história. Perguntei "ligo para o Mike?", ela disse "você não pode ligar para o Mike, não quero que ele se preocupe".

— Qual era a história?

— Bethany me disse "você precisa acreditar em mim, Pauline, tem alguém querendo me matar. Estou fazendo uma reportagem que eles não querem que saia, acabei de receber uma mensagem me ameaçando", e você sabe, Ronnie, eu já ouvi de tudo nessa vida, mas não sei no que acreditar. Mas algo nos olhos dela me dizia que estava falando a verdade. Pelo menos, algo próximo da verdade. E aí perguntei: "Como eu posso te ajudar? Qual é o favor? Se puder, ajudo."

— E qual era o favor?

Ele já consegue ouvir a risada de Joyce, os agudos trazidos pelo vento.

— Ela ia encontrar alguém, foi o que ela falou. E precisava estar com uma aparência diferente. Ela sabia que eu não opero milagres, mas me pediu para maquiá-la, emprestar uma peruca... Mudar a aparência dela o suficiente para enganar alguém. Ela tinha uma foto, me mostrou e não me pareceu impossível.

— E você topou?

— Primeiro eu tentei convencê-la a mudar de ideia. "Se está correndo risco, procure a polícia." Não faz o meu estilo, você bem sabe, mas às vezes eles têm sua utilidade. Ela disse que não teria como recorrer à polícia, precisava só desse favorzinho e que logo tudo acabaria. Disse para eu confiar nela, que ela sabia o que estava fazendo e iria me pagar.

— Cinco mil? — diz Ron.

— Eu disse que não queria dinheiro. "Se você está correndo risco, vamos fazer isso logo." Fiz uma maquiagem igual à da foto. Peguei uma das minhas perucas, ajustei nela, cortei um pouquinho do cabelo e, uma hora e meia depois, não estava nada mal. Nada mal mesmo. Ela ficou feliz. Ficou checando o relógio o tempo todo e aí me disse "Pauline, é isso, me deseja boa sorte", eu perguntei "aonde você vai?", ela respondeu "se você não tiver notícias minhas até amanhã de manhã, liga pra polícia, mas ligação anônima", falei "não quero que você vá, vou ligar para o Mike" e ela disse "eu preciso ir". Me abraçou, o que ela nunca fazia, me deu um papel com uns números, disse "Esse é o dinheiro que você vai ganhar" e foi embora.

Ron tamborila com os dedos.

— É essa a história?

— É essa a história — diz Pauline. — Você acredita em mim, Ronnie?

— Acredito. Acredito que você está me dizendo a verdade. Mas você está deixando algo de fora, querida. O porquê de nunca ter contado nada disso para ninguém. Você sabia onde ela estava naquelas horas em que ninguém mais sabia. Sabia que ela estava indo se encontrar com alguém. E você nunca contou para uma alma que fosse? Isso não faz sentido. Você teria procurado direto o Mike e a polícia. Convenhamos.

Ron vê Pauline olhar de relance para o grupo que se aproxima.

— Teve mais uma coisa — acrescenta Pauline. — Quando a gente estava ajeitando a peruca. Eu tenho minhas perucas e alguns modelitos em bonecas, manequins, né, sabe como é, e antes de sair a Bethany disse: "Posso pegar um emprestado?" E eu perguntei: "Pegar um manequim emprestado, você tá louca?" Mas tudo era uma maluquice só e eu acabei dizendo "tá, pode pegar".

— Um manequim?

— No dia seguinte, acharam o carro dela no fundo do penhasco, liberaram as imagens das câmeras de segurança, aquilo tudo, e eu estava pronta para ligar para o Mike, mas parei por um instante e pensei. Pensei na maquiagem, na foto que ela me mostrou, na peruca, no manequim e nas imagens das câmeras mostrando duas silhuetas no carro. Pensei nas roupas que ela estava usando, Ronnie. Acho que eu até comentei com ela: "Eu não usaria isso aí nem morta."

— Você acha então...

— Não acho, eu sei. E, Ron, o Mike ficou arrasado quando a Bethany morreu. Amava ela, e ela o amava. E eu acredito que, não importa o resultado daquilo, seria cem vezes pior ele saber que ela havia forjado tudo, fugido sabe Deus lá para onde, levando sabe Deus lá que dinheiro, sem contar nada para ele. Por que diabos ela fez isso? Nunca entendi.

Pauline contempla o mar.

— Não houve repercussões. Ninguém foi acusado do assassinato, nenhum dano foi causado a ninguém e eu fiquei quieta. Aí vocês apareceram, começou a morrer gente por todos os lados e eu tentei dar algumas indiretas. Sabia que não teria como contar a verdade depois de tanto tempo, mas imaginei que vocês pudessem acabar descobrindo e Mike teria que encarar a realidade. Achei que já era tempo.

— Estou chocado — diz Ron.

— Eu tive a melhor das intenções.

— E o dinheiro?

— Nunca toquei nele. Joguei fora o papel, nunca mais pensei nisso. Robert Brown Msc foi uma brincadeira da Bethany, não minha.

— Bem boa, aliás — elogia Ron.

— É, você teria gostado dela. Ron, você consegue me perdoar?

— Não há nada para ser perdoado.

— Massagem amanhã? Um presentinho?

— Não força a barra — rebate Ron.

Os outros já estão quase lá.
Ron se volta para Pauline.
— Onde você acha que ela está agora?
Pauline sorri e se levanta para receber os outros.
— Acho que está no céu, olhando por nós.
Joyce assume o lugar de Pauline junto a Ron.
— Foi revigorante — diz Joyce. — Não acredito que você perdeu.
Ron envolve a amiga com o braço e vê Pauline fazer o mesmo com Mike.

86

Há anos ela tem o Google Alerts instalado no celular. Se alguém, onde quer que fosse, mencionasse o nome "Bethany Waites", ela saberia. Daria uma rápida olhada, julgaria os riscos e continuaria com sua nova vida. Na época do aniversário de sua morte sempre havia algumas menções, mas a cada ano que passava elas diminuíam até cessarem de vez. Para todos os efeitos, Bethany Waites deixara de existir.

Até três dias atrás, quando de repente Bethany Waites virara uma das pessoas mais famosas do mundo por uma tarde inteira. Bethany Waites estivera ciente do ocorrido, lógico, como não? Mesmo em Dubai.

Ela permanecera a portas fechadas, cancelara todos os compromissos. Não que houvesse necessidade real, ela sabia disso. Bethany se chama Alice Cooper já há muitos anos. As pessoas riam do nome, mas ele tinha seu propósito.

Na época em que investigava a fraude referente ao IVA, Bethany aprendera tudo que podia sobre lavagem de dinheiro. Levando professores e criminosos para almoçar. Atazanando todos os especialistas. Um investigador da polícia alemã lhe dissera que o melhor codinome para um fraudador era o de alguém famoso. "Fica impossível dar busca sobre a pessoa no Google", informara ele. E estava certo. Jogando "Alice Cooper" no Google agora, a pessoa terá que navegar por uma enorme quantidade de resultados de busca até encontrar a empresa dela, de "Treinamento de mídia e soluções para relações públicas", no oitavo andar de um prédio comercial na Marina de Dubai.

E ela aprendeu bem mais do que este pequeno truque. Aprendeu tanto, aliás, que conseguiu não só seguir o rastro do dinheiro do IVA, mas também acessá-lo.

Foi quando Andrew Everton lhe mandou a bala. A bala com o nome grosseiramente talhado numa das laterais.

Ali ela soube que corria perigo. Soube que Andrew Everton descobrira que ela estava em seu encalço. Soube que ele pretendia lhe fazer mal. Deve ter grampeado o telefone dela. Visto a mensagem do "mais explosivas que dinamite" para Mike.

Ela tinha uma escolha. Continuar cavucando, continuar investigando, ser corajosa. Ou dar um jeito de se livrar daquilo.

Haveria algum jeito de ludibriar Andrew Everton? Um policial do alto escalão. Alguém com recursos para acessar suas mensagens, alguém com um coração tão gelado que foi capaz de lhe enviar uma bala.

A verdade é que não lhe restava escolha.

Ela optou pela melhor opção disponível. Ao longo das semanas seguintes, fazendo uso do que aprendera, começou a transferir o dinheiro de Andrew Everton para novas contas. Não pegou nada para si, porque é aí que mora o perigo, mas desviou os fundos. Escondeu-os.

Após a sua morte, os pobres Andrew Everton e Jack Mason passaram um longo tempo tentando reaver o dinheiro, mas a teia que haviam engendrado era tão complexa e tão *inteligente* que eles não conseguiram perceber que o dinheiro já não estava mais lá.

Ela tinha o plano todo esquematizado. Seu assassinato, seu desaparecimento, o novo passaporte com o novo cabelo e a maquiagem, o próprio sangue coletado através de kits caseiros de testagem para espalhá-lo no carro. Aprendera todo tipo de macete. Mas não acreditava que fosse de fato pôr tudo em prática. Até a noite em que recebera o e-mail de Andrew Everton. "Vem me encontrar. Só para conversarmos."

Bethany soube que chegara a hora de dar adeus. À sua vida, à sua reportagem, ao Mike. E olá a Dubai, a uma nova vida e a dez milhões.

Bethany esperara cerca de um ano para começar a sacar o dinheiro. Retirara cem mil de uma conta obscura no Panamá só para cobrir seu custo de vida e pagar pela cirurgia. Ela fizera uma reportagem muitos anos antes sobre uma mulher de Faversham que fizera fortuna com cirurgia plástica, e esta mulher se mostrara muito prestativa em troca de uma robusta quantia. Em Dubai, se você tem dez milhões de libras no bolso, consegue basicamente o que quiser. E o que Bethany Waites comprou foi o anonimato.

Ela se safara, lógico. Mas se safara com *o quê*?

Tinha arrependimentos, sem dúvida. Antes de desaparecer, fora rejeitada uma ou duas vezes pela BBC. Sua confiança fora abalada. Bethany começara a achar que não daria certo, que não sairia nunca do seu cantinho. Aquilo tornara os dez milhões, a nova vida, ainda mais tentadores. Mas será que não deveria ter insistido? Olhem o que aconteceu com Fiona Clemence.

Mas Bethany não tinha a confiança de Fiona. Nem a aparência da outra, embora se pareça um pouco mais com ela desde a cirurgia. Poderia ter ficado mais casca-grossa, mas uma oportunidade apareceu em seu caminho e ela escolheu abraçá-la. Mike lhe dissera para continuar a lutar, dissera que ela daria certo, mas ela era jovem demais para saber que era verdade.

E Mike é seu maior arrependimento. Aquele que ainda a faz acordar no meio da noite. Mike ficaria arrasado de saber que ela o deixara por livre e espontânea vontade. Ela sabe, e sabia que Pauline também saberia. Poderia ter continuado, sido corajosa. Poderia ter levado Andrew Everton a julgamento, ter subido na carreira e desfrutado dela, aparecer para um drinque e uma visita a Mike sempre que estivesse na área. Poderia ter feito tudo isso.

Mas sua mente sempre volta à bala. A bala, com o nome talhado na lateral, que Andrew Everton lhe enviara. Uma manobra para assustá-la, sem dúvida, mas uma bala que acabara por custar a ele dez milhões de libras.

Depois daquilo, Bethany não tivera mesmo escolha. A bala se encontra à sua frente agora. Sente seu peso na mão, igualzinho a como fizera naquela noite, tantos anos atrás. Cuidado com a bala com o seu nome.

E fora o nome que a fizera se decidir. Porque o nome talhado na bala não era "Bethany Waites". Isso ela teria sido capaz de encarar.

O nome era "Mike Waghorn".

87

Mike Waghorn navega por sua caixa de e-mails. Todo ano, no aniversário da morte de Bethany, espectadores lhe enviam seus pêsames. Não são muitos, a quantidade diminui à medida que os anos passam, mas é o bastante para fazer diferença.

Este ano foram só quatro. Três de pessoas que sempre escrevem e um de uma conta que ele nunca identificara. Um endereço com o aviso de "no-reply". Nos primeiros anos, o e-mail passara batido em meio à torrente de outras mensagens, mas agora é bem visível. O conteúdo consiste sempre em apenas uma única rosa vermelha. Mike jamais pensara muito a respeito.

O corpo de Bethany nunca foi encontrado. Gente de todo tipo lhe explicara o porquê, as marés e coisa e tal, e Mike aceitara o que haviam lhe dito. Quem procurasse acharia um monte de casos semelhantes, e Mike havia procurado.

Então souberam que Bethany havia sido enterrada no jardim de Heather Garbutt. Mas, apesar do tanto que cavaram, o corpo também não havia sido encontrado por lá. E Andrew Everton continuava a jurar inocência.

Será? Mike começara a pensar. Será?

Mike olha para o e-mail com a rosa vermelha. Faz uma busca. O mesmo e-mail todo ano. Sempre do mesmo endereço que não recebe respostas.

O que poderia significar a rosa vermelha? Amor, por exemplo. Lancashire? Aí seria forçar a barra. Mas Bethany gostava de forçar a barra. Gostava de provocá-lo. "Mais explosivas que dinamite", pois é. Como se ele fosse decifrar aquela.

Os e-mails não são de Bethany, óbvio que não. Apenas rosas de alguém solidário. Mas é um belo sonho. A ideia de que Bethany não está morta, e sim viva em algum lugar, talvez usando o dinheiro do esquema de fraude. Dinheiro este que parecia não estar com mais ninguém. Até Henrik dissera que, em dado momento, ele parecia apenas ter desaparecido. Teria desaparecido com ela?

Teria Bethany realmente deixado Mike para trás sem se despedir?

Por dez milhões, por que não? Seria algo estúpido e ganancioso, mas quem nunca havia sido estúpido e ganancioso na vida? Mike fora estúpido a vida inteira, até Bethany lhe mostrar a verdade. Quisera ele que ela tivesse continuado por perto tempo suficiente para ele ter lhe retribuído o favor.

Talvez os e-mails sejam de Bethany. Mike pode escolher acreditar nisso, se quiser. E, se forem, espera que ela tenha assistido à transmissão naquele dia. A homenagem que ele lhe prestou. Espera que ela saiba, onde quer que esteja, lá em cima, lá embaixo, ou em algum lugar entre os dois, que ele a ama.

Mike se serve de um copo de sidra, direto da garrafa de plástico desta vez. Por que não? Ergue sua taça num brinde.

— A amigos ausentes.

Joyce

Alguns dias se passaram desde aquele alvoroço todo. Acho que é hora de eu inteirar a todos sobre tudo o que aconteceu de lá pra cá.

Terminei meu conto. Não se chama mais "Banho de sangue canibal". Agora é "A vida é apenas um sonho: Um mistério com Gerry Meadowcroft". Enviei para o *Evening Argus* e eles responderam de imediato para dizer que meu original havia sido recebido. Escrevi em resposta para agradecer e desejar um bom fim de semana, mas o e-mail voltou. Desde então, não tive mais nenhuma notícia.

Comecei um novo conto no qual o inspetor Gerry Meadowcroft vai ao Marrocos. Nunca fui ao Marrocos, mas vi um documentário de Rick Stein em que ele vai a Marrakesh e é nele que estou baseando muitas das descrições.

Andrew Everton está na prisão. Belmarsh, segurança máxima. Imagino que para sua própria proteção também. Foi acusado formalmente de fraude, mas ainda estão investigando os assassinatos de Bethany e Heather. O curioso é que, em qualquer caso normal, a live que nós fizemos teria prejudicado o julgamento, mas a reação a ela foi tão intensa que acredito que até as autoridades entenderam que seria preciso transmitir a sensação de justiça sendo feita. Andrew continua a alegar inocência, mas, o que quer que aconteça, ele vai ficar muito tempo na cadeia.

A ironia é que agora os livros dele são grandes best-sellers. Estão em primeiro na lista do Kindle e há uma editora correndo para lançar exemplares físicos. A Netflix comprou os direitos de adaptação. É mesmo verdade o que se diz sobre propaganda. Mas ele não verá um centavo desse dinheiro. Está tudo retido pela Justiça até ele devolver os dez milhões que roubou.

Não acho que ele venha a ser acusado dos assassinatos. Cadê as provas? Escavaram todo o jardim e o bosque atrás da casa da Heather e não acharam corpo algum. Encontraram, sim, um bando de armas, maços de dinheiro, passaportes falsos, bens roubados e tudo o mais que se possa imaginar. Pelo jeito, cada vez que Jack Mason abria um buraco para procurar pelo cadáver ao longo dos anos ele escondia alguma coisa ali antes de fechar. A primeira arma que encontramos, a semiautomática, nunca havia sido disparada, e os cem mil eram de um assalto a uma agência dos correios em Tunbridge Wells.

Fui recentemente a Tunbridge Wells fazer compras. Carlito levou todo mundo no micro-ônibus. Eu tinha lido em algum livro que existia um supermercado Waitrose em Tunbridge Wells. Não era verdade. Mas tinha uma livraria Waterstones, grande, linda. Comprei um livro do Stephen King chamado *Sobre a escrita* e um novo da Marian Keyes.

A maior novidade que eu tenho deve ser sobre o Mike Waghorn. Deus e o mundo viram a homenagem dele a Bethany e ele diz que, desde então, o telefone não para de tocar. Assinou contrato para fazer uma série para a ITV chamada *Os serial killers mais notórios do Reino Unido*. Foi um dos apresentadores do *The One Show* (meu programa favorito) por uma semana e foi chamado para aparecer de novo. E na semana que vem eu vou mais uma vez a Elstree vê-lo no *De Olho no Relógio — Celebridades*! Parece que Elizabeth já tem um compromisso, mas Pauline vai comigo.

Depois da gravação, Fiona Clemence vai levar todos nós para jantar. Bom mesmo, pois ela agora tem oito milhões de seguidores no Instagram e logo vai começar a gravar a versão americana do *De Olho no Relógio*.

Pauline e Ron acabam de voltar de um fim de semana prolongado em Stratford-upon-Avon. Perguntei ao Ron qual espetáculo de Shakespeare haviam assistido, mas, pela cara de paisagem que ele fez, acho que passaram o fim de semana inteiro no pub. Ibrahim parece meio perdido sem Ron. Sei que está muito feliz pelo amigo, mas talvez seja melhor eu ficar de olho nele. Saímos sempre juntos para passear com o Alan, e ele fala pelos cotovelos o tempo todo, mas ainda assim.

E, por falar em caminhar com cachorros, vivo esbarrando com Mervyn e Rosie. Mervyn é tão bonito que eu preciso me controlar para não abanar minha cauda na presença dele. Não é de falar muito, mas isso às vezes é um alívio, não é? Tem homens com quem você passa a vida inteira só fazendo sim com a cabeça.

De vez em quando levo um cozido para Mervyn, sempre uma quantidade que dá para dois, só para ver se ele se toca, mas ele apenas responde: "Obrigado, isso aqui vai durar dois dias." Mas o jeito como ele fala, com aquela voz grave, imponente… só isso já vale a pena. Até agora, não mostrou nenhum sinal real de interesse. Se bem que outro dia ele trouxe seu exemplar do *Times* e falou: "Tem um artigo sobre a Margaret Atwood. Sobre como ela escreve os livros dela. Achei que você poderia se interessar." Deve ser a frase mais longa que ele já me disse. Então nunca se sabe. Li o artigo e teremos algo sobre o que conversar da próxima vez que nos virmos.

O Natal já está logo ali, e espero que Joanna e Scott apareçam. Não cheguei a perguntar o que todo mundo vai fazer. Será que Ron passará com Pauline? Talvez possam vir para cá. E Ibrahim também, sem dúvida. O que será que Viktor vai fazer no Natal? Eu pergunto a ele amanhã. Fomos todos convidados para almoçar na casa dele, e dessa vez vou levar minha roupa de banho, não importa quão frio esteja.

Minha conta de cripto, que num dado momento chegou a valer mais de sessenta e cinco mil libras, agora está valendo oitocentas. Mandei um e-mail para Henrik e ele respondeu da seguinte forma: "Joyce, você precisa acreditar." Acreditar no quê eu não sei. Mas falem o que quiserem sobre criptomoedas, pelo menos são mais divertidas do que títulos de capitalização.

Muita coisa aconteceu este ano, e a minha favorita de todas acaba de entrar no quarto procurando encrenca. Alan acha que já é hora de dormir e, como costuma ser o caso, está certo.

Ganância, era esse o problema. O erro fatal. Por que ele não havia ficado feliz com o que tinha?

Na verdade, ganância e inteligência em excesso. Os dois erros fatais.

Aqui estava, sentado em Belmarsh quando deveria estar em uma varanda na Espanha, com uma cerveja gelada e uma máquina de escrever a toda.

"Uma cerveja gelada e uma máquina de escrever a toda." Andrew Everton anota a frase em seu caderno. O novo livro, *Culpado ou inocente*, vai ser o melhor que já escreveu. Quer dizer, assim que o deixarem usar um computador. Talvez liberem o acesso depois de o condenarem, será? Quantos livros terá que vender para devolver dez milhões de libras? Muitos, ele aposta.

O esquema envolvendo o IVA, tão simples, tão limpo... Como tinha dado tão errado? A trama de um livro transformada em crime na vida real. Deveria ter deixado mesmo para a literatura. Confiado no seu texto. "É bem na linha de Grisham", dissera alguém, não lembra quem.

Também nunca deveria ter enviado a bala a Bethany. Tivera a esperança de que fosse assustá-la. Nunca deveria ter enviado o e-mail pedindo um encontro. Devia ter permanecido nos bastidores. A vida não é um livro.

Tantos corpos, e ele só havia sido responsável por um. Dissera a Jack e a Heather que havia matado Bethany, lógico. Um golpe de mestre: chantageá--los usando um cadáver que nem existia. A Guarda Costeira lhe dissera que, se o corpo não desembocasse na praia em até uma semana, o mais provável é que nunca aparecesse. Foi daí que ele teve a ideia. E que ideia brilhante. Brilhante demais, no fim das contas. Chegava a ser injusto. Não se deve ser penalizado por excesso de inteligência.

E ele também tinha falado ao cara com os óculos fundo de garrafa que havia matado Bethany. Porque achou que era isso o que o sujeito queria ouvir. Achou que conseguiria seu dinheiro assim.

Ganância. E excesso de inteligência. Olha aonde isso leva.

Quem matou Bethany Waites? Andrew Everton não faz ideia. Ele não foi, e Jack Mason ele sabe que não foi, caso contrário, o seu esqueminha de chantagem não teria funcionado. E onde foi parar todo o dinheiro? Também não faz ideia. Quem era o cara de óculos? Seria Elizabeth Best tudo o que parecia ser? A vida inteira dele havia começado a desmoronar depois de encontrá-la pela primeira vez. Tantas perguntas e tão poucas respostas...

Ao contemplar as quatro paredes de sua cela, segregado dos demais prisioneiros, trancado vinte e quatro horas por dia para a própria proteção, fazendo suas necessidades em um balde de metal afixado à parede, Andrew Everton percebe que, para alguém tão inteligente, parece haver uma quantidade enorme de coisas que ele não sabe.

Há algumas boas notícias, porém, e sempre se deve focar nelas. Nenhuma prova material o liga às mortes de Bethany ou Heather. Seu advogado acabaria com facilidade com aquela questão da "testemunha ocular" da prisão de Darwell. Mas será que Andrew Everton conseguiria se livrar das acusações de assassinato? As pessoas pediam a sua cabeça, mas as pessoas sempre pedem alguma coisa. Daqui a pouco se esqueceriam de tudo, Mike Waghorn tinha razão quanto a isso.

Talvez seja condenado somente pela fraude. E qual seria a pena? Talvez acabasse cumprindo cinco anos de uma sentença de dez? Escreveria uma série de best-sellers na qual um prisioneiro soluciona crimes a partir de sua cela? Iria batizá-la de "Dura cela" ou "O homem da ala".

Isso, foco nas coisas boas.

A ironia é que, do único assassinato que *de fato* cometera, parece que não será sequer considerado suspeito. Assim que Jack Mason abriu a boca, Andrew precisou matá-lo. Não teve escolha. A questão era apenas fazer parecer um simples suicídio. Jack soube o que lhe esperava assim que abriu a porta.

"A morte bate à porta." Andrew Everton anota este também no caderno, como parte de sua lista "Bons títulos".

Se conseguir se livrar das acusações de assassinato, cinco anos passam voando.

90

Chris celebra a resolução do caso igual a todos os policiais calejados pelos anos de serviço. Bebe um kombucha de mirtilo, mergulha talos de aipo em homus orgânico e assiste a uma competição de lançamento de dardos.

Está pensando que matar pessoas devia ser muito mais fácil antes de haver coleta de DNA. Chegava quase a dar pena dos maníacos homicidas de hoje em dia.

Se você mata alguém, em especial se for à queima-roupa com uma arma de fogo, o que acontece é, e não há uma forma delicada de dizer isso, o DNA da pessoa vai salpicar todinho em cima de você. Vai tudo nas suas mãos, na sua roupa. E aquele DNA acaba passando para tudo em que você encostar.

Na cerimônia de premiação da polícia de Kent, Patrice havia perguntado quem Chris poderia prender em seguida para conseguir mais um prêmio. Para ganhar mais uma noite de *black tie* e prosecco de graça no ano que vem. Mais um distintivo fofo e brilhante em mais uma bolsa de veludo fofa e brilhante.

Bem, depois da mensagem que acaba de receber, Chris sabe que vai ser convidado de novo ano que vem, com certeza. E tudo graças a Patrice.

Eis o começo: aquela arma tão pequena. Chris estava cismado com aquilo. Para um homem com acesso a tantas armas, legais e ilegais, por que Jack Mason teria se matado com uma arma pequena o suficiente para ser discretamente enfiada no bolso de alguém?

A resposta, como costuma ser o caso, era bem simples. Foi porque a arma *havia sido* enfiada no bolso de alguém.

Andrew Everton escolhera a menor arma possível para roubar da escavação no jardim de Heather Garbutt. Apenas porque teria de passar em frente a um monte de policiais na saída e não queria correr o risco de alguém vê-la. Não teria como esconder uma AK-47, ainda que tivessem encontrado duas.

Chris solicitara mais testes na arma, e eles haviam provado que fora enterrada junto a quatro outras recuperadas na escavação. Todas compartilhavam fibras do pano que as envolvia e ácidos do solo. A munição também. Andrew Everton, portanto, vira a arma, roubara-a e matara Jack Mason com uma arma da própria vítima.

Era uma bela prova, sem dúvida. Mas não era perfeita. Ninguém vira Andrew Everton pôr a arma no bolso. Qualquer um presente na escavação poderia tê-la roubado. O próprio Jack Mason poderia tê-la desenterrado semanas antes. Planejando o próprio suicídio, Jack poderia ter pensado: "Já sei o que eu vou fazer, vou desenterrar uma arma minúscula que escondi dez anos atrás." No tribunal, um advogado decente logo lançaria dúvidas sobre a arma. E Andrew Everton terá um advogado decente.

Mas para Chris era evidência suficiente de que Andrew Everton matara Jack Mason. Só restava provar.

Ele e Donna haviam discutido o assunto. Não queriam ver Andrew no banco dos réus só para depois se livrar de uma acusação de assassinato por um detalhe técnico. Chris tinha que encontrar alguma evidência que colocasse Everton diretamente na cena do assassinato de Jack Mason enquanto este era cometido. Alguma amostra de DNA.

Mas onde encontraria isso?

Patrice é que tivera a ideia. Dera a sugestão do lugar exato onde o DNA poderia ser encontrado. Chris ficara na dúvida. Seria irônico demais. Mas bastou ela insistir um pouco mais para ele entrar em contato com o laboratório de criminalística, e hoje os resultados chegaram. Ela estava certa. Ele acaba de lhe enviar uma mensagem durante a reunião de pais e mestres dela para informá-la.

Andrew Everton teria se limpado com afinco, lógico. O sangue, os miolos e, com eles, o DNA de Jack Mason já teriam ido para o espaço. Mas Andrew Everton fora descuidado. Ou, agora que já o conhecia um pouco, Chris achou mais provável ter sido arrogante. Talvez só tivesse destruído suas roupas no dia seguinte ao assassinato. Naquele dia em que era só sorrisos e risadas, sentado junto a Chris e Patrice na cerimônia de premiação. Será que não teria se recontaminado ao se livrar delas?

De qualquer forma, vai ser muito difícil Andrew Everton explicar como foram encontrados traços do DNA de Jack Mason no lugar em questão.

No distintivo fofo e brilhante e na bolsa de veludo fofa e brilhante que Andrew Everton entregara a Chris na cerimônia de premiação da polícia de Kent.

Chris põe na boca mais um talo de aipo comemorativo.

Vejamos se ele escapa dessa.

91

Há algo que Bogdan não está lhe contando, Elizabeth consegue perceber. Não tem a ver com Donna (felicidades ao casal, e tudo o mais), mas com certeza é alguma coisa. Ainda assim, ela o deixou de novo com Stephen hoje. Quando chegar em casa, eles conversam.

— Que baita aventura — comenta Viktor. — Fico grato. Tomei um tiro, fui enterrado, ressuscitado. E joguei sinuca à beça.

— Bem-vindo ao Clube do Crime das Quintas-Feiras — diz Elizabeth.

Estão sentados no terraço de Viktor com o laptop aberto, servidos de gim-tônica. Londres se descortina diante deles num vasto panorama em tons de verde, azul e cinza. Os ônibus lembram glóbulos vermelhos. Tudo parece muito respeitável dali de cima, mas eles bem sabem os segredos que a cidade esconde. O dinheiro, os assassinatos, o mal que as pessoas fazem. É disso que entendem, simples assim. Onde outros viam a chaminé de uma casa aconchegante, eles viam um cadáver sendo queimado. É o que acontece depois de quase sessenta anos naquele meio.

Está frio, mas o frio ajuda os dois a pensar. Andrew Everton está atrás das grades, à espera do julgamento. Jack Mason e Heather Garbutt estão debaixo da terra. Henrik está de volta a Staffordshire, mas deu pra ficar enviando a Viktor vídeos de gatos da internet. Para Elizabeth, parece um cessar-fogo. Ela fica satisfeita. Agora que encontrou Viktor de novo, preferiria não o perder.

Mas Viktor e ela concordavam que o trabalho fora feito pela metade. Viktor fizera Andrew Everton confessar, Viktor fazia qualquer um confessar, mais cedo ou mais tarde. Porém algo não se encaixava. Ambos compartilhavam a mesma impressão. Haviam discutido o assunto por muito tempo. Será que teriam desvendado a história completa? Teriam pegado o homem errado?

— Como está o Stephen? — pergunta Viktor.

— Outra hora — diz Elizabeth.

Henrik continuara a busca, mas, por mais que procurasse, o rastro do dinheiro acabava simplesmente desaparecendo. Haviam desvendado "Carron Whitehead" e "Michael Gullis". Nunca nem chegaram perto de decifrar "Robert Brown Msc". Talvez algum gênio ainda conseguisse fazer isso, mas tanto Elizabeth quanto Viktor tinham parado de tentar.

Henrik, contudo, descobrira uma pista. Outro pagamento antigo, desta vez de cem mil libras.

Viktor e Elizabeth analisam a pasta à sua frente. Henrik rastreara o pagamento até as Ilhas Virgens Britânicas, onde havia sido dividido em quatro pagamentos diferentes. Um deles chegara às Ilhas Cayman, mas foi um beco sem saída. Um se dirigia ao Panamá e outro a Liechtenstein, para os intermináveis corredores do sigilo bancário. Mas o quarto era interessante. Ao Banco Internacional de Dubai. Parecia inusitado.

— Por que enviar dinheiro a Dubai? — pergunta Elizabeth. — Há uma série de lugares muito mais seguros e muito mais obscuros, sem dúvida.

— Acesso, talvez? — sugere Viktor. — Seria o montante suficiente para sustentar alguém?

Elizabeth reflete que bem poderia dedicar algum tempo a investigar a conexão com Dubai. Ela conhece gente por lá. Dez milhões de libras foram parar sabe-se lá onde, mas às vezes bastam cem mil para capturar alguém. E Elizabeth adoraria capturar quem quer que tenha matado Bethany Waites.

Mas será que não estaria fazendo papel de boba? Talvez esteja deixando passar algo óbvio. A sensação certamente é esta. No seu âmago, ela sente que há alguma coisa estranha naquela história. Será que seus poderes estão se esvaindo? Ela está ficando velha. Hoje em dia, já usa os serviços de um spa dos pés. Até planeja dar um dia de tratamento a Joyce como presente de Natal. Teria chegado a hora de abandonar toda essa bobagem? Todo esse negócio de correr atrás de sombras?

Viktor treme de frio. Elizabeth ajeita o cobertor dele.

— Obrigado. Seu país é frio demais.

— O seu também — replica Elizabeth, e Viktor lhe dá razão.

Hora de deixar para trás toda essa bobagem? Não me faça rir, pensa Elizabeth. De que vale a vida sem essa bobagem?

— Talvez — comenta ela — um pouquinho de sol de inverno nos faça bem.

— Talvez. Alguma sugestão?

— Dizem que o clima em Dubai é agradável esta época do ano.

— Dizem, de fato — concorda Viktor. — E dizem ser um ótimo lugar para se fazer compras. Há até galerias de arte.

— Realmente, a gente bem que poderia fuxicar as galerias de arte, né?
— Fazer umas comprinhas. Aproveitar o sol.
— Mal não faria, não é? — diz Elizabeth.

Pode estar velha, mas sabe que encontrará algo por lá. A pecinha que faltava.

— Sabe — começa Viktor —, eu lembro de quando estava no fundo daquele buraco, com toda aquela terra sendo jogada em cima de mim. Lembro de ter olhado para cima e pensado se aquela vida não poderia me apetecer. Coopers Chase. Chá, bolo, os pássaros, os cachorros, os amigos. Se eu não me daria bem por ali. Você deve entender.

— Ô, como entendo — concorda Elizabeth.

— Eu estava solitário. Você deu um jeito nisso. Você e os seus amigos. Meus amigos. Eles são uma maravilha, não são?

— Eles são uma maravilha — concorda Elizabeth.

— Contei para você que vou comprar uma mesa de sinuca?

— Ron não falou de outra coisa no caminho pra cá — responde Elizabeth. — Tive que fingir que estava dormindo.

— No fim, são as pessoas que contam, não é? São sempre as pessoas. Você pode se mudar para o outro lado do mundo em busca da vida perfeita, ir para a Austrália se quiser, mas o principal é sempre as pessoas que se conhece.

Elizabeth contempla a piscina, suspensa no céu. Lá está Joyce, dando voltas com a cabeça para fora da água, para não molhar o cabelo. Os rapazes, Ron e Ibrahim, encontram-se ao lado da piscina, sentados de sobretudo em espreguiçadeiras luxuosas sob uma tenda. Ibrahim luta contra o vento na tentativa de ler o *Financial Times*. Ron tenta solucionar o mistério de como pôr a tampa de volta no copo de café.

Está frio demais para nadar, mas ninguém conseguira dissuadir Joyce. Elizabeth lhe dissera para não ser boba, pois a piscina continuaria ali no verão.

— Ah, mas sei lá se *nós* vamos continuar aqui — respondera Joyce, e estava certa.

Melhor ter tudo o que se pode ter enquanto se pode. Como saber quando você nadará pela última vez, quando sairá para sua caminhada pela última vez, quando beijará pela última vez? Elizabeth tem uma hipótese de qual é o segredo que Bogdan está escondendo dela. Vai ter que encarar isso.

Joyce vê Elizabeth observando-a e acena. Elizabeth acena de volta. Continue a nadar, Joyce. Continue a nadar, minha linda amiga. Enfrente essas águas turbulentas pelo máximo de tempo que conseguir.

Agradecimentos

Estes agradecimentos são literalmente a última coisa que preciso escrever, e assim que terminá-los terei permissão para sair de férias.

Eu poderia ter saído de férias em outros momentos do processo de escrita, mas, para ser sincero, editores sempre olham para você de um jeito que diz: "Precisa *mesmo* viajar tão perto do prazo de entrega?"

Como sempre, digito agora com Liesl Von Cat esparramada sobre a mesa. De vez em quando, toda vez que o ruído das teclas fica alto demais para seus ouvidos delicados, sua pata se estica de maneira preguiçosa na minha direção.

Esteja Liesl adormecida sobre o meu teclado, tapando a minha tela ou miando alto para pedir comida — embora eu tenha acabado de alimentá-la —, sei que está sempre querendo ajudar.

Com certeza devo muito a muita gente por ter me ajudado, bajulado, apoiado ou, no caso dela, miado para mim enquanto eu escrevia *A bala que errou o alvo*.

Em primeiro lugar, aos leitores. Nada acontece neste meio sem leitores, e estes são vocês. A não ser que só estejam lendo estes agradecimentos numa loja enquanto esperam por alguém que foi comprar papel para embrulhar presente. Neste caso, quem sabe não compram um livro? Nem precisa ser este aqui. Comprem um do Mark Billingham ou da Shari Lapena.

Porém, caso *tenham* lido o livro, agradeço do fundo do meu coração. Eu me diverti demais passando mais tempo com a turma, e espero que vocês também. Meu único trabalho é tentar entreter vocês, e quero muito, muito mesmo que se divirtam. Mesmo que "se divertir" signifique chorar em público ou perder o ponto do ônibus.

Obrigado também a todos os incríveis livreiros mundo afora. A essa altura, acredito já ter conhecido ao vivo a maioria de vocês, heróis. São heróis por seu amor pelos livros, por seu talento em recomendar os livros certos às pessoas certas e por sua capacidade de dizer "Você precisa de uma sacola?"

trezentas vezes ao dia sem deixar de sorrir. Prometo que vou ter outro livro para vocês venderem daqui a um ano, mais ou menos.

Sou ainda abençoado com a equipe editorial mais maravilhosa que há. Meu eterno obrigado à editora Harriet Bourton, da Viking, pela paciência, pela sagacidade e pelo talento, e por ser um prazer imenso trabalhar com ela. A "piscina no céu" de que o livro fala não só existe de verdade, como fica bem ao lado do escritório da Penguin Random House em Battersea.

Há guardas na entrada da embaixada dos Estados Unidos, mais à frente, e um grupo de jovens entrando pela porta giratória do edifício de uma editora, à esquerda. Na minha imaginação, este grupo é a minha incrível equipe na Viking, composta por Harriet, Ella Horne, Olivia Mead, Ellie Hudson, Rosie Safaty e Lydia Fried, imortalizada nas páginas deste livro. Obrigado pelo trabalho incrível que fazem: vocês são a melhor equipe do mercado editorial. Estiveram tão perto de Joyce e Elizabeth e nem sabiam!

Obrigado à incrível Sam Fanaken, guru de vendas, por saber o quanto eu amo ver um gráfico. E obrigado à sua brilhante equipe: Rachel Myers, Kyla Dean, Alison Pearce, Eleanor Rhodes Davies, Linda Viberg, Madeleine Bennett e Meredith Benson, e ainda a Samantha Waide e Grace Dellar.

Mais uma vez, devo muito ao trabalho genial de cópi e produção editorial de Natalie Wall e Annie Underwood. Natalie é a primeira pessoa até hoje a conseguir me explicar de forma sucinta quando devo usar "do qual" e quando devo usar "cujo". É uma informação da qual me lembrarei para sempre.

E obrigado também pelo excelente trabalho de copidescagem de Donna Poppy, que não só detém um conhecimento enciclopédico acerca dos jogadores de futebol do Liverpool, como sabe quais trens para o Sul ainda contam com serviço de bordo com carrinho de lanches. Ganha um prêmio ainda por ser a primeira pessoa na seção de agradecimentos a levar o nome de duas personagens diferentes dos livros do Clube do Crime das Quintas-Feiras.

A icônica ilustração de capa continua a ser obra dos incríveis Richard Bravery e Joel Holland. Muito imitados, jamais superados.

E obrigado a Tom Weldon pelo apoio, pela sabedoria e pelos Golden Penguins.

Uma carreira de escritor é basicamente impossível sem uma agente incrível, e a minha, Juliet Mushens, é a melhor do ramo. É de um apoio e de uma imaginação infindáveis *e* uma ótima fofoqueira. Desejo a nós muitos Golden Penguins mais. Juliet conta com o apoio valioso de Liza DeBlock, Kiya Evans e Rachel Neely. Sempre que sai um novo livro, elas sobem mais um degrau da escada. Em breve, precisaremos de uma escada maior. Ah, sim, Liza, finalmente trouxe para você aquele formulário de impostos da Bulgária.

Tenho diversos editores adoráveis mundo afora, e este ano tive a sorte de começar a conhecê-los pessoalmente. Obrigado a todos e espero que não tenha passado em branco o fato de eu ter conseguido continuar a mencionar a Estônia em cada um dos livros.

Um agradecimento especial, porém, aos meus editores nos Estados Unidos, que desempenham um papel tão fundamental nestes livros. À incomparável Pamela Dorman e a Jeramie Orton: que operação foi esta! Gostaria de mandar também mais alguns "obrigados", diretamente do meu lado do Atlântico ao de vocês, para Brian Tart, Kate Stark, Marie Michels, Lindsay Prevette, Kristina Fazzalaro, Mary Stone e Alex Cruz-Jimenez. Agradeço ainda à maravilhosa Jenny Bent. Que o próximo ano seja de menos chamadas por Zoom e mais encontros com leitores e livreiros americanos aos montes.

Obrigado a Pauline Simmons pelo nome e a Debbie Darnell pela personalidade. Obrigado a Angela Rafferty e a Jonathan Polnay por responderem com tanta rapidez e destreza a perguntas sobre DNA. Se Andrew Everton foi condenado, foi graças a vocês, e por isso somos muito gratos. E um agradecimento especial a Katy Loftus. Você sempre fará parte dessa turma.

Minha família continua a ser o coração dos meus livros. Obrigado, como sempre, à minha mãe, Brenda, por tantas coisas que jamais conseguirei retribuir cem por cento. A Mat e Anissa, a Jan Wright e a meus avós Fred e Jessie por sua força e por sua bondade.

Obrigado a meus filhos, Ruby e Sonny, que agora estão se tornando mais e mais monetizáveis e que me trazem alegria e orgulho todos os dias. Tenho muita sorte por ser pai de vocês, apesar de um de vocês nunca me deixar vencer no Mario Kart.

E, por fim, todo o meu amor e minha gratidão a Ingrid. Parece absurdo que tenha existido uma época em que não nos conhecíamos. Graças a você, minha vida é repleta de felicidade e risadas, e compartilhar o resto dela com você é o maior privilégio que posso imaginar.

É importante mencionar ainda que Ingrid foi quem pensou no título *A bala que errou o alvo* e trouxe à minha vida a maravilhosa Liesl Von Cat.

E, por falar em Liesl Von Cat, preciso ir. Fechei a janela do meu escritório e ela está deixando bem óbvio que isto é inaceitável.

Até a próxima...

1ª EDIÇÃO

PAPEL DE MIOLO
Pólen Natural 70g/m²

TIPOGRAFIA
Garamond

IMPRESSÃO
Cromosete